o palácio de inverno

Obras de John Boyne publicadas pela Companhia das Letras

A casa assombrada
A coisa terrível que aconteceu com Barnaby Brocket
Dia de folga (e-book)
Fique onde está e então corra
As fúrias invisíveis do coração
O garoto no convés
Uma história de solidão
O ladrão do tempo
O menino do pijama listrado
O menino do pijama listrado (edição comemorativa, com ilustrações de Oliver Jeffers)
O menino no alto da montanha
Noah foge de casa
O pacifista
O Palácio de Inverno
Tormento

O palácio de inverno

do autor de
O MENINO DO PIJAMA LISTRADO

JOHN BOYNE

Tradução

DENISE BOTTMANN

6ª reimpressão

COMPANHIA DAS LETRAS

Copyright © 2009 by John Boyne

Grafia atualizada segundo o Acordo Ortográfico da Língua Portuguesa de 1990, que entrou em vigor no Brasil em 2009.

A presente edição recebeu apoio financeiro do Ireland Literature Exchange (fundo de incentivo a traduções), Dublin, Irlanda.

Título original
The house of special purpose

Capa
warrakloureiro

Foto de Capa
© Time Life Pictures/ Getty Images

Preparação
Carlos Alberto Bárbaro

Revisão
Carmen S. da Costa
Isabel Jorge Cury

Dados Internacionais de Catalogação na Publicação (CIP)
(Câmara Brasileira do Livro, SP, Brasil)

Boyne, John

O Palácio de Inverno / John Boyne ; tradução Denise Bottmann. — São Paulo : Companhia das Letras, 2010.

Título original: The House of Special Purpose.
ISBN 978-85-359-1710-9

1. Ficção irlandesa I. Título.

10-06428   CDD-ir823.9

Índice para catálogo sistemático:
1. Ficção : Literatura irlandesa ir823.9

2022

Todos os direitos desta edição reservados à
EDITORA SCHWARCZ S.A.
Rua Bandeira Paulista 702 cj. 32
04532-002 — São Paulo — SP
Telefone (11) 3707-3500
www.companhiadasletras.com.br
www.blogdacompanhia.com.br
facebook.com/companhiadasletras
instagram.com/companhiadasletras
twitter.com/cialetras

Para
Mark Herman,
David Heyman
e
Rosie Alison,
com meus agradecimentos.

1981

Meus pais não foram felizes no casamento.

Passaram-se anos, décadas, desde a última vez que aturei a companhia deles, mas ambos me voltam à lembrança quase todos os dias, por alguns instantes, não mais do que isso. Um sussurro da memória, tão leve como o hálito de Zoia em meu pescoço quando dorme de noite a meu lado. Tão suave como seus lábios em meu rosto quando me beija à primeira luz da manhã. Não sei exatamente quando morreram. Não sei nada sobre a morte deles, além da certeza natural de que não pertencem mais a este mundo. Mas penso neles. Ainda penso neles.

Sempre imaginei que meu pai, Daniel Vladiavitch, morreria primeiro. Ele já tinha trinta e poucos anos quando nasci e, pelo que me recordo, nunca foi abençoado com uma boa saúde. Tenho lembranças de acordar, quando criança, em nossa pequena isbá de madeira em Cáchin, no Grão-Ducado de Moscóvia, tapando minhas orelhas miúdas com as mãos para afastar o som de sua mortalidade, enquanto ele se engasgava, tossia e cuspia o catarro na pequena fornalha que ardia em nossa sala de estar. Agora imagino que devia ter problema nos pulmões. Enfisema, talvez. Difícil saber. Não havia médicos para atendê-lo. Nem remédios. E ele não portava suas várias doenças com firmeza ou elegância. Quando sofria, sofríamos também.

A testa se projetava de sua cabeça como uma protuberância grotesca, lembro isso também. Uma grande massa de membrana disforme se adensava em volumes menores de ambos os lados, a pele muito esticada desde a linha dos cabelos até a reentrância do nariz, repuxando as sobrancelhas para cima, o que lhe dava uma expressão de ansiedade constante. Certa vez, minha irmã mais velha, Lisca, me contou que foi um acidente na hora do parto, um médico incompetente que o pegou pelo crânio quando vinha ao mundo, em vez de puxá-lo pelos ombros, e apertou demais o osso ainda macio e não solidificado. Ou uma parteira displicente, talvez, sem cuidado com o filho de outra mulher. A mãe não viveu para ver a criatura que tinha gerado, o bebê defeituoso com a cabeça deformada. A vida de meu pai custou a vida de minha avó. Não era coisa incomum na época e raramente motivo de luto — um equilíbrio da natureza. Hoje, seria algo inesperado e processo na certa. Meu avô logo arranjou outra mulher, claro, para criar o filho.

Quando eu era pequeno, os outros meninos da aldeia ficavam em polvorosa ao ver meu pai vindo pela estrada na direção deles, dardejando o olhar à frente e atrás quando voltava do trabalho no campo para casa, talvez, ou brandindo o punho ao sair da cabana de algum vizinho depois de mais uma discussão sobre o montante de alguma dívida ou sobre pretensos insultos sofridos. Punham-lhe nomes e gritavam empolgados — chamavam-no de Cérbero, o cão de três cabeças do Hades, e zombavam dele tirando os colbaques, fincando os pulsos na testa e agitando as mãos feito loucos enquanto entoavam seus gritos de guerra. Não temiam qualquer castigo por se comportar assim na minha frente, o único filho dele. Faziam-lhe caretas pelas costas e escarravam no chão imitando seu costume, e quando ele se virava para urrar como um animal ferido a criançada se dispersava, como grãos de cereal arremessados num campo, sumindo na paisagem com a mesma rapidez. Riam dele; parecia-lhes assustador, monstruoso e repugnante, tudo ao mesmo tempo.

Ao contrário dos meninos, eu tinha medo de meu pai, pois ele era pródigo em suas pancadas e impenitente em sua violência.

Não tenho nenhuma razão para pensar assim, mas imagino-o voltando para casa em algum final de tarde, logo depois que escapei do vagão de trem em Pscov naquela manhã fria de março, e os bolcheviques caindo em cima dele em retaliação pelo que eu tinha feito. Vejo-me dando uma carreira para atravessar os trilhos e desaparecer na floresta logo adiante, temendo por minha vida, enquanto ele caminha para casa num passo arrastado, tossindo, pigarreando e cuspindo, sem saber que corre perigo mortal. Em minha arrogância, imagino que meu sumiço trouxe uma enorme vergonha para minha família e nosso pequeno casebre, uma desonra que exigia reparação. Imagino um grupo de rapazes da aldeia — em meus sonhos, são quatro; taludos, feios, brutais — derrubando-o a porretadas, arrastando-o da rua para o escuro de um beco com muros altos, na intenção de matá-lo sem testemunhas. Não o ouço gritar por misericórdia, não teria sido assim. Vejo sangue nas pedras onde ele jaz. Vislumbro uma das mãos se mexendo devagar, tremendo, os dedos num espasmo. E então quedando imóvel.

Quando penso em minha mãe, Iulia Vladimirovna, imagino que foi chamada por Deus alguns anos depois, recolhida ao leito, com fome, exausta, minhas irmãs chorando a seu lado. Não consigo imaginar as dificuldades que ela deve ter enfrentado depois da morte de meu pai e não gosto de pensar nisso, pois, embora fosse uma mulher fria e, durante minha infância, não perdesse ocasião de demonstrar sua decepção comigo, mesmo assim era minha mãe, e a mãe da gente é sagrada. Imagino minha irmã primogênita, Ássia, colocando um pequeno retrato meu nas mãos dela no momento de uni-las em oração pela última vez, preparando-se em solene penitência para encontrar o Criador. A mortalha se franze junto ao pescoço fino, o rosto está branco, os lábios com um tom pálido de azul-pervinca. Ássia gostava de mim, mas ficou com inveja quando fugi, lembro isso também. Um dia ela veio ter comigo e eu a mandei embora. Agora sinto vergonha de pensar nisso.

Pode ser que nada disso tenha acontecido, claro. Meus pais e minhas irmãs podem ter tido um outro fim: feliz, trágico, pacífico, violento, juntos, separados, não tenho como saber. Nunca surgiu oportunidade de voltar, nunca tive ocasião de escrever para Ássia, Lisca ou mesmo Talia, que talvez nem se lembrasse do irmão mais velho, Geórgui, o herói e a desonra da família. Voltar seria colocá-los em perigo, colocar-me em perigo, colocar Zoia em perigo.

Mas, por muito tempo que tenha se passado, ainda penso neles. Há longos períodos em minha vida que são um mistério para mim, décadas de faina e família, luta e traição, perda e decepção, que se misturaram e é quase impossível separá-las, mas alguns momentos daqueles anos, daqueles primeiros anos, permanecem e ressoam em minha memória. E se tardam como sombras nos corredores escuros de minha mente que vai envelhecendo, mostram-se ainda mais vívidos e notáveis por jamais poder ser esquecidos. Mesmo que eu logo o seja.

Faz mais de sessenta anos que vi pela última vez algum parente de sangue. É quase impossível acreditar que cheguei a esta idade, oitenta e dois anos, e que passei com meus familiares uma parcela tão pequena do tempo que me foi concedido. Fui relapso em minhas obrigações para com eles, embora na época eu não enxergasse dessa maneira. Pois querer mudar meu destino seria como querer mudar a cor de meus olhos. As circunstâncias me levaram de uma coisa a outra, e depois a outra, e mais outra, como acontece com todos os homens, e dei um passo após o outro sem questionar.

E então um dia eu parei. E estava velho. E eles tinham partido.

E fico pensando: seus cadáveres continuam em estado de decomposição ou já se desfizeram e se uniram ao pó? O processo de putrefação leva várias gerações até se consumar ou pode avançar mais depressa, dependendo da idade do corpo ou das condições de sepultamento? E a rapidez da decadência física, será que depende da qualidade da madeira do caixão? Da voracidade do solo? Do clima? Antes, era o tipo de pergunta em que eu podia ficar matutando enquanto me distraía durante a leitura noturna. Em geral eu anotava minha dúvida e pesquisava até chegar a uma resposta satisfatória, mas todas as minhas rotinas foram por água abaixo neste ano e agora essas indagações me parecem triviais. Na verdade, faz muitos meses que nem vou à biblioteca, desde que Zoia ficou doente. Talvez nem volte mais lá.

Passei a maior parte de minha vida — a maior parte de minha vida adulta, quero dizer — entre as paredes tranquilas da biblioteca no Museu Britânico. Comecei a trabalhar lá no início do outono de 1923, pouco tempo depois de termos, Zoia e eu, chegado a Londres pela primeira vez, passando frio, sentindo medo, na certeza de que ainda poderiam nos descobrir. Eu estava com vinte e quatro anos naquela época, e não fazia a menor ideia de que um emprego podia ser tão pacato. Fazia cinco anos que eu tinha largado os símbolos de minha vida anterior — uniformes, rifles, bombas, explosões —, mas a lembrança deles ainda me marcava. Agora eram roupas macias, arquivos, erudição: uma mudança bem-vinda.

E antes de Londres, claro, foi Paris, onde desenvolvi aquele interesse por livros e literatura que havia começado na Biblioteca Azul, uma curiosidade a que eu tinha esperança de dar andamento na Inglaterra. Para minha eterna ventura, vi um anúncio no *The Times* sobre uma vaga de auxiliar de bibliotecário no Museu Britânico, compareci no mesmo dia, chapéu na mão, e fui imediatamente levado à presença de um certo sr. Arthur Trevors, meu novo empregador em potencial.

Lembro a data exata. Doze de agosto. Eu tinha acabado de vir da Catedral da Assunção e Todos os Santos, onde acendi uma vela por um velho amigo, gesto anual de respeito no dia de seu aniversário. *Enquanto eu viver*, prometera a ele todos aqueles anos atrás. De certa forma, parecia coerente que minha nova vida começasse no mesmo dia em que se iniciara sua curta vida.

— O senhor sabe há quanto tempo existe a Biblioteca Britânica, sr. Jachmenev? — perguntou o sr. Trevors, observando-me com atenção por cima dos óculos em meia-lua, ociosamente apoiados na base do nariz. Ele não mostrou a mais leve dificuldade com meu sobrenome, fato que me impressionou, visto que muitos ingleses pareciam considerar uma virtude o fato de ser incapazes de pronunciá-lo. — Desde 1753 — respondeu ele mesmo de imediato, sem me dar a menor chance de arriscar um palpite. — Quando sir Hans Sloan legou sua coleção de livros e raridades à nação, e assim nasceu o museu inteiro. O que o senhor pensa sobre isso?

Não consegui pensar em outra resposta a não ser elogiar a filantropia e o bom-senso de sir Hans, resposta que o sr. Trevors aprovou de todo o coração.

— O senhor está absolutamente certo, sr. Jachmenev — disse assentindo freneticamente com a cabeça. — Era de fato um sujeito excelente. Meu bisavô sempre jogava bridge com ele. A dificuldade agora, claro, é o espaço. Está faltando, como o senhor pode ver. Livros demais sendo publicados, este é o problema. Na maioria escritos por imbecis, ateus ou sodomitas, mas, Deus nos ajude, somos obrigados a incluir todos eles. O senhor não tem nenhuma ligação com esse pessoal, tem, sr. Jachmenev?

Sacudi a cabeça depressa.

— Não, senhor — respondi.

— Ainda bem. Esperamos algum dia mudar a biblioteca para uma sede própria, claro, o que vai ajudar muito. Mas tudo depende do Parlamento. Eles controlam todo nosso dinheiro, entende. E o senhor sabe como são aqueles sujeitos. Podres até o último fio de cabelo, todos sem exceção. Esse tal Baldwin é um camarada realmente bom, mas tirando ele... — Abanou a cabeça e fez um ar de quem passava mal.

No silêncio que se seguiu, não consegui pensar em nada

para transmitir uma boa impressão, a não ser falar de minha admiração pelo museu, onde eu tinha estado só por meia hora antes da entrevista, e pela maravilhosa coleção de tesouros que estavam reunidos ali dentro de suas paredes.

— O senhor trabalhou num museu antes, sr. Jachmenev, não trabalhou? — perguntou ele, e acenei a cabeça numa negativa.

Ele demonstrou surpresa com a resposta e tirou os óculos enquanto insistia na pergunta:

— O senhor, pensei eu, não terá sido funcionário do Ermitage? Em São Petersburgo?

Ele não precisava especificar a localização do museu; eu o conhecia muito bem. Lamentei por um momento não ter mentido, pois afinal era improvável que ele fosse procurar alguma confirmação se eu havia trabalhado lá, e qualquer tentativa de obter referências levaria anos para ter resposta, se é que algum dia teria.

— Não, senhor, nunca trabalhei lá — respondi. — Mas claro que conheço muito bem o museu. Passei muitas centenas de horas felizes no Ermitage. A coleção bizantina é especialmente admirável. E a numismática também.

Ele avaliou meu comentário por alguns instantes, percorrendo com os dedos a lateral de sua escrivaninha, antes de decidir se estava satisfeito com a resposta. Reclinando-se na cadeira, estreitou os olhos e respirou fundo enquanto me encarava.

— Diga-me, sr. Jachmenev — falou arrancando cada palavra como se doesse proferi-las. — Há quanto tempo o senhor está na Inglaterra?

— Não muito — fui sincero. — Poucas semanas.

— Veio direto da Rússia?

— Não, senhor. Minha mulher e eu passamos vários anos na França antes de...

— Sua mulher? Então o senhor é casado? — aparteou ele, parecendo contente com minha declaração.

— Sou, sim, senhor.

— Como ela se chama?

— Zoia — falei. — Um nome russo, claro. Significa *vida*.

— É mesmo? — resmungou fitando-me como se minha frase fosse de uma presunção ímpar. — Encantador. E do que o senhor vivia na França?

— Eu trabalhava numa livraria parisiense — disse. — De porte médio, mas com uma clientela fiel. Não havia dia sem movimento.

— E o senhor gostava do serviço?

— Muito.

— Por quê?

— Era pacato — respondi. — Embora eu estivesse sempre ocupado, a atmosfera tinha uma serenidade que me agradava muito.

— Bem, é assim que as coisas funcionam aqui também — disse animado. — Agradável e tranquilo, mas com muito serviço puxado. E antes da França, o senhor viajou muito por toda a Europa, suponho.

— Na verdade, não, senhor — admiti. — Antes da França era a Rússia.

— Estavam fugindo da revolução?

— Saímos em 1918 — respondi. — Um ano depois que ela aconteceu.

— Não apreciava o novo regime, suponho?

— Não, senhor.

— Tem toda razão — comentou ele, os lábios levemente curvados de desagrado à ideia. — Malditos bolcheviques. O czar era primo do rei, Geórgui, sabia disso?

— Sim, senhor, eu tinha conhecimento disso — respondi.

— E a mulher dele, a dona czar, era neta da rainha Vitória.

— A czarina — disse eu, corrigindo cuidadosamente a irreverência dele.

— Está bem, se o senhor faz questão. É um atrevimento

danado, se quiser saber. Deviam fazer alguma coisa com esse pessoal antes que se alastrem pela Europa com seus maus modos. Naturalmente o senhor sabe que o camarada Lênin costumava estudar aqui na biblioteca, não?

— Não, eu não sabia — disse erguendo uma sobrancelha em sinal de surpresa.

— Ah, sim, é absolutamente verdade, eu lhe garanto — disse ele, notando meu ar de ceticismo. — Lá por volta de 1901 ou 1902, creio eu. Muito antes de meu tempo. Meu precedessor me contou tudo a respeito. Ele disse que Lênin costumava chegar todas as manhãs pelas nove horas, e ficava até a hora do almoço, quando aquela mulher dele vinha e o arrastava embora para irem editar aquele jornaleco revolucionário. Ele sempre tentava entrar com uma garrafa de café escondida, o tempo todo, mas a gente ficava de olho nele. Foi quase barrado por causa disso. Só por aí já dá para ver que tipo de homem ele era. O senhor não é bolchevique, é, sr. Jachmenev? — perguntou inclinando-se de repente e me encarando fixo.

— Não, senhor — disse abanando a cabeça e fitando o chão, sem conseguir enfrentar o olhar penetrante dele. Fiquei surpreso com a opulência do pavimento de mármore sob meus pés. Ocorreu-me que eu havia deixado tais glórias para trás. — Não, definitivamente não sou um bolchevique.

— Então o que o senhor é? Leninista? Trotskista? Czarista?

— Nada, senhor — respondi, levantando de novo o olhar, agora com uma expressão decidida no rosto. — Não sou absolutamente nada. Apenas um homem que chegou recentemente neste grande país, em busca de um emprego honesto. Não tenho cores políticas e nem quero ter. A única coisa que desejo é uma vida calma e condições de dar um sustento digno à minha família.

Calado, ele pesou minhas palavras por alguns instantes e fiquei em dúvida se não estaria me rebaixando demais diante dele, mas eu tinha preparado essas frases a caminho de Bloomsbury para conseguir o emprego, e achei que tinham humildade suficiente para satisfazer um potencial empregador. Pouco me importava se eu ficava parecendo um criado. Eu precisava de serviço.

— Muito bem, sr. Jachmenev — disse ele por fim, com um aceno de cabeça. — Creio que podemos tentar. Um período de experiência para começar, digamos um mês e meio, e se nós dois ficarmos mutuamente satisfeitos depois desse prazo, teremos mais uma conversinha e veremos se não é possível efetivar o cargo. Como lhe parece?

— Fico muito agradecido, senhor — disse eu, sorrindo e estendendo a mão num gesto de amizade e reconhecimento. Ele hesitou um momento, como se eu estivesse tomando uma enorme liberdade, antes de me encaminhar para um outro escritório, onde registrou meus dados e expôs minhas novas responsabilidades.

Fiquei no emprego da biblioteca no Museu Britânico pelo resto de minha vida profissional, e depois da aposentadoria continuei a ir quase todos os dias, passando horas nas mesas que antigamente cabia a mim arrumar, e onde agora ficava lendo, pesquisando e me instruindo. Lá eu me sentia seguro. Em nenhum outro lugar do mundo jamais me senti tão seguro como entre aquelas paredes. Durante a vida inteira receei que me encontrassem, que nos encontrassem, mas pelo visto fomos poupados. Agora só Deus irá nos separar.

É verdade que nunca fui um homem que se poderia classificar de do tipo moderno. Minha vida com Zoia, nosso longo casamento, seguia os moldes tradicionais. Nós dois trabalhávamos e voltávamos para casa mais ou menos na mesma hora, no final da tarde, mas era ela quem preparava as refeições e cuidava das tarefas domésticas, como lavar a roupa e limpar a casa. A ideia de que eu poderia ajudar nunca foi sequer ventilada. Enquanto ela cozinhava, eu sentava junto à lareira e lia. Gostava de romances longos, de épicos históricos, e não tinha muito tempo para a literatura contemporânea. Tentei Lawrence quando ainda parecia uma ousadia ler seus livros, mas empaquei no dialeto, nos *dosts*, *nimblers* e *threp'ny bits* de Walter Morel e nos *nivers* e *theers* de Mellors. Forster achei mais interessante, aquelas irmãs Schlegel muito sérias e bem-intencionadas, o livre-pensador Emerson, a extravagante Lilia Herriton. Às vezes eu sentia vontade de recitar uma passagem especialmente emocionante em voz alta, e Zoia se afastava do assado fumegante ou das costeletas grelhando, apoiava exausta o dorso da mão na testa e dizia: *O que foi, Geórgui? O que você está falando?*, como se em parte tivesse até esquecido que eu estava ali na sala. Pode parecer errado que eu não participasse mais nas atividades domésticas, mas era assim que se fazia naquela época. Em todo caso, lamento.

Nem sempre pretendi levar uma vida tão conservadora. Certamente houve momentos, ocasiões fugazes nesses mais de sessenta anos juntos, em que eu ficava agastado por não nos livrarmos das sombras de nossos pais e não criarmos nosso estilo pessoal. Mas Zoia, talvez por causa de sua infância e criação, não queria nada além de construir um lar que fosse igual aos lares de nossos amigos e vizinhos.

Como vocês veem, ela queria paz.

Ela queria se integrar.

— Não podemos simplesmente viver em calma? — perguntou-me uma vez. — Em calma e felizes, fazendo como os outros fazem? Assim nunca ninguém vai reparar em nós.

Montamos nosso lar em Holborn, não longe de Doughty Street, onde o escritor Charles Dickens viveu por algum tempo. Eu passava pela casa dele duas vezes por dia, ao ir e voltar do Museu Britânico, e quando me familiarizei mais com seus romances, por causa do trabalho na biblioteca, tentava imaginá-lo sentado no escritório do segundo andar, elaborando as curiosas frases de *Oliver Twist*. Uma vizinha já entrada em anos me contou um dia que a mãe dela tinha sido arrumadeira do sr. Dickens durante dois anos, e que ele lhe deu um exemplar daquele romance com sua assinatura no alto do frontispício, que ela guardava numa prateleira na sala de visitas.

— Homem muito asseado — disse-me, franzindo os lábios e acenando a cabeça em sinal de aprovação. — Era o que mamãe sempre dizia dele. Muito meticuloso no que fazia.

Minha rotina matinal era sempre a mesma. Eu acordava às seis e meia, me lavava e me vestia, e pelas sete horas entrava na cozinha, onde Zoia havia preparado chá, torradas e dois ovos escaldados à perfeição, que me esperavam na mesa. Ela tinha uma técnica maravilhosa para preparar os ovos, que mantinham o formato oval fora da casca, talento que punha em prática criando com o batedor de ovos um redemoinho de vapor na água fervendo, antes de mergulhar a clara e a gema. Quase não falávamos enquanto eu comia, mas ela se sentava a meu lado, completando minha caneca de chá conforme se esvaziava, tirando meu prato quando eu terminava e lavando-o na pia.

Eu preferia ir a pé até o museu, fizesse o tempo que fizesse, para praticar um pouco de exercício. Quando jovem, tinha orgulho de meu físico e me esforçava em manter a forma, mesmo quando cheguei à meia-idade e passei a me sentir menos enamorado por minha imagem no espelho. Eu levava uma pasta e Zoia colocava uma fruta e dois sanduíches dentro dela, todas as manhãs, junto com o romance que eu estivesse lendo naquele momento. Ela cuidava muito bem de mim, e, pela própria natureza da rotina diária, raramente me ocorreu comentar sua gentileza ou lhe agradecer.

Talvez isso me faça parecer um sujeito antiquado, um tirano com exigências absurdas à esposa.

Nada mais longe da verdade.

De fato, quando casamos em Paris, no outono de 1919, eu não suportava a ideia de que Zoia fosse servil comigo.

— Mas não estou servindo — insistia ela. — Gosto de cuidar de você, Geórgui, você não vê isso? Nunca imaginei ter essas liberdades, lavar, cozinhar, manter meu lar como fazem as outras mulheres. Por favor, não me negue algo que para as outras é tão normal.

— De que as outras se queixam — eu respondia sorrindo.

— Por favor, Geórgui — repetia, e o que mais eu podia fazer, a não ser acatar o que ela pedia? Mesmo assim, aquilo me incomodou por alguns anos, mas, com o passar do tempo e quando fomos abençoados com uma filha, nossas rotinas falaram mais alto e esqueci meu desconforto inicial. O arranjo deu certo, e é só o que posso dizer.

Mas o que me causa vergonha é que ela cuidou tão bem de mim durante toda nossa vida juntos que, agora que estou sozinho em nossa casa, sou incapaz de atender a responsabilidades básicas. Não sei cozinhar nada, e então todas as manhãs como flocos de aveia, farelo de cereais e uvas pra lá de passas que se empapam acrescentando leite. Almoço no hospital à uma da tarde, quando chego para minha visita diária. Faço a refeição sozinho numa pequena mesa de plástico que dá para o jardim desleixado da enfermaria, onde os médicos e as enfermeiras fumam lado a lado em seus uniformes azul-pálidos quase indecentes. A comida é insossa e sem graça, mas enche o estômago, e é só isso que peço. É o trivial simples inglês. Carne com batata. Frango com batata. Peixe com batata. Imagino que algum dia o menu vai ser batata com batata. Pouco animador.

Naturalmente, vim a conhecer alguns visitantes à espera da viuvez, que vagueiam pelos corredores numa solidão espavorida, privados do ente querido pela primeira vez em décadas. Somos conhecidos apenas de vista, alguns de nós, e há aqueles que gostam de trocar histórias de esperanças e desilusões, mas eu evito conversas. Não estou aqui para fazer amigos. Estou aqui apenas por causa de minha mulher, de minha querida Zoia, para sentar a seu lado na cama, para segurar sua mão na minha, para sussurrar em seu ouvido, para garantir que ela saiba que não está sozinha.

Fico no hospital até as seis da tarde, e então dou-lhe um

beijo no rosto, ponho a mão por um instante em seu ombro, e rezo em silêncio para que ela ainda esteja viva no dia seguinte, quando eu voltar. Duas vezes por semana, nosso neto Michael vem passar um tempinho comigo. A mãe dele, nossa filha Arina, morreu aos trinta e seis anos, atropelada por um carro quando voltava do trabalho. A ferida deixada por sua ausência nunca se cicatrizou. Passamos tanto tempo achando que não podíamos ter filhos que, quando Zoia finalmente engravidou, pareceu-nos um milagre, uma dádiva de Deus. Uma compensação, talvez, pelas famílias que tínhamos perdido.

E então ela nos foi tirada.

Michael ainda era pequeno quando perdeu a mãe, e seu pai, nosso genro, homem sério e respeitável, garantiu que ele continuaria a manter relações com os avós maternos. Naturalmente, como todos os meninos, sua aparência mudou tanto e tantas vezes durante a infância que nunca sabíamos a que lado da família ele tinha puxado, mas, agora que é adulto, acho que ele lembra muito o pai de Zoia. Creio que ela também deve ter notado a semelhança, mas nunca comentou nada a respeito. É um jeito de virar a cabeça e sorrir, de vincar a testa inesperadamente quando franze o sobrolho, e uma profundidade naqueles olhos castanhos que misturam confiança e insegurança. Uma vez, quando nós três passeávamos pelo Hyde Park numa tarde de sol, um cachorrinho veio correndo para nosso lado e ele caiu de joelhos para abraçar o filhote, deixando que lhe lambesse o rosto enquanto murmurava deliciado pequenas bobagens para o animalzinho, e quando olhou para cima, abrindo um enorme sorriso para os avós corujas, tenho certeza de que ambos ficamos impressionados com a súbita e imprevista semelhança. Foi algo tão desconcertante, nosso espírito se encheu de tantas lembranças, que nossa conversa logo ficou forçada, e uma tarde que seria agradável acabou se estragando.

Michael está no segundo ano da Academia Real de Artes

Dramáticas, estudando para ser ator, vocação que me surpreende, pois quando criança ele era quieto e retraído, quando adolescente taciturno e introvertido, e agora, aos vinte anos, é muito extrovertido e mostra um talento artístico que nenhum de nós jamais esperaria. No ano passado, antes de ficar doente demais para aproveitar essas coisas, Zoia e eu fomos assistir a uma representação estudantil de *Major Barbara*, de Shaw, em que Michael fazia o papel do jovem e apaixonado Adolphus Cusins. Ele esteve ótimo, a meu ver. Muito convincente. Também parecia saber algo sobre o amor, o que me deixou contente.

— Ele é muito bom em se passar por outra pessoa — comentei com Zoia logo depois no saguão, enquanto esperávamos para cumprimentá-lo, sem saber bem se aquela frase era um elogio ou não. — Não sei como ele faz isso.

— Eu sei — respondeu Zoia, causando-me surpresa, mas, antes que eu pudesse responder, ele nos apresentou a uma jovem, Sarah, a própria Major Barbara, sua noiva no palco e, como viemos a saber, sua namorada fora dele. Ela era bonita, mas parecia não entender muito bem por que se via obrigada a trocar amenidades com dois parentes idosos de seu amado, e talvez também um pouco irritada com o fato. Durante toda a conversa, tive a sensação de que ela nos tratava com ar de superioridade, como se achasse que existia alguma correlação entre a idade e a obtusidade. Aos dezenove anos, ela transbordava de frases sentenciosas sobre o mundo terrível em que vivíamos, e como a culpa era exclusivamente de Reagan e Brejnev. Em voz ríspida e afetada, que me fez lembrar aquela mulher horrível, a Thatcher, citando são Francisco de Assis nos degraus da Downing Street, declarou que o presidente e o secretário-geral iriam destruir o planeta com suas políticas imperialistas, e discorreu com ar de autoridade sobre a corrida armamentista e a Guerra Fria, assuntos que ela só conhecia pelo que tinha lido em suas revistas estudantis e sobre os quais pretendia nos ministrar uma aula. Vestia uma camiseta branca sem a mínima finalidade de lhe ocultar os seios; uma palavra em vermelho-sangue gotejando pingos — Solidarnośc — atravessava a frente da camiseta, e quando ela me flagrou olhando fixamente — a palavra, juro, não os seios —, lançou-se num sermão sobre o caráter heroico do operário naval polonês, o sr. Walesa. Senti-me tratado com extrema condescendência, e até insultado, mas Zoia cruzou seu braço no meu para garantir que eu mantivesse a compostura, e por fim Major Barbara nos informou que tinha sido de fato maravilhoso nos conhecer, que éramos encantadores ao extremo, e desapareceu num mar de jovens grotescamente pintados e sem dúvida igualmente opiniáticos.

Mas claro que não critiquei a moça para Michael. Sei o que é ser um rapaz apaixonado. E, aliás, ser um velho apaixonado. Às vezes acho absurdo pensar que esse garoto magnífico está agora conhecendo os prazeres da carne; parece que foi ainda ontem que ele só queria era sentar em meu colo e ouvir os contos de fadas que eu lia para ele.

Michael nunca deixa de visitar a avó no hospital, duas ou três vezes por semana; é consciencioso nas visitas. Senta-se com ela durante uma hora e então vem mentir para mim, dizer como sua aparência melhorou, que despertou por alguns instantes e se sentou para conversar com ele, e que parecia alerta e mais disposta como antigamente, que ele tem certeza que é apenas uma questão de tempo para ela se recuperar e voltar para casa. Às vezes eu me pergunto se ele realmente acredita nisso ou se acha que eu é que sou tão bobo a ponto de acreditar e que está me fazendo um grande favor ao enfiar essas ideias impossíveis e maravilhosas em minha cabeça velha e tonta. Os jovens têm um tremendo desrespeito pelos velhos, talvez não de propósito, mas simplesmente porque se recusam a crer que nosso cérebro ainda funciona. Seja como for, encenamos a farsa juntos duas ou três vezes por semana. Ele comenta, eu concordo, planejamos o que nós três — quatro — poderemos fazer juntos quando Zoia estiver bem outra vez, e então ele olha o relógio, aparenta surpresa pelo adiantado da hora, me dá um beijo na testa, diz "Vejo-o daqui a alguns dias, pápi, ligue se precisar de alguma coisa", sai, desce os degraus aos saltos com suas pernas compridas, esguias, musculosas, e quase no mesmo instante pula para dentro de um ônibus em movimento, tudo isso no espaço de um minuto.

Há momentos em que invejo sua juventude, mas tento não me deter nisso. Um velho não deve se ressentir com os que vieram lhe tomar o lugar, e lembrar quando eu era moço, másculo e saudável é um ato de masoquismo que não leva a nada. Ocorre-me que, embora Zoia e eu ainda estejamos vivos, minha vida já acabou. Zoia me vai ser tirada em breve, e não haverá nenhuma razão para eu continuar sem ela. Somos uma pessoa só, vocês entendem. Somos GeórguieZoia.

A médica de Zoia se chama Joan Crawford. Não é piada. Quando a conheci, não pude deixar de imaginar por que seus pais lhe impuseram tal fardo. Ou seria talvez seu nome de casada? Teria se apaixonado pelo homem certo, mas pelo nome errado? Não comentei o fato, claro. Imagino que ela tenha passado a vida aguentando comentários idiotas. Por coincidência, ela guarda certa semelhança física com a atriz famosa, exibindo a mesma cabeleira farta e escura e as sobrancelhas levemente arqueadas, e suspeito que ela incentiva a comparação pela maneira como se apresenta; agora, se ela espanca ou não as crianças com cabides de arame, é algo que não sei dizer. Costuma usar uma aliança, mas de vez em quando está sem. Quando isso acontece, fica com um ar distraído, e me pego imaginando se sua vida pessoal é uma fonte de decepções para ela.

Fazia quase quinze dias que eu não falava com a dra. Crawford, e por isso, antes de ir ver Zoia, sigo pelos corredores brancos com cheiro de desinfetante, procurando sua sala. Já estive lá antes, claro, várias vezes, mas acho difícil me acertar no departamento de oncologia. O hospital em si já é um labirinto, e nenhum dos rapazes e moças que andam por ali numa correria, consultando pranchetas e tabelas enquanto se apressam, mordiscando maçãs e sanduíches ao meio, parece disposto a prestar qualquer auxílio. Mas, finalmente, eis-me diante da sala dela e bato à porta de leve. Parece demorar uma eternidade até que ela responde — um *Sim?* irritado — e nisso eu abro só uma fresta, sorrindo com ar de desculpa, esperando desarmá-la com minha provecta cortesia.

— Dra. Crawford — digo eu. — Peço desculpas por incomodar.

— Sr. Jachmenev — responde ela, e fico admirado que ela lembre meu nome tão rápido; nesses anos todos, sempre há quem tenha muita dificuldade em lembrá-lo ou em pronunciá-lo direito. E há quem ache que a simples tentativa estaria abaixo de sua dignidade.

— O senhor não incomoda de maneira nenhuma. Entre, por favor.

Fico contente que hoje ela esteja tão acolhedora e entro, sentando-me com o chapéu nas mãos, esperando que ela tenha alguma boa notícia para mim. Não consigo conter o impulso de olhar seu dedo anular e imagino se seu bom humor tem algo a ver com aquela faixa reluzente de ouro que cintila à luz do sol. Ela sorri visivelmente ao me atender e fito-a um pouco surpreso. Afinal é um departamento de câncer. A doutora trata de pacientes com câncer desde a manhã até a noite, diz-lhes coisas terríveis, faz cirurgias pavorosas, observa-os enquanto se debatem para sair deste mundo e ingressar no próximo. Não consigo imaginar com o que ela pode estar tão feliz.

— Desculpe-me, sr. Jachmenev — diz ela. — O senhor há de me perdoar. Sempre fico admirada como o senhor se veste bem. Os homens de sua geração, eles parecem estar sempre alinhados, não parecem? E hoje em dia é tão raro ver homens de chapéu. *Tenho saudade* dos chapéus.

Olho para minha roupa, sem saber bem como reagir ao

comentário. É assim que me visto, como sempre me vesti. Não me parece assunto digno de comentário. E também não sei bem se gosto da diferença entre nossas gerações, embora de fato eu deva ter uns quarenta anos mais do que ela. Na verdade, a dra. Crawford tem mais ou menos a idade que teria nossa filha Arina. Se estivesse viva.

— Queria lhe perguntar sobre minha esposa — digo, pondo fim àquelas amenidades. — Queria lhe perguntar sobre Zoia.

— Claro — responde rápido, agora com um ar muito afobado. — O que o senhor gostaria de saber?

Então me sinto perdido, embora viesse preparando mentalmente as perguntas desde que saí do hospital ontem à tarde. Reviro o cérebro procurando as palavras certas, algo que se aproxime do nível da linguagem.

— Como ela está passando? — pergunto finalmente, quatro palavras que não parecem suficientes para transmitir o enorme peso das perguntas que carregam.

— Ela está razoável, sr. Jachmenev — responde a médica, abrandando um pouco o tom. — Mas, como o senhor sabe, o tumor está numa fase avançada. O senhor lembra que lhe falei antes sobre a evolução do câncer de ovário?

Faço um gesto de concordância, mas não a consigo fitar nos olhos. Como a gente se agarra à esperança, mesmo sabendo que não há nenhuma! Em vários encontros com Zoia e comigo, ela discorreu bastante sobre os quatro estágios individuais da doença e o fim inevitável de cada um deles. Falou sobre ovários e tumores, o útero, as trompas de Falópio, a pelve; usou expressões como *lavagens peritoneais*, *metástase* e *nódulos linfáticos para-aórticos*, que estavam além de meu nível de compreensão, mas ouvi, fiz as perguntas adequadas e me empenhei ao máximo para entender.

— Bem, a esta altura o mais que podemos fazer é tentar manter a dor de Zoia sob controle enquanto for possível. Na verdade, ela está reagindo excepcionalmente bem à medicação, para uma senhora daquela idade.

— Ela sempre foi forte — digo.

— Sim, dá para ver — responde. — Sem dúvida ela tem sido uma das pacientes mais determinadas que conheci em minha carreira.

Não gosto desse emprego da expressão "tem sido". Faz pensar em algo ou alguém que é, mas logo pode deixar de ser.

— Ela não pode vir para casa para...? — começo, sem vontade de terminar a frase, erguendo esperançosamente os olhos para a doutora, mas ela abana a cabeça.

— Removê-la iria acelerar o avanço do câncer — avisa a médica. — Não creio que seu físico possa sobreviver ao trauma. Sei que isso é difícil, sr. Jachmenev, mas...

Não ouço mais. Ela é uma pessoa amável, uma médica competente, mas não preciso ouvir ou registrar banalidades. Logo em seguida saio da sala e volto à enfermaria, onde Zoia agora está desperta, com a respiração pesada. Está rodeada de aparelhos. Fios lhe correm sob as mangas da camisola; tubos cavam seu caminho sob as cobertas ásperas da cama e se apoiam não sei onde.

— *Dusha* — inclino e lhe dou um beijo na testa, deixando que meus lábios se demorem um instante em sua pele fina e macia. *Minha querida.* Aspiro seu perfume familiar; ele cerca todas as minhas lembranças. Posso fechar os olhos e me ver em qualquer ponto. 1970. 1953. 1915.

— Geórgui — murmura Zoia, e dizer meu nome já é um tremendo esforço para ela. Faço sinal para que poupe as energias, enquanto sen234 a seu lado e pego sua mão. Nisso ela fecha os dedos em torno dos meus, e por um momento fico surpreso com a força que ela ainda é capaz de reunir dentro de si. Mas me censuro por isso, pois que ser humano conheci na vida com uma força capaz de se comparar à de Zoia? Quem, vivo ou morto, suportou tantas coisas e sobreviveu? Aperto seus dedos em resposta, esperando que qualquer fiapo de força que tenha restado em meu corpo debilitado possa se transmitir a ela, e ficamos em silêncio, simplesmente sentados um com o outro, como fizemos a vida toda, felizes de estarmos juntos, contentes de sermos um só.

Claro que nem sempre fui velho e fraco assim. Foi minha força que me afastou de Cáchin. Foi o que me levou a Zoia, em primeiro lugar.

O príncipe de Cáchin

Foi minha irmã mais velha, Ássia, quem me falou pela primeira vez sobre o mundo que existia fora de Cáchin.

Eu tinha apenas nove anos quando ela abriu uma brecha naquela minha ingênua estreiteza. Ássia tinha onze anos, e acho que eu era um pouco apaixonado por ela, daquela forma que um irmão mais novo pode ficar fascinado pela beleza e mistério da mulher que está mais perto dele, antes que surja a demanda por um componente sexual e as atenções se desviem para outros lugares.

Ássia e eu sempre tínhamos sido próximos. Ela brigava o tempo inteiro com Lisca, que tinha um ano a menos do que ela e um ano a mais do que eu, e mal conseguia suportar nossa irmã mais nova, Talia, mas eu era o queridinho dela. Ássia me vestia, me arrumava e cuidava para que eu ficasse longe dos piores excessos do temperamento de nosso pai. Para sua sorte, ela herdou os traços bonitos de nossa mãe Iulia, mas não seu gênio, e valorizava ao máximo a aparência, um dia fazendo tranças no cabelo, no dia seguinte prendendo-o atrás, afrouxando o *hosnik* e deixando-o solto nos ombros quando tinha vontade. Esfregava suco de ameixa madura nas faces para ficar mais bonita e encurtava o vestido prendendo-o com alfinetes nos quadris, o que fazia meu pai contemplá-la no final da noite, uma mistura de desejo e desdém escurecendo ainda mais seus olhos. As outras meninas da aldeia menosprezavam Ássia por causa de sua vaidade, claro, mas o que elas realmente invejavam era sua confiança. Quando ficou mais velha, diziam que era uma puta, que abria as pernas para qualquer menino ou homem que a quisesse, mas ela não ligava a mínima importância a isso. Apenas ria aos insultos, deixando que passassem como água escorrendo pela pedra.

Ela devia ter vivido num outro tempo e num outro lugar, penso eu. Poderia ter tido muito sucesso na vida.

— Mas onde fica esse outro mundo? — perguntei-lhe quando estávamos sentados ao lado do fogão, no canto de nosso casebre, um espaço que servia de quarto, cozinha e sala para nós seis. Naquele horário, nossos pais estavam voltando do trabalho para casa, esperando que tivéssemos preparado alguma comida para eles, do contrário não pensariam duas vezes em nos bater, e Ássia estava ocupada mexendo uma panela com legumes, batatas e água, que ia virar uma sopa espessa que seria nosso jantar. Lisca estava em algum lugar lá fora, fazendo travessuras, coisa para a qual tinha um talento todo especial. Talia, sempre a mais quieta, estava aninhada entre a palha, brincando com os dedos dos pés e das mãos, observando-nos com paciência.

— Muito longe daqui, Geórgui — disse ela, enfiando cuidadosamente um dedo na espuma da mistura borbulhante e provando. — Mas as pessoas lá não vivem como vivem aqui.

— Não? — perguntei, incapaz sequer de imaginar outro modo de vida. — Então como vivem?

— Bem, algumas são pobres, claro, como nós — concedeu num tom quase de desculpa, como se todos nós tivéssemos de sentir vergonha pelas condições em que vivíamos. — Mas muitas outras vivem com muito luxo. São as pessoas que dão grandeza à nossa terra, Geórgui. As casas delas são de pedra, e não de madeira como aqui. Elas comem sempre que têm vontade, em pratos incrustados de pedras preciosas. Comida que é preparada especialmente por cozinheiros que passaram a vida aprendendo e dominando sua arte. E as damas, elas só andam de carruagem.

— Carruagem? — perguntei franzindo o nariz quando me virei para olhar para ela. — O que é essa tal carruagem?

— Elas são puxadas por cavalos — explicou com um

suspiro, como se o único objetivo de minha ignorância fosse frustrá-la. — Elas são como... ai, como vou explicar? Imagine uma cabana com rodas em que as pessoas sentam ali dentro e são transportadas com conforto. Consegue imaginar isso, Geórgui?

— Não — respondi com firmeza, pois a ideia parecia absurda e assustadora. Desviei o olhar e senti minha barriga começar a doer de fome, e fiquei pensando se ela me deixaria tomar uma ou duas colheradas da sopa antes que nossos pais voltassem.

— Um dia vou andar numa carruagem assim — acrescentou ela calmamente, examinando o fogo sob o caldeirão e atiçando-o com uma vara, na esperança talvez de encontrar algum pedacinho de carvão ou graveto que ainda não tivesse ardido e pudesse ser persuadido a nos dar mais alguns minutos de calor. — Não pretendo ficar em Cáchin para sempre.

Balancei a cabeça em admiração por ela. Ela era a pessoa mais inteligente que eu conhecia, pois seu conhecimento desses outros mundos e modos de vida me parecia assombroso. Creio que foi a fome de saber de Ássia que alimentou minha imaginação em fase de crescimento e a vontade de aprender mais sobre o mundo. Como ela viera a saber de tais coisas, eu não fazia ideia, mas fiquei triste em pensar que algum dia Ássia poderia ser tirada de mim. Fiquei sentido com o fato de que ela até quisesse procurar outra vida, além dessa que compartilhávamos. Cáchin era uma desgraça de aldeia, escura, miserável, malcheirosa, doentia, sórdida, deprimente; sem dúvida era. Mas até então nunca tinha me passado pela cabeça que pudesse existir algum outro lugar melhor para viver. Afinal, eu nunca tinha ido muito além de suas fronteiras.

— Não conte isso para ninguém, Geórgui — disse ela passado um momento, inclinando-se para a frente, alvoroçada, como se fosse revelar seu segredo mais íntimo. — Mas, quando eu crescer, vou para São Petersburgo. Decidi fazer minha vida lá. — Sua voz ficou mais animada e ela arfou ao dizer isso, as fantasias abrindo caminho e saindo da solidão de seus pensamentos íntimos para a realidade da palavra dita.

— Mas você não pode — disse eu abanando a cabeça. — Você ficaria sozinha lá. Você não conhece ninguém em São Petersburgo.

— No começo talvez — admitiu rindo e tapando a boca com a mão, para conter o entusiasmo. — Mas logo vou encontrar um homem rico. Um príncipe, talvez. E ele vai se apaixonar por mim e vamos morar num palácio e eu vou ter todos os criados que quiser e armários cheios de roupas lindas. Vou usar joias diferentes todos os dias — opalas, safiras, rubis, diamantes — e na temporada vamos dançar juntos no salão do trono do Palácio de Inverno, e todos vão me olhar de manhã à noite e me admirar e querer estar em meu lugar.

Cravei os olhos nela, nessa menina irreconhecível com seus projetos fantásticos. Era essa a irmã que se deitava a meu lado todas as noites, no chão de pinho e musgo, e acordava com a marca dos veios de madeira no rosto? Mal conseguia entender uma única palavra do que ela dizia. Príncipes, criados, joias. Tais conceitos eram totalmente estranhos a meu jovem espírito. Idem quanto ao amor. O que era aquilo, afinal? E o que tinha a ver com qualquer um de nós? Ela captou meu olhar de incompreensão, claro, explodiu numa risada e me despenteou o cabelo com a mão.

— Ah, Geórgui — disse imprimindo dois beijos em minhas bochechas e depois um nos lábios, para dar sorte. — Você não entende nada do que estou dizendo, não é?

— Entendo, sim — respondi rápido, pois detestava que ela me achasse um ignorante. — Claro que entendo.

— Já ouviu falar no Palácio de Inverno, então?

Hesitei. Queria dizer que sim, mas aí ela não explicaria com maiores detalhes, e as palavras já estavam exercendo um certo fascínio.

— *Acho* que sim — disse finalmente. — Não lembro direito. Me ajude a lembrar, Ássia.

— O Palácio de Inverno é onde mora o czar — explicou ela. — Com a czarina, claro, e a família imperial. Você sabe quem eles são, não sabe?

— Sei, sei — respondi depressa, pois o nome de Sua Majestade, e de sua família, era invocado antes das refeições, quando rezávamos por sua saúde, generosidade e sabedoria. Muitas vezes a prece durava mais do que a refeição. — Não sou bobo, viu?

— Bom, então você devia saber onde é a casa do czar. Ou pelo menos uma de suas casas. Ele tem muitas. Czarskoe Selo. Livadia. O *Standart*.

Levantei uma sobrancelha e agora foi minha vez de dar risada. A ideia de mais de uma casa me pareceu ridícula. Por que alguém precisaria de algo assim? Claro que eu sabia que o próprio Deus tinha indicado o czar Nicolau para seu glorioso cargo, que sua autocracia e seus poderes eram infinitos e absolutos, mas também seria dotado de qualidades mágicas? Podia estar em mais de um lugar ao mesmo tempo? A ideia era absurda, e no entanto parecia possível de alguma maneira. Afinal ele era o czar. Podia ser qualquer coisa. Podia fazer qualquer coisa. Era divino como Deus.

— Você me leva junto para São Petersburgo? — perguntei alguns instantes depois, minha voz se abaixando num sussurro, como se receasse que ela me negaria essa honra suprema. — Quando você for, Ássia. Não vai me deixar para trás, vai?

— Posso tentar — disse ela em tom magnânimo, avaliando a hipótese. — Ou talvez você possa ir nos visitar, o príncipe e eu, quando tivermos nos instalado na casa nova. Você pode ficar com uma ala inteira do palácio só para você e uma equipe toda de mordomos para atendê-lo. E também vamos ter filhos, claro. Lindos filhos, um monte, meninos e meninas. Você vai ser o tio deles, Geórgui. Não acha bom?

— Claro — concordei, embora começando a sentir ciúmes à ideia de dividir minha bela irmã com outra pessoa, mesmo que fosse um príncipe de sangue azul.

— Um dia... — disse ela com um suspiro, fitando o fogo como se enxergasse as imagens de seu futuro glorioso palpitando e ganhando vida entre as chamas. Naturalmente ela não passava de uma criança naquela época. Pergunto-me se era Cáchin que ela detestava ou se apenas queria uma vida melhor.

Fico triste ao lembrar essa conversa de tanto tempo atrás. Meu coração se aperta ao pensar que ela nunca realizou suas ambições. Pois não foi Ássia que acabou indo para São Petersburgo e o Palácio de Inverno. Não foi ela que veio a conhecer a sensação de estar cercada pelo poder sedutor do luxo e da riqueza.

Fui eu. Foi o pequeno Geórgui.

Meu melhor amigo naquela época era um menino chamado Colec Boriavitch Tanski, cuja família morava em Cáchin fazia muitas gerações, tal como a minha. Colec e eu tínhamos muitas coisas em comum. Nascemos com poucas semanas de diferença, no final da primavera de 1899. Passamos a infância brincando juntos na lama, explorando todos os cantos de nossa pequena aldeia, um pondo a culpa no outro quando nossas travessuras não davam certo. Ambos vínhamos de uma família de irmãs. Fui abençoado com três, e Colec amaldiçoado com o dobro.

E ambos tínhamos medo de nossos pais.

Meu pai, Daniel Vladiavitch, e o pai de Colec, Bóris Alexandrovitch, se conheciam desde pequenos, e provavelmente passaram juntos grande parte da meninice tal como os filhos fariam trinta anos depois. Eram homens passionais, os dois, repletos de vários graus de admiração e desprezo, mas tinham consideráveis divergências políticas.

Daniel amava sua terra natal. Era de um patriotismo que chegava às raias da cegueira, acreditando que a única finalidade da vida humana era obedecer às ordens do enviado de

Deus na terra, o czar russo. Mas seu ódio e ressentimento contra mim, seu único filho homem, eram incompreensíveis e desconcertantes. Desde a hora em que nasci, ele me tratou com desprezo. Num dia eu era muito nanico, no outro dia demasiado fracote, num terceiro dia tímido ou burro demais. Claro, fazia parte da natureza dos camponeses querer procriar; então, por que meu pai me considerava tamanha decepção, depois de já ter gerado duas filhas, é um mistério. Mas era assim que eram as coisas. Não conhecendo nada diferente, eu podia ter crescido achando que era assim que se davam todas as relações entre pais e filhos, se não houvesse um outro exemplo diante de mim.

Bóris Alexandrovitch adorava o filho, que considerava como o príncipe da aldeia, o que, suponho, significava que ele pessoalmente se considerava o rei. Elogiava Colec sem parar, levava-o para cima e para baixo, nunca o excluía da conversa dos adultos, como faziam outros pais. Mas, ao contrário de Daniel, sua obsessão era criticar a Rússia e os governantes, crendo que sua pobreza e o que sentia como seu fracasso na vida resultavam exclusivamente dos autocratas cujos caprichos ditavam nossa existência.

— Um dia as coisas vão mudar neste país — dizia várias vezes a meu pai. — Você não sente no ar, Daniel Vladiavitch? Os russos não vão aguentar o domínio de uma família dessas por muito mais tempo. Temos de tomar nosso destino nas mãos.

— Sempre o revolucionário, Bóris Alexandrovitch — respondia meu pai, abanando a cabeça e rindo, fato raro, e que só era inspirado pelas declarações radicais do amigo. — Passou toda sua vida aqui em Cáchin, lavrando os campos, comendo papa de trigo e bebendo *kvas*, e ainda vive com a cabeça cheia dessas ideias. Você nunca vai mudar, não é?

— E você, toda *sua* vida, contente em ser um mujique — zangava-se Bóris. — Sim, lavramos a terra, tiramos sustento honesto do solo, mas não somos homens como o czar? Diga, por que ele possui tudo, tem direito a tudo, é dono de tudo, enquanto passamos nossos dias nessa miséria e sordidez? Você ainda reza por ele todas as noites, não é mesmo?

— Claro que sim — dizia meu pai, agora começando a se irritar, pois odiava sequer iniciar uma conversa criticando o czar. Ele tinha se criado com um sentimento inato de servilidade, que lhe corria livremente pelas veias como o próprio sangue. — O destino da Rússia está indissociavelmente ligado ao do czar. Pense só por um instante até onde recua essa dinastia. Até o czar Miguel! São mais de trezentos anos, Bóris.

— Trezentos anos de Romanov é tempo demais — esbravejava o amigo, tossindo e subindo-lhe à garganta um monte de catarro que cuspia entre os pés, no chão, sem a menor cerimônia. — E me diga, o que eles nos deram esse tempo todo? Algo que preste? Acho que não. Algum dia... algum dia, Daniel... — e então hesitava. Bóris Alexandrovitch podia ser radical e revolucionário o quanto quisesse, mas seria uma heresia, e talvez uma sentença de morte, continuar a frase.

Mesmo assim, não havia ninguém na aldeia que ignorasse as palavras que ele engolia. E havia muitos que concordavam com ele.

Colec Boriavitch e eu, naturalmente, nunca falávamos de política. Esses assuntos não nos diziam nada, naquela idade. Em vez disso, enquanto crescíamos, brincávamos brincadeiras de meninos, metíamo-nos em problemas de meninos, ríamos, brigávamos, mas estávamos sempre juntos e os forasteiros que passavam pela aldeia até podiam achar que éramos irmãos, não fossem nossas diferenças no físico.

Quando criança, eu era miúdo e amaldiçoado com um topete de cachos louros, fato que podia estar na base do desprezo que meu pai sentia por mim. Ele queria um filho que desse prosseguimento a seu nome e eu não parecia o tipo de garoto capaz de arcar com tal tarefa. Aos seis anos, eu era uns trinta centímetros mais baixo do que todos meus amigos, o que me valeu o apelido de Pacha, que significa "pequeno".

Por causa dos cachos dourados, minhas irmãs mais velhas diziam que eu era o mais lindo da família, me enfeitando com todos os laços e fitas que encontravam, o que fazia meu pai berrar furioso com elas e me arrancar os enfeites da cabeça, processo durante o qual também saíam chumaços de cabelo. E, apesar de nossa dieta frugal, quando criança eu tinha tendência para engordar, coisa que meu pai Daniel considerava como um desaforo pessoal contra ele.

Colec, por sua vez, sempre foi alto para a idade, esguio, forte e de uma beleza muito máscula. Aos dez anos de idade, as meninas da aldeia o olhavam com admiração, imaginando como ficaria alguns anos depois, quando já fosse rapaz. As mães disputavam entre si a atenção da mãe dele, uma criatura tímida chamada Anje Petrovna, pois sempre foi opinião geral que algum dia ele seria um grande homem, traria glória à nossa aldeia, e as mães ardiam de desejo que uma das filhas fosse finalmente conduzida a seu leito como esposa.

Ele gostava da atenção, claro. Tinha plena consciência das olhadelas que recebia e da admiração de todos, mas também estava apaixonado, e nada mais, nada menos do que por minha irmã Ássia. Era a única pessoa capaz de fazê-lo corar e tropeçar nas palavras. Mas, para a tristeza de Colec, ela era também a única garota na aldeia que parecia absolutamente imune a seus encantos, fato que, creio eu, apenas aumentava o desejo dele por ela. Ficava zanzando diariamente em volta de nossa isbá, procurando alguma oportunidade de lhe causar impressão, decidido a romper seu exterior de aço e conseguir que ela o amasse como faziam todos os outros.

— O jovem Colec Boriavitch está apaixonado por você — comentou nossa mãe para sua filha mais velha, uma noite em que estava preparando uma outra mísera panela de *shchi*, uma espécie de sopa de repolho quase intragável. — Ele não consegue olhar para você, notou isso?

— Ele não consegue olhar para mim, o que então significa que gosta de mim — comentou Ássia em tom casual, des-

fazendo do interesse dele como se espanasse um cisco que lhe tivesse caído na roupa. — É um raciocínio engraçado, não é?
— Ele fica tímido perto de você, é isso — explicou Iulia.
— E que garoto bonito. Algum dia vai dar um bom marido para uma moça de sorte.
— Talvez — disse ela. — Mas não eu.
Mais tarde, quando perguntei sobre o assunto, ela pareceu quase ofendida que alguém pensasse que Colec estava à sua altura.
— Para começar, ele é dois anos mais novo do que eu — explicou com ar exasperado. — Não estou interessada em pegar um moleque como marido. E de qualquer forma não gosto dele. Tem um ar de quem se sente autorizado a tudo que acho insuportável. Como se o mundo só existisse em benefício dele. E sempre teve esse ar a vida inteira, e todo mundo nessa aldeia miserável é responsável por isso. E é covarde, também. O pai dele é um monstro — você enxerga isso, né, Geórgui? Um homem horrível. E no entanto tudo o que teu amiguinho Colec faz é só para impressioná-lo. Nunca vi um menino tão escravo do próprio pai. É asqueroso de ver.
Eu não soube como responder a tal litania de desprezo. Como todos os demais, eu considerava Colec Boriavitch o menino mais distinto da aldeia e sempre foi meu prazer secreto que ele tivesse me escolhido como melhor amigo. Talvez fosse nossa diferença física que permitisse esse relacionamento. O fato de eu ser o subordinado baixo, gordo, de cabelo louro cacheado, ao lado do herói alto, esbelto, de cabelo escuro, minha patética proximidade fazendo-o parecer ainda mais glorioso do que realmente era. E isso, por sua vez, aumentava ainda mais o orgulho do pai dele. Nesse aspecto, eu sabia que Ássia tinha razão. Não havia nada que Colec não fizesse para impressionar o pai. E o que havia de errado nisso?, eu me perguntava. Pelo menos Bóris Alexandrovitch tinha orgulho do filho.
Mas finalmente cansei de ser Pacha e quis voltar a ser

Geórgui, e por volta de meu décimo quarto aniversário as mudanças em meu corpo, passando de menino a homem, enfim se impuseram de maneira súbita e inesperada, o que encorajei com exercícios e atividades físicas. Em poucos meses, cresci num estirão só e de repente parei em um metro e oitenta de altura. A gordura que tinha sido uma maldição durante toda a infância sumiu dos ossos quando comecei a correr diariamente em volta da aldeia, por vários quilômetros, acordando de manhã cedo para ir nadar nas águas geladas do rio Kashinka, que corria ali perto. Ganhei vigor no corpo, os músculos do estômago ficaram mais definidos. Os cachos começaram a se alisar, e meu cabelo escureceu um pouco, passando de um tom de sol brilhante para uma cor de areia lavada. Em 1915, aos dezesseis anos, podia me postar ao lado de Colec sem ficar constrangido com a comparação. Ainda era mais baixo do que ele, claro, mas a diferença tinha diminuído muito.

Havia umas meninas que também gostavam de mim, e eu sabia disso. Não tantas quanto as apaixonadas por meu amigo, é verdade, mas mesmo assim eu não era impopular.

E enquanto isso Ássia abanava a cabeça e dizia que eu não devia querer ser como Colec, que ele nunca seria o grande homem que as pessoas esperavam, e que mais cedo ou mais tarde o jovem príncipe traria a Cáchin não honra, e sim vergonha.

Foi Bóris Alexandrovitch o primeiro a trazer a notícia que mudaria minha vida.

Colec e eu estávamos na extremidade de um campo perto do casebre de minha família, nus até a cintura numa manhã gelada de primavera, soltando risadas enquanto cortávamos lenha, e fazendo de tudo para impressionar as garotas da aldeia que passavam por ali. Estávamos com dezesseis anos, fortes e bonitos, e, enquanto algumas nos ignoravam por completo, outras nos olhavam e sorriam para nos arreliar, mordendo os lábios ao dar risadinhas, observando-nos girar o machado no ar antes de cravá-lo no cerne da madeira, rachando-a ao meio, as lascas se soltando entre os destroços como fogos de artifício. Uma ou duas tinham coquetismo suficiente para fazer o tipo de comentário indecente que excitava Colec, mas eu ainda não sentia tanta segurança para trocar tais gracejos, acabava me sentindo encabulado e me afastava.

Meu pai, Daniel, saiu de nossa isbá e nos fitou por um momento, balançando a cabeça e fazendo um muxoxo de desagrado.

— Seus malditos idiotas — disse ele, exasperado com nossa juventude e forma física. — Desse jeito vão pegar pneumonia, ou vocês acham que os jovens não podem morrer?

— Sou de estofo rijo, Daniel Vladiavitch — respondeu Colec, dando-lhe uma piscadela enquanto erguia outra vez os braços musculosos, para que todos vissem seus bíceps vibrando e se flexionando. O machado reluziu no ar, o aço claro captando a luz por um instante e devolvendo uma série de bolinhas negras e douradas que dançaram diante de meus olhos, de forma que, quando pestanejei para clarear a vista, uma esplêndida auréola como que se materializou de súbito em torno de meu amigo. — Vê?

— Você pode ser, Colec Boriavitch — disse ele, olhando-o como se quisesse que o filho dele fosse Colec e não eu. — Mas Geórgui segue demais seu exemplo e não tem a força que você tem. Você vai cuidar dele quando estiver tremelicando na cama, suando feito um cavalo e chamando pela mãe?

Colec me olhou e arreganhou um sorriso, deliciado com a ofensa, mas eu não disse nada e continuei com minha tarefa. Um grupo de garotas passou correndo, dando risadinhas ao nos verem ali, encantadas com nossa seminudez quase obscena, mas então olharam para meu pai, com sua cabeça deformada e terrível fama de furioso, e seus sorrisos sumiram imediatamente enquanto retomavam o caminho às pressas.

— Você vai ficar aí parado, olhando a gente a tarde toda, ou tem alguma outra coisa para fazer? — perguntei por fim, pois Daniel não dava mostras de que iria nos deixar voltar à labuta e à conversa. Era raro falar assim com ele. Geralmente eu usava um tom de certo respeito, não por medo, mas porque não queria me envolver em nenhuma discussão. Dessa vez, porém, as palavras de desafio eram mais para impressionar Colec com minha firmeza do que insultar Daniel com minha insolência.

— Vou lhe arrancar esse machado da mão e cortá-lo em dois, Pacha, se você não calar a boca — respondeu meu pai, dando um passo em minha direção e empregando o diminutivo que ele sabia que me manteria em meu lugar. Sustentei minha posição por um breve momento antes de recuar um pouco e abaixar a cabeça. Ele mantinha um poder sobre mim que eu não entendia muito bem, mas conseguia me intimidar e reimpor a obediência da infância com uma simples palavra.

— Meu filho é um covarde, Colec Boriavitch — então anunciou ele, deliciado com seu triunfo. — É isso o que acontece quando você é criado numa família de mulheres. Vira uma mulherzinha.

— Mas *eu* fui criado numa família assim — disse Colec, enterrando a lâmina do machado no tronco diante dele, o cabo se erguendo num tranco no espaço vazio entre os braços dobrados. — Você me acha um covarde também, Daniel Vladiavitch?

Meu pai abriu a boca para responder, mas, antes que pudesse dizer qualquer coisa, o pai de Colec apareceu num canto, pisando duro em nossa direção, com a cara vermelha e zangada, a respiração se fazendo vapor na manhã gelada. Parou por um instante ao ver nós três ali reunidos, sacudiu a cabeça e atirou os braços ao ar num gesto de desagrado tão dramático que me peguei mordendo o lábio para conter o riso e não soltar algum insulto.

— É uma desgraça — rugiu ele, tão alto e agressivo que não dissemos coisa alguma por um instante, e continuamos a fitá-lo, esperando que nos dissesse a razão da raiva. — Uma desgraça absoluta — continuou. — Pensar que vivi para ver este momento! Imagino que você soube da notícia, não é, Daniel Vladiavitch?

— Que notícia? — perguntou meu pai. — O que aconteceu?

— Se eu fosse mais moço! — respondeu ele, agitando um dedo no ar como um professor repreendendo os alunos em erro. — Pois lhes digo, se eu fosse mais moço e dependesse só de mim...

— Bóris — falou Daniel, interrompendo-o e parecendo quase divertido com a fúria do amigo. — Hoje você parece disposto a matar um, hein?

— Não brinque com isso, meu amigo!

— Brincar? Quem está brincando? Nem sei o que lhe causou tanta raiva.

— Pai — disse Colec, caminhando até ele, com um ar tão preocupado que achei que ia lhe dar um abraço. Era uma fonte constante de fascínio para mim, aquela afeição tão evidente entre pai e filho. Nunca tendo conhecido esse calor, sempre ficava curioso ao observá-lo nos outros.

— Um comerciante que eu conheço — finalmente explicou Bóris, tropeçando nas palavras por causa da raiva e da ansiedade. — Um homem de bem, um homem que nunca mente nem trapaceia, passou pela aldeia hoje de manhã e...

— Eu vi! — exclamei empolgado, pois era bastante raro ver um forasteiro cruzando Cáchin, mas um desconhecido tinha passado por nosso casebre uma hora antes, com um casaco de pelo fino de cabra, e eu notei quando passou e lhe dei bom-dia, que ele ignorou. — Ele passou por aqui não faz nem uma hora e...

— Fique quieto, moleque — disse meu pai com aspereza, irritado que eu tivesse alguma participação no fato. — Deixe os mais velhos falarem.

— Conheço esse homem faz muitos anos — prosseguiu Bóris, ignorando nós dois — e é difícil encontrar alguém mais sincero. Ele atravessou Caliásin na noite passada e parece que um dos monstros vai em viagem para São Petersburgo pegando o caminho por aqui. Passando por Cáchin! Nossa própria aldeia! — acrescentou ele num jato, tão profundamente insultado se sentia. — E claro que vai exigir que a gente saia de casa e se curve diante dele em adoração, como fizeram os judeus quando Jesus entrou em Jerusalém montando um jumento. Uma semana depois foi crucificado, claro.

— Que monstros? — perguntou Daniel, balançando a cabeça perplexo. — A quem você se refere?

— Um Romanov — anunciou ele, observando-nos para ver nossa reação. — Nada menos que o grão-duque Nicolau Nicolaievitch — acrescentou, e, para alguém que tinha a família imperial em tão baixa conta, ele rolou o nome real pela língua como se cada sílaba fosse uma gema preciosa a ser tratada com cuidado e consideração, para que sua glória não se estilhaçasse e se perdesse para sempre.

— Nicolau o Alto — disse Colec calmamente.

— O próprio.

— Por que *o Alto*? — perguntei franzindo o cenho.

— Para diferenciar do primo dele, claro — retrucou Bóris Alexandrovitch com brusquidão. — Nicolau o Baixo. Czar Nicolau II. O torturador do povo russo.

Meus olhos se arregalaram de surpresa.

— O primo do czar vai passar por Cáchin? — perguntei. Eu não ficaria mais atônito se Daniel me rodeasse os ombros, me abraçasse e me elogiasse como filho e herdeiro.

— Não faça uma cara tão espantada, Pacha — disse Bóris Alexandrovitch, ofendendo-me porque eu não me somava à sua raiva. — Você não sabe quem é essa gente? O que eles nos têm feito além de...

— Bóris, por favor — disse meu pai num suspiro fundo. — Hoje não. Certamente sua política pode esperar outra hora. É uma grande honra para nossa aldeia.

— Uma honra? — replicou gargalhando. — Uma honra,

diz você! São esses Romanov que nos mantêm na pobreza e você acha que é um privilégio que um deles decida usar nossas ruas, parar um momento para deixar o cavalo beber nossa água e cagar ali? Uma honra! Você desonra a si mesmo, Daniel Vladiavitch, com essa palavra. Olhe. Olhe ali atrás!

Viramos para onde ele apontava; a maioria dos habitantes da aldeia corria para seus casebres. Sem dúvida tinham ouvido a notícia sobre nosso ilustre visitante, e queriam se preparar como pudessem. Lavar o rosto e as mãos, claro, pois não podiam se apresentar a um príncipe da família real com a cara estriada de lama. Juntar algumas florezinhas e fazer uma grinalda para lançar sob as patas do cavalo do grão-duque.

— O avô desse homem foi um dos piores czares — prosseguiu Bóris, agora declamando bombasticamente, com o rosto cada vez mais rubro de ódio. — Não fosse Nicolau I, os russos nunca sequer teriam ouvido falar no conceito de autocracia. Foi ele que insistiu que cada homem, mulher e criança no país acreditasse em sua autoridade absoluta sobre todos os súditos. Ele se via como nosso Salvador, mas você se sente salvo, Daniel Vladiavitch? E você, Geórgui Danielovitch? Ou se sentem gelados, esfaimados, sedentos de liberdade?

— Entre e vá se arrumar — disse meu pai, ignorando o amigo e me apontando o dedo. — Você não vai me desgraçar aparecendo semipelado na frente de um homem tão importante.

— Sim, meu pai — disse eu, curvando-me prontamente à sua autocracia e correndo para dentro de casa, em busca de uma túnica limpa. Enquanto eu revirava a pequena pilha de roupas que constituía todo meu guarda-roupa, ouvi um alarido lá fora, seguido pelo som das palavras de meu amigo Colec, dizendo ao pai que deviam ir para casa e se preparar também. Aquela gritaria na rua não era costume de ninguém, fosse monarquista ou radical.

— Se eu fosse mais moço — ouvi Bóris Alexandrovitch

dizer enquanto o levavam embora. — Pois lhe digo, meu filho, se pelo menos eu fosse...

— *Eu* sou mais moço — veio a resposta, e na hora nem pensei nas palavras de Colec, não pensei absolutamente nada. Só mais tarde fui me lembrar delas e amaldiçoei minha burrice.

Mal tinha se passado uma hora e os primeiros batedores apareceram no horizonte e começaram a vir para Cáchin. Embora os mujiques comuns como nós só soubessem os nomes dos membros imediatos da família imperial, o grão-duque Nicolau Nicolaievitch, primo em primeiro grau do czar, era famoso em toda a Rússia por suas façanhas militares. Não era amado, evidente. Homens assim nunca o são. Mas era reverenciado e abençoado com uma reputação terrível. Corria o boato de que, durante a revolução de 1905, ele tinha brandido um revólver na frente do czar e ameaçou lhe estourar os miolos se o primo não autorizasse a criação de uma Constituição russa, o que lhe valeu a admiração de muita gente. Mas os mais propensos a ideias radicais, como Bóris Alexandrovitch, não se interessavam por tal coragem; viam apenas um título, um opressor e um ser desprezível.

No entanto, a ideia de que o grão-duque estava próximo bastava para que um frêmito de empolgação e medo me atravessasse o coração. Eu não lembrava qual tinha sido a última vez com tanta expectativa em Cáchin. Enquanto os cavaleiros se aproximavam, quase todos os habitantes da aldeia varriam a rua na frente das isbás, limpando o caminho para os cavalos daquele ilustríssimo visitante.

— Quem você acha que está junto com ele? — perguntou-me Ássia quando estávamos parados à porta de casa, a família reunida, esperando para saudar e acenar. Trazia as faces ainda mais pintadas do que o normal, e o vestido estava

arregaçado até os joelhos, mostrando as pernas. — Algum jovem príncipe de São Petersburgo, talvez?
— O grão-duque não tem nenhum filho para você — respondi sorrindo. — Você vai ter de lançar sua rede ainda mais longe.
— Mas *ele* bem que podia me notar — disse ela encolhendo os ombros.
— Ássia! — exclamei apavorado, mas achando graça nela. — Ele é velho. Deve ter uns sessenta anos. E além disso é casado. Você não acredita que...
— Estou brincando, Geórgui — respondeu ela, rindo enquanto me dava um tapinha no ombro, de galhofa, embora eu não tivesse plena certeza disso. — Mesmo assim, decerto há alguns soldados jovens e disponíveis no séquito. Se um deles se interessasse por mim... ei, não faça um ar tão escandalizado! Já falei que não pretendo passar a vida nesse lugar miserável. Afinal, estou com dezoito anos. Já é hora de arranjar marido, antes de ficar feia e velha demais para casar.
— E Ilia Goriavitch? — perguntei, referindo-me ao rapaz com quem ela passava boa parte do tempo. Como meu amigo Colec, o pobre Ilia estava loucamente apaixonado por Ássia e ela lhe retribuía um pouco de afeto, sem dúvida incentivando-o a crer que, com o tempo, iria se entregar a ele. Eu tinha pena do rapaz, por sua tolice. Sabia que ele era apenas um joguete para minha irmã, uma marionete cujos fios ela puxava só para afastar o tédio. Um dia largaria o brinquedo, isso era óbvio. Apareceria um brinquedo melhor — um brinquedo de São Petersburgo, talvez.
— Ilia Goriavitch é um doce de rapaz — deu de ombros desinteressada. — Mas acho que, aos vinte e um anos, ele já chegou aonde poderia chegar na vida. E não acho que seja suficiente.
Aposto que ela ia fazer algum comentário desnecessariamente depreciativo sobre o pobre tolo de bom coração, mas os soldados agora começavam a se aproximar e podíamos distin-

guir os oficiais na dianteira, empertigados em suas montarias enquanto desfilavam lentamente pela rua, esplêndidos em suas túnicas negras de peito duplo, calças cinzentas e casacões escuros e pesados. Admirei suas *chapcas* de pele na cabeça, intrigado com o V agudo na frente, logo acima dos olhos, e fiquei fantasiando como seria maravilhoso fazer parte do grupo. Ignoravam os vivas ruidosos dos camponeses que os cercavam de ambos os lados, lançando bênçãos ao czar e atirando grinaldas aos cascos dos cavalos. Afinal não esperavam menos do que isso.

Poucas notícias da guerra chegavam a Cáchin, mas de vez em quando um mascate passava pela aldeia com informações sobre as vitórias ou derrotas do exército. Às vezes chegava um panfleto à casa de algum vizinho, enviado por um parente bondoso, e tínhamos autorização de ler, um por vez, acompanhando o avanço das tropas em nossa imaginação. Vários rapazes da aldeia já tinham ido para o exército: alguns tinham morrido, outros haviam sumido, e outros ainda continuavam nas Forças Armadas. Esperava-se que os jovens como Colec e eu, chegando aos dezessete anos, fossem convocados a trazer glória à nossa aldeia e ingressassem em alguma unidade militar.

Mas as grandes responsabilidades de Nicolau Nicolaievitch eram do conhecimento de todos.

O czar tinha nomeado o grão-duque como comandante supremo das forças russas, travando uma guerra em três frentes, contra o Império austro-húngaro, contra o kaiser alemão e contra os turcos. De acordo com a opinião geral, até o momento ele não conseguira nenhum grande sucesso em nenhuma dessas campanhas, mas ainda granjeava a admiração e absoluta lealdade dos soldados sob seu comando, e isso por sua vez se filtrava entre as aldeias camponesas da Rússia. Considerávamos o grão-duque como um dos maiores homens, indicado para seu cargo por um Deus benevolente que enviava tais líderes para velar por nós em nossa ignorância e simplicidade.

A aclamação aumentou ainda mais de volume quando os soldados passaram por nós, e então, aproximando-se como uma divindade gloriosa, enxerguei um grande cavalo de batalha branco no centro da aglomeração, e sentado no alto dele um colosso de homem em uniforme militar, com os bigodes encerados, tratados e penteados até terminar em ponta fina nos dois cantos do lábio superior. Ele olhava em frente, rígido, mas de vez em quando erguia a mão esquerda num aceno majestoso à multidão ali reunida.

Quando os cavalos passaram diante de mim, vislumbrei nosso vizinho revolucionário, Bóris Alexandrovitch, de pé entre a multidão do outro lado da rua e fiquei surpreso ao vê-lo ali, pois se havia algum homem que eu julgava que se recusaria a sair e render tributo ao grande general, seria ele.

— Veja — eu disse a Ássia, cutucando-lhe o ombro e apontando na direção dele. — Ali em frente. Bóris Alexandrovitch. Onde estão seus belos princípios agora? Ele está tão enlevado com o grão-duque como qualquer um de nós.

— Mas não são lindos os soldados? — replicou ela, ignorando-me e brincando com os cachos de seu cabelo enquanto estudava cada homem que passava por nós. — Imagine só, como eles conseguem lutar nas batalhas e mesmo assim ter uns uniformes tão impecáveis?

— E ali está Colec — acrescentei, ao ver meu amigo agora abrindo caminho até a frente da multidão, com um misto de animação e ansiedade no rosto.

— Colec! — gritei acenando para ele, mas não podia me ver nem me ouvir entre o estrépito dos cavalos marchando e dos aldeões aclamando. Em qualquer outro momento, esse fato insignificante não me despertaria nenhuma atenção e eu me viraria para assistir ao desfile, mas ele estava com uma expressão no rosto que me deixou perplexo, um ar de profunda inquietação que eu jamais tinha visto antes no semblante desse rapaz tão atencioso. Ele avançou um pouco e olhou em torno até se assegurar que seu pai, o homem cuja aprovação era a coisa mais importante do mundo para ele, estava entre a turba e, quando se certificou da presença de Bóris Alexandrovitch, voltou-se para observar o grão-duque, enquanto o cavalo branco marchava em sua direção.

Nicolau Nicolaievitch estava a uns sete metros de distância, não mais do que isso, quando vi Colec enfiar a mão esquerda na túnica e ficar ali por um instante, com um ligeiro tremor.

Estava a cinco metros de distância, quando vi a coronha de madeira da arma sair lentamente de seu esconderijo, o punho de meu amigo envolvendo o cabo com firmeza, o dedo pousado sobre o gatilho.

Estava a três metros e meio de distância, quando ele sacou a arma sem ser visto por ninguém, exceto por mim, e soltou a trava de segurança.

O grão-duque estava a pouco mais de um metro e meio de distância quando gritei o nome de meu amigo — "Colec! *Não!*" — e arremeti por uma brecha entre os cavaleiros em desfile, atravessando a rua numa carreira enquanto os soldados, percebendo que havia algum problema, viraram a cabeça em minha direção para ver o que se passava. Meu amigo também me viu e engoliu em seco, nervoso, antes de erguer a arma no ar e apontá-la para Nicolau Nicolaievitch, que agora estava diante dele e finalmente se dignara a virar a cabeça para olhar o rapaz à sua esquerda. Ele deve ter visto o reflexo do aço no ar, mas não teve tempo de sacar a própria arma nem de virar o cavalo e escapar rapidamente, porque a pistola disparou quase de imediato num grande estrondo, enviando sua mortífera carga na direção do primo e mais íntimo confidente do czar no exato momento em que eu, sem avaliar as consequências de tal gesto, saltei na frente dela.

Houve um súbito clarão de fogo, uma dor lancinante, um grito da multidão, e caí no chão, esperando sentir a qualquer momento os cascos ferrados dos cavalos esmagando meu crânio sob o enorme peso deles, mesmo quando uma dor como jamais sentira antes queimou meu ombro, como se alguém tivesse pegado um vergalhão de ferro, posto a arder durante uma hora numa fornalha e depois cravado em minha carne inocente. Fiquei imóvel no solo, inundado por uma súbita sensação de paz e tranquilidade antes que a tarde se escurecesse diante dos olhos, os sons se abafassem, a multidão parecesse desaparecer numa bruma nebulosa, e apenas uma vozinha murmurava dentro de minha cabeça, dizendo-me para dormir — *durma, Pacha!* — e obedeci.

Fechei os olhos e fiquei sozinho numa escuridão vazia e soporífera.

A primeira pessoa que vi quando despertei foi minha mãe, Iulia Vladimirovna, que comprimia um trapo molhado em minha testa e me fitava com uma mescla de irritação e alarme. Estava com a mão levemente trêmula e parecia tão nervosa em oferecer consolo materno quanto eu em recebê-lo. Ássia e Lisca cochichavam num canto, e a menor, Talia, me observava com uma expressão fria e indiferente. Não me senti parte integrante desse quadro incomum, de maneira nenhuma, e simplesmente lhes devolvi o olhar, perplexo quanto aos fatos que podiam ter inspirado tais demonstrações de emoção, até que uma súbita explosão de dor em meu ombro esquerdo me causou um esgar e soltei um grito angustiado, enquanto estendia a mão para aliviar a pressão na área ferida.

— Tenha cuidado — disse uma voz alta e grave atrás de minha mãe, e no mesmo momento ela teve um sobressalto visível e seu rosto adquiriu uma expressão de susto e ansiedade. Eu nunca tinha visto ninguém intimidá-la a tal ponto, e a princípio pensei que fosse meu pai, Daniel, mandando abrir caminho, mas a voz não era dele. Minha vista estava ligeiramente enevoada e dei várias piscadas rápidas e seguidas, até que a névoa começou a se dissipar e consegui de novo enxergar com nitidez.

Então percebi que não era meu pai de pé sobre mim; ele estava parado nos fundos da cabana, observando-me com um esboço de sorriso na face, um olhar que traía suas emoções mescladas de orgulho e hostilidade. Não, a voz que se dirigira a mim era a do supremo comandante das forças armadas russas, o grão-duque Nicolau Nicolaievitch.

— Não tente se mexer — disse ele, inclinando-se e examinando meu ombro, estreitando os olhos enquanto inspecionava o ferimento. — Você foi atingido, mas teve sorte. A bala passou direto pelo tecido mole do ombro, sem pegar as artérias nem a veia. Saiu pelo outro lado, o que foi uma sorte. Um pouco mais à direita e o braço poderia ficar paralisado ou você poderia sangrar até a morte. A dor vai continuar por alguns dias, imagino eu, mas não haverá nenhum dano maior. Uma pequena cicatriz, talvez.

Engoli em seco — estava com a boca tão ressequida que minha língua grudava incomodamente no palato — e pedi à minha mãe algo para beber. Ela não se moveu, apenas ficou ali boquiaberta, como se estivesse apavorada demais para participar da cena que se passava à sua frente, e coube ao grão-duque pegar o cantil de sua cintura, enchê-lo num tonel que estava ali perto e estendê-lo para mim. Fiquei quase intimidado demais pela elegância do couro para beber direto do frasco, principalmente quando vi o sinete imperial dos Romanov bordado em fio de ouro no estojo, mas minha sede era tão avassaladora que não hesitei por muito mais tempo e bebi com afoiteza. A sensação da água gelada entrando no corpo e descendo pelas entranhas ajudou a aliviar a dor do ombro por alguns instantes.

— Você sabe quem eu sou? — perguntou o grão-duque, agora empertigando-se em toda sua altura, ocupando o aposento com sua figura majestosa. Pelo menos um metro e noventa e cinco. Um corpo robusto e musculoso. Belo e imponente. E aquele bigode extraordinário que lhe dava uma aparência ainda mais nobre e grandiosa. Engoli e dei um rápido aceno de cabeça.

— Sei — respondi baixinho.

— Você sabe quem eu sou? — repetiu ele, agora mais alto, de forma que achei que tinha me metido em alguma enrascada.

— Sei — disse de novo, recuperando minha voz normal.

— O senhor é o grão-duque Nicolau Nicolaievitch, comandante das forças armadas e primo de Sua Majestade imperial, czar Nicolau II.

Ele sorriu de leve, o corpo vibrando ligeiramente ao soltar uma curta risada.

— Sim, sim — disse ele, dispensando a grandiloquência da resposta. — Então, garoto, não há nada de errado com sua memória, certo? Se você lembra tão bem, consegue reconstituir o que aconteceu?

Tentei me sentar, ignorando as dores penetrantes que explodiam em meu lado esquerdo, do alto do ombro até a ponta do cotovelo, e olhei para mim mesmo. Eu estava na pequena rede que me servia de cama, de calças, mas sem sapatos, e me senti embaraçado ao ver a crosta de sujeira do chão de nosso casebre grudada em meus pés descalços. Minha túnica limpa, aquela que eu tinha vestido especialmente para o desfile do grão-duque, estava amontoada no chão a meu lado, e já não era branca, mas uma pérfida mistura de preto e vermelho-escuro. Estava sem camisa e meu peito estava estriado de sangue da ferida no braço, amarrado com bandagens bem apertadas. A primeira coisa que me passou pela cabeça foi onde teriam encontrado aqueles curativos, mas então lembrei que os soldados tinham passado pela aldeia e um deles devia ter socorrido o ferimento com material do exército.

Isso, por sua vez, levou a uma súbita rememoração dos acontecimentos daquela tarde.

O desfile. O cavalo de batalha branco. O grão-duque montado nele.

E nosso vizinho, Bóris Alexandrovitch. O filho dele, meu melhor amigo, Colec Boriavitch.

A pistola.

— Uma arma — soltei um grito e dei um salto, como se os fatos se repetissem diante de meus olhos. — Ele está com uma arma!

— Calma, garoto — disse o grão-duque dando-me um tapinha no ombro bom. — Agora não há nenhuma arma. Você praticou um grande feito, se conseguir lembrar.

— Não sei... não sei bem — respondi, esforçando-me em lembrar o que podia ter feito para receber tamanho elogio.

— Meu filho sempre foi muito valente, senhor — disse Daniel, agora avançando do fundo da cabana. — Ele daria sua vida pelo senhor, sem vacilar.

— Houve uma tentativa de assassinato — continuou Nicolau Nicolaievitch, olhando reto para mim e ignorando meu pai. — Um jovem radical. Ele apontou a pistola para minha cabeça. Juro que vi a bala se preparando para sair da câmara e se cravar em meu crânio, mas você se atirou na frente, garoto corajoso que é, e tomou o tiro no ombro. — Ele hesitou antes de retomar. — Você salvou minha vida, jovem Geórgui Danielovitch.

— Salvei? — balbuciei, pois não conseguia imaginar o que teria me inspirado a fazer uma coisa dessas. Mas minha névoa mental começava a se dissipar e me lembrei de ter corrido para Colec, para empurrá-lo de volta entre o aglomerado de gente e impedir que cometesse um ato que lhe custaria a vida.

— Sim, salvou — respondeu o grão-duque. — E fico grato. O próprio czar ficará grato. Toda a Rússia ficará.

Eu não soube o que dizer a tal comentário — certamente ele nutria um alto apreço por sua importância no mundo — e deitei de novo, sentindo-me levemente tonto e desesperado por mais água.

— Ele não precisa realmente ir, precisa, pai? — indagou Ássia de chofre, contendo as lágrimas por um momento enquanto fazia a pergunta. Olhei para ela e fiquei comovido que estivesse tão transtornada com o que me acontecera.

— Quieta, menina — replicou meu pai, empurrando-a contra a parede. — Ele fará o que lhe disserem para fazer. Todos nós faremos.

— Ir? — murmurei, imaginando o que ela queria dizer com isso. — Ir aonde?

— Você é um garoto corajoso — disse o grão-duque, agora recolocando as luvas e tirando uma bolsinha da algibeira, que estendeu a meu pai; ela desapareceu imediatamente dentro das misteriosas cavernas de sua túnica, longe das vistas de todos nós. *Fui vendido*, pensei imediatamente. *Fui entregue ao exército por algumas centenas de rublos.* — Um garoto como você, é um desperdício ficar num lugar como este. Você estava pensando em entrar no exército neste ano, não é mesmo?

— Sim, senhor — respondi hesitante, pois eu sabia que aquele dia estava próximo, mas tinha esperança de adiá-lo por mais alguns meses. — Era minha intenção, só que...

— Bem, não posso mandá-lo para a batalha, onde só vai enfrentar mais tiros. Não depois do que você fez hoje. Não, pode ficar aqui e se recuperar durante alguns dias e depois me acompanhar. Vou deixar dois homens para escoltá-lo até seu novo lar.

— Meu novo lar? — perguntei, agora completamente aturdido e tentando sentar de novo, enquanto ele se dirigia à porta da cabana. — Mas onde fica, senhor?

— Ora, em São Petersburgo, claro — disse ele, virando-se e sorrindo para mim. — Você já provou que se dispõe a enfrentar um tiro por um homem como eu. Pois imagine quanta lealdade você mostraria por alguém ainda maior do que um mero duque.

53

Balancei a cabeça e nervosamente engoli em seco.
— Ainda maior do que o senhor? — perguntei.
Ele hesitou um instante, como que avaliando se eu não desmaiaria com o choque da revelação, se dissesse o que tinha em mente. Mas, quando enfim retomou a palavra, agiu como se aquela ideia absolutamente extraordinária fosse a coisa mais evidente do mundo.
— O czaréviche Alexei — disse ele. — Você vai ser um dos encarregados de protegê-lo. Meu primo, o czar, mencionou em seu comunicado mais recente que estava justamente procurando um rapaz assim, e perguntou se eu conhecia alguém que pudesse ser uma companhia adequada. Isto é, alguém com uma idade mais próxima da dele. O czaréviche tem muitos guardas, claro. Mas ele precisa de mais que isso. Precisa de um companheiro que também cuide de sua segurança. Creio que encontrei o que está procurando. Pretendo presenteá-lo a ele, Geórgui Danielovitch. Isto é, supondo que ele o aprove. Mas por ora fique aqui. Recupere-se. Vejo-o em São Petersburgo no final da semana.

E com isso o grão-duque saiu da cabana, deixando minhas irmãs a contemplá-lo com pasmo e reverência, minha mãe com seu ar assustado de sempre e meu pai a contar suas moedas.

Forcejei para sentar mais ereto na cama, e assim pude ver pela porta a rua logo adiante, onde havia um teixo inteiramente florido, forte, grosso, vigoroso. Mas não estava exatamente igual. De seus galhos parecia pender um grande peso. Estreitei os olhos para identificar o que era e, quando finalmente enxerguei, só consegui arquejar.

Era Colec.
Tinham-no enforcado na rua.

1979

Foi ideia de Zoia fazermos nossa última viagem juntos.
Nunca tínhamos sido de viajar muito, nenhum dos dois, preferindo o aconchego e a segurança de nosso pacato apartamento em Holborn à canseira de sair nas férias. Depois que deixamos a Rússia, mudamos imediatamente para a França; chegando lá, moramos e trabalhamos alguns anos em Paris, onde casamos, e depois nos instalamos definitivamente em Londres. Quando Arina era criança, claro, fazíamos o que podíamos para passar uma semana fora da cidade, no verão, mas geralmente íamos a Brighton, ou talvez até a Cornualha, para lhe mostrar o mar, para deixá-la brincar na areia. Ser criança entre outras crianças. Mas, desde que chegamos, nunca saímos da ilha. E eu achava que nunca sairíamos.

Ela anunciou sua ideia numa noite, já tarde, quando estávamos sentados junto à lareira na sala de estar, contemplando as chamas que diminuíam e os pedaços de carvão que assobiavam e soltavam suas últimas fagulhas. Eu estava lendo *Jake's Thing* e, surpreso, deixei o livro de lado quando ela falou.

Nosso neto Michael tinha saído meia hora antes, depois de uma conversa penosa. Ele veio jantar e comentar como ia sua nova vida de estudante de teatro, mas toda a alegria do serão se acabou quando Zoia lhe contou sobre a doença e o avanço do câncer. Não queria lhe esconder nada, disse ela, mas também não queria sua compaixão. Afinal, era a vida, comentou ela. Nada mais que a vida.

— Já sou tão velha quanto as montanhas — disse-lhe sorrindo. — E, como você sabe, tenho tido muita sorte. Já estive mais perto da morte.

Naturalmente, sendo jovem, ele logo se pôs a procurar

soluções e esperanças. Insistiu que o pai pagaria qualquer tratamento que fosse necessário, que ele próprio largaria a Academia e encontraria um bom emprego para pagar tudo o que fosse preciso, mas ela negou com a cabeça e, segurando as mãos dele entre as suas, explicou que não havia mais nada que se pudesse fazer, nem ninguém nem certamente o dinheiro. A coisa era incurável, disse ela. Talvez não lhe restassem muitos meses e ela não queria desperdiçá-los procurando curas inexistentes. A notícia o deixou consternado. Tendo passado tantos anos sem mãe, era natural que detestasse a ideia de perder também a avó.

Antes de ir embora, Michael me chamou de lado e perguntou o que podia fazer para reconfortar a avó.

— Ela está com os melhores médicos, não é? — indagou.

— Claro — respondi, comovido com as lágrimas que afloravam em seus olhos. — Mas, sabe, não é uma doença fácil de combater.

— Mas ela é uma velhota rija — comentou ele, fazendo-me sorrir, e concordei.

— É — disse eu. — Ela é isso mesmo.

— Sei de gente que consegue vencer a doença.

— Eu também — falei sem querer lhe dar nenhuma falsa esperança. Zoia e eu já tínhamos passado semanas discutindo sua decisão de não se tratar e deixar que a doença se espalhasse pelo corpo e, quando enjoasse do passeio, fosse embora e a levasse junto. Tentei de tudo para dissuadi-la desse caminho, mas foi inútil. Ela simplesmente decidira que sua hora tinha chegado.

— Ligue se precisar de mim, certo? — insistira Michael. — De mim ou de papai. Estamos aqui para qualquer coisa que vocês precisarem. E vou aparecer mais vezes, combinado? Duas vezes por semana, se conseguir. E diga a ela para não cozinhar para mim, vou comer antes de vir.

— E ofendê-la? — ralhei com ele. — Você vai comer o que ela puser na sua frente, Michael.

— Bom... que seja — disse ele para liquidar o assunto, passando a mão pelo cabelo que batia pelos ombros e me dando aquele magro sorrisinho seu. — Estou aqui, foi isso que eu quis dizer. Não vou a lugar algum.

Ele sempre foi um bom neto. Sempre foi motivo de orgulho para nós. Depois de sair, Zoia e eu comentamos como tínhamos ficado emocionados com sua consideração.

— Uma viagem? — perguntei surpreso com a sugestão.

— Você tem certeza que consegue?

— Acho que sim — disse ela. — Agora sim, em todo caso. Daqui a alguns meses, quem vai saber?

— Não prefere ficar aqui e descansar?

— E morrer, você quer dizer — emendou ela, talvez lamentando as palavras logo a seguir, pois percebeu a expressão de tristeza em meu rosto e se inclinou para me beijar. — Desculpe. Não devia ter dito isso. Mas pense no assunto, Geórgui. Posso ficar sentada aqui e esperar chegar o fim, ou posso fazer alguma coisa com o tempo que me resta.

— Bom, creio que podemos pegar um trem para algum lugar por uma ou duas semanas — comentei refletindo no que ela dizia. — Passamos umas boas temporadas no litoral sul, quando éramos mais jovens.

— Eu não estava pensando na Cornualha — atalhou ela rapidamente, sacudindo a cabeça, e foi minha vez de lamentar o que tinha dito, pois o nome despertava lembranças de nossa filha, e para aqueles lados só havia dor e loucura.

— A Escócia, talvez — sugeri. — Nunca estivemos lá. Sempre achei que seria bom ver Edimburgo. Ou é longe demais? Estamos sendo ambiciosos demais?

— Você nunca seria ambicioso demais, Geórgui — respondeu com um sorriso.

— Então nada de Escócia — disse imaginando um mapa da Grã-Bretanha e percorrendo-o mentalmente. — De qualquer forma, lá faz frio demais nesta época do ano. Nem Gales, creio eu. O Parque da Cúmbria, talvez? A terra de Wordsworth? Ou a Irlanda? Podemos pegar um barco até Dublin, se você achar que dá conta. Ou ir para o sul, para os lados de West Cork. Dizem que lá é muito bonito.

— Eu estava pensando mais para o norte — disse ela, e percebi pelo tom que não era um comentário à toa, mas algo que ela já vinha avaliando por algum tempo. Ela sabia exatamente aonde queria ir e não trocaria por nenhum outro lugar.
— Estava pensando na Finlândia.
— Finlândia?
— É.
— Mas por que justo a Finlândia? — indaguei surpreendido com a escolha. — É tão... bom, quero dizer, é a Finlândia, afinal de contas. Há alguma coisa para se ver lá?
— Claro que sim, Geórgui — respondeu com um suspiro.
— É um país inteiro, como qualquer outro.
— Mas você nunca manifestou qualquer interesse em ver a Finlândia!
— Estive lá quando criança — comentou ela. — Não lembro muita coisa, claro, mas pensei... bom, é o lugar mais perto de casa aonde a gente pode ir, não é? Mais perto da Rússia, quero dizer.
— Ah... — assenti lentamente, refletindo no que ela tinha dito. — Claro. — Desenhei mentalmente o mapa do norte da Europa, a longa fronteira do país, com mais de mil e cem quilômetros, que se estendia de Grense-Jacobseli no norte a Hamina no sul.
— Queria me sentir outra vez perto de São Petersburgo — continuou Zoia. — Só mais uma vez na vida, só isso. Enquanto ainda consigo. Queria olhar ao longe e imaginar a cidade ali, ainda de pé. Invencível.

Respirei fundo e mordi o lábio enquanto fitava o fogo, onde o último carvão se consumia em cinzas, e avaliei o que ela estava pedindo. Finlândia. Rússia. Era seu último desejo, no sentido mais literal da expressão. E confesso que também

me animei com a ideia. Mesmo assim, estava em dúvida quanto à sensatez de tal viagem. E não só por causa do câncer.
— Por favor, Geórgui — disse ela depois de vários minutos de silêncio. — Por favor, apenas isso.
— Tem certeza de que sua saúde aguenta?
— Agora aguenta — respondeu Zoia. — Daqui a alguns meses, não sei. Mas agora sim.
Assenti.
— Então vamos — falei.

Houve uma série de sinais prenunciando a doença de Zoia que, tomados em conjunto, bastariam para me alertar que ela não estava bem, mas, como apareciam a intervalos de vários meses e se manifestavam junto com as dores e achaques típicos da velhice, era difícil identificar as ligações entre os sintomas. Além disso, minha mulher guardou para si os detalhes de seus sofrimentos pelo tempo que lhe foi possível. Se agiu assim porque queria me poupar ou porque relutava em procurar tratamento, é uma pergunta que nunca lhe fiz, por medo de me sentir magoado com a resposta.

Mas de fato notei que ela andava mais cansada do que o normal, e à noite sentava ao lado da lareira com um ar exausto, a respiração um pouco mais difícil, o semblante um pouco mais pálido. Quando eu perguntava desse cansaço, ela dava de ombros e dizia que não era nada, que só precisava dormir melhor de noite, só isso, e que eu não me preocupasse tanto com ela. Mas então as costas também começaram a incomodar, e eu via Zoia estremecer de dor ao colocar a mão num lugar na base da coluna, mantendo-a ali até que a dor mais forte passasse, com a fisionomia contorcida de angústia.

— Você precisa consultar um médico — falei quando a dor pareceu se tornar insuportável. — Talvez tenha deslocado um disco e precise ficar imóvel. Ele pode receitar um anti-inflamatório ou...

— Ou talvez seja só a velhice — atalhou ela, controlando-se para não erguer a voz. — Vou ficar bem, Geórgui. Não faça escândalo.

Poucas semanas depois, a dor tinha começado a se espalhar para o abdome, e notei sua visível inapetência quando ela sentava à mesa, remexendo a comida no prato com o garfo, levando pedacinhos miúdos à boca e mastigando apaticamente antes de empurrar o prato e dizer que estava sem fome.

— Almocei muito — alegava ela e, bobo que eu era, deixava-me enganar. — Eu não devia comer tanto no meio do dia.

Mas, persistindo os sintomas durante vários meses, e quando ela começou não só a emagrecer, mas também a não dormir de dor, finalmente convenci Zoia a consultar nosso clínico geral do bairro. Ela voltou e disse que ele estava fazendo alguns exames, e quinze dias depois meus piores receios se confirmaram quando ela foi encaminhada a uma especialista, dra. Joan Crawford, que desde então faz parte de nossa vida.

Uma coisa curiosa é que aceitar a notícia da doença de Zoia foi mais difícil para mim do que para ela. Que Deus me perdoe, mas, quando chegaram os resultados, ela pareceu aliviada, quase feliz, mostrando-os a mim em consideração por meus sentimentos, mas sem demonstrar nenhum temor ou desespero com seu estado. Não chorou, mas eu sim. Não aparentava medo nem raiva, duas emoções que me assolaram ao longo dos dias subsequentes. Era como se ela tivesse recebido... não propriamente uma boa notícia, mas uma informação interessante que não a deixou totalmente insatisfeita.

Uma semana depois, estávamos sentados no consultório da dra. Crawford, à espera. Zoia parecia completamente à vontade, mas eu estava irrequieto na cadeira, mexendo-me nervoso enquanto observava os diplomas pendurados nas paredes, tentando me persuadir que alguém que era especialista na doença e tinha recebido tantos certificados de universidades famosas certamente encontraria uma maneira de combatê-la.

— Sr. e sra. Jachmenev — cumprimentou a dra. Crawford

ao chegar, atrasada, mas lépida, com uma atitude totalmente profissional. Embora não se mostrasse antipática, senti imediatamente que lhe faltava uma certa compaixão, o que Zoia atribuiu ao fato de ser alguém que lidava todos os dias com pacientes com o mesmo problema, e que seria difícil encarar cada caso de modo tão trágico como ocorria com os parentes das vítimas da doença. — Desculpem a demora. Como os senhores podem imaginar, aqui o volume de serviço aumenta a cada dia.

Não me senti muito tranquilizado ao ouvir esse comentário, mas não disse nada enquanto ela estudava o histórico médico na escrivaninha à sua frente, segurando um raio X contra a luz num determinado ponto, sem revelar coisa alguma em sua expressão ao examiná-lo. Por fim fechou a pasta, pôs as mãos por cima dela e olhou para nós dois, esticando os lábios no que parecia ser o esboço de um sorriso.

— Jachmenev — disse ela. — É um sobrenome pouco comum.

— É russo — respondi depressa, sem vontade de entabular amenidades. — Doutora, a senhora examinou o histórico de minha esposa?

— Examinei, e conversei com o clínico geral de vocês, dr. Cross, hoje de manhã. Ele lhe expôs sua condição, sra. Jachmenev?

— Expôs, sim — concordou Zoia. — Câncer, disse-me ele.

— Mais especificamente, câncer no ovário — emendou a dra. Crawford, alisando com as duas mãos os papéis diante de si, hábito que me fez lembrar por alguma razão aqueles atores medíocres que nunca sabem o que fazer com as mãos no palco; talvez fosse minha maneira de me esquivar à conversa. — A senhora está sofrendo faz algum tempo, imagino.

— Tinha alguns sintomas, sim — respondeu Zoia cautelosamente, como se não quisesse ser repreendida pela demora em se consultar. — Um pouco de dor nas costas, cansaço, um pouco de enjoo, mas não dei muita atenção. Estou com setenta e oito anos, dra. Crawford. Faz dez anos que acordo com uma dor diferente a cada dia.

A médica sorriu e anuiu, hesitando por um momento antes de falar em tom mais gentil.

— Não é algo incomum em mulheres de sua idade, claro. Mulheres mais velhas correm maior risco de câncer no ovário, mas geralmente ele se desenvolve entre cinquenta e cinco e setenta e cinco anos. Seu caso é raro, em idade mais avançada.

— Sempre quis ser especial — replicou Zoia num sorriso. A dra. Crawford devolveu o sorriso e as duas se fitaram por alguns instantes, como se houvesse um entendimento mútuo a respeito de alguma coisa que necessariamente escaparia a mim. Estávamos apenas nós três ali na sala, mas me senti tremendamente excluído.

— Posso perguntar se há algum caso de câncer na família? — indagou a médica após alguns instantes.

— Não — disse Zoia. — Quer dizer, sim, pode perguntar. Mas não, não há nenhum caso.

— E sua mãe? Morreu de causas naturais?

Zoia hesitou apenas um segundo antes de responder.

— Minha mãe não teve câncer.

— Suas avós? Alguma tia ou irmã?

— Não — disse.

— E seu histórico pessoal — sofreu algum grande trauma na vida?

Zoia vacilou um pouco e então explodiu numa risada à pergunta da médica, e me virei para ela tomado de surpresa. Ao ver sua expressão de divertimento e notando que ela tentava refrear seus espasmos de hilaridade e dor, fiquei sem saber se me juntava à sua gargalhada ou se afundava o rosto entre as mãos. De repente eu queria estar em outro lugar. Não queria que nada daquilo estivesse acontecendo. Sem dúvida a escolha das palavras tinha sido muito infeliz, mas a dra. Crawford simplesmente ficou olhando Zoia enquanto ria, sem fazer qualquer comentário; imaginei que ela devia presenciar inúmeras reações bizarras durante esse tipo de conversa.

— Não sofri nenhum trauma médico — finalmente respondeu Zoia, recompondo-se e enfatizando a última palavra da frase. — Não tive uma vida fácil, dra. Crawford, mas minha saúde sempre foi boa.

— É, de fato — respondeu ela, suspirando como se tivesse entendido muito bem. — As mulheres de sua geração sofreram muito. Havia a guerra, para começar.

— Sim, a guerra — anuiu Zoia pensativa. — Muitas guerras, na verdade.

— Doutora — interrompi para falar pela primeira vez. — Câncer no ovário é tratável? A senhora tem como ajudar minha esposa?

Ela me olhou com certa pena, naturalmente entendendo que o marido podia ser a pessoa mais apavorada ali no consultório.

— Temo que o câncer já tenha começado a se espalhar, sr. Jachmenev — disse com calma. — E, como suponho que o senhor saiba, no momento a medicina não oferece cura. O que podemos fazer é tentar aliviar um pouco o sofrimento e oferecer a nossas pacientes o máximo de esperança possível para continuar a vida.

Fitei o chão, sentindo uma leve vertigem a essas palavras, embora na verdade eu soubesse que era isso que ela iria dizer. Eu já tinha passado semanas à minha mesa habitual na Biblioteca Britânica, pesquisando a doença que o dr. Cross diagnosticara e sabia muito bem que não havia cura. Mas esperança sempre havia, e eu me agarrava a ela.

— Há mais alguns exames que eu gostaria de fazer, sra. Jachmenev — disse ela, virando-se para minha esposa. — Precisaremos fazer um outro exame da pelve, claro. E alguns exames de sangue, um ultrassom. Um enema de bário vai nos ajudar a identificar a extensão do câncer. Vamos fazer algumas tomografias também, claro. Precisamos determinar até que ponto o câncer avançou além dos ovários e penetrou na área pélvica, e se passou para a cavidade abdominal.

— Mas e os tratamentos, doutora? — insisti inclinando-me para a frente. — O que a senhora pode fazer para melhorar o estado de minha esposa?

Ela me encarou um pouco enervada, tive a impressão, como se estivesse acostumada a lidar com maridos arrasados, mas que não faziam parte de suas preocupações; a única coisa que lhe interessava era a paciente.

— Como já disse, sr. Jachmenev — retrucou ela —, os tratamentos conseguem apenas retardar o avanço do câncer. Quimioterapia vai ser importante, claro. Haverá uma cirurgia, logo, para remover os ovários, e será preciso fazer uma histerectomia. Na mesma ocasião, podemos fazer biópsias dos gânglios linfáticos, do diafragma, do tecido pélvico de sua esposa, para determinar...

— E se eu não fizer o tratamento? — perguntou Zoia, em voz baixa e decidida, cortando o granito frio daquelas expressões médicas que a dra. Crawford decerto já tinha usado milhares de vezes.

— Se a senhora não fizer o tratamento, sra. Jachmenev — replicou, visivelmente acostumada também a essa pergunta, o que me chocou; como era simples para ela discutir ideias tão terríveis —, com quase toda certeza o câncer vai continuar a se espalhar. A senhora vai sentir o mesmo tanto de dor que sente atualmente. Podemos lhe dar algum medicamento para isso, mas uma hora ele vai pegá-la de surpresa e sua saúde vai degringolar rapidamente. Isso acontecerá quando o câncer avançar para os estágios finais, quando passar do abdome para atacar os órgãos — o fígado, os rins, e assim por diante.

— Temos de começar o tratamento já, claro — insisti.

A dra. Crawford me sorriu com a tolerância de uma avó afetuosa com um neto retardado, e então olhou de novo para minha mulher.

— Sra. Jachmenev — disse ela —, seu marido tem razão.

É importante começarmos o mais rápido possível. A senhora entende, não é?
— Quanto tempo seria? — perguntou Zoia.
— O tratamento seria por tempo indefinido — respondeu ela. — Até conseguirmos controlar a doença. Pode ser por pouco tempo, pode ser para sempre.
— Não — disse Zoia sacudindo a cabeça. — Quero dizer, quanto tempo me restaria se eu não me tratar?
— Pelo amor de Deus, Zoia! — exclamei encarando-a como se ela tivesse perdido completamente a razão. — Que tipo de pergunta é essa? Você não entendeu que...
Ela ergueu a mão para me pedir silêncio, mas sem olhar para mim.
— Quanto tempo, doutora?
A dra. Crawford soltou sonoramente o ar pelo nariz e arqueou os ombros, o que não me encheu de muita confiança.
— Difícil dizer — respondeu. — Evidentemente precisamos fazer esses exames de qualquer maneira, para determinar com precisão o estágio em que está o câncer. Mas eu diria não mais que um ano. Talvez um pouco mais, se tiver sorte. Mas não há como dizer como ficaria sua qualidade de vida nesse período. A senhora pode se sentir disposta até quase o final, e aí o câncer pode atacar de maneira fulminante, ou pode começar a perder a saúde muito em breve. Realmente o melhor é agir de imediato. — Ela abriu uma agenda volumosa que estava no centro da escrivaninha e percorreu uma das páginas com o dedo. — Posso marcar um horário para o exame inicial da pelve em...
Não chegou a terminar a frase, pois Zoia já tinha se levantado, pegado o casaco no apoio ao lado da porta e ido embora.

De início, nosso plano era ir só até Helsinque, sem avançar a leste, mas aí, num capricho, resolvemos esticar até o porto de Hamina, na costa finlandesa. O ônibus de Matkahuolto atravessou vagarosamente Porvoo e logo chegou ao norte de Kotka, nomes que, sessenta anos antes, eram tão familiares para mim como meu próprio nome, mas aos poucos, nas décadas seguintes, tinham se dissolvido na lembrança, substituídos pelas vivências e recordações da vida conjugal. Ao reler aquelas palavras na tabela dos horários de ônibus, porém, ao pronunciar de novo aquelas sílabas esquecidas, senti-me lançado de volta à juventude, os sons ecoando com a nostalgia e a familiaridade de um verso infantil.

Zoia e eu recebemos assentos na frente do ônibus, devido à nossa idade — eu tinha comemorado meu octogésimo aniversário quatro dias antes de sair de Londres, e minha mulher era apenas dois anos mais nova do que eu — e sentamos juntos, quietos, olhando as cidades e vilas que passavam por nós, num país que não era nosso lar, nunca tinha sido nosso lar, mas que fazia que nos sentíssemos mais próximos de nossa terra natal do que jamais estivéramos em décadas. A paisagem ao longo do golfo da Finlândia me evocava viagens esquecidas muito tempo antes, navegando pelo Báltico, ocupando os dias e noites com jogos, risos, vozes femininas, cada moça exigindo mais atenção do que a anterior. Se fechasse os olhos e ouvisse os gritos das gaivotas no ar, podia imaginar que estávamos mais uma vez lançando âncora em Tallinn, no litoral norte da Estônia, ou singrando de Caliningrado para o norte, até São Petersburgo, impelidos pela brisa e pelo sol ardendo no convés do *Standart*.

Mesmo as vozes das pessoas ao redor despertavam uma sensação de familiaridade; a língua era diferente, claro, mas podíamos reconhecer algumas palavras, e os sons guturais e ásperos das planícies mesclados à fala macia e sibilante dos fiordes me faziam pensar se não devíamos ter vindo aqui muito antes.

— Como você está? — perguntei a Zoia, virando-me para ela quando a placa para Hamina indicou que chegaríamos lá em dez ou quinze minutos, no mais tardar. Ela estava com o rosto um pouco pálido, e pude notar que se sentia emocionada com a penosa experiência de seguir para o leste, mas não revelava nada em sua expressão. Se estivéssemos sozinhos, talvez ela chorasse num misto de pesar e alegria, mas havia desconhecidos no ônibus e ela não iria contribuir para reforçar seus preconceitos, deixando que vissem a fraqueza de uma mulher de idade.

— Estou com vontade de que a viagem não termine — respondeu serenamente.

Estávamos na Finlândia fazia quase uma semana, e Zoia estava especialmente bem, fato que me fez refletir se não seria boa ideia mudarmos indefinidamente para o clima do norte, se isso significasse uma melhora para ela. Lembrei as biografias dos grandes escritores que eu tinha lido na Biblioteca Britânica, durante minha aposentadoria, que tinham trocado a terra natal pelo ar gelado das montanhas europeias, para reunir forças contra as doenças da época. Stephen Crane, deixando que a tuberculose lhe extinguisse o gênio em Badenweiler; Keats, contemplando lá fora a Escadaria da Igreja da Trindade em Roma, enquanto os pulmões se enchiam de bactérias e Severn e Clark discutiam em altos brados sobre o tratamento. Foram procurar a recuperação, claro. Para viver mais tempo. Mas encontraram apenas seus túmulos. Seria diferente com Zoia?, perguntava-me eu. Voltar para o norte daria a esperança e a possibilidade de prolongar a vida, ou a percepção esmagadora de que nada venceria o invasor que ameaçava arrebatar minha esposa?

Um pequeno restaurante na cidade oferecia um *lounas* tradicional, e resolvemos arriscar e sentar do lado de fora, embrulhados em sobretudos e cachecóis, enquanto a garçonete nos trazia pratos quentes com peixe salgado e batatas germinadas, completando nossos chás à medida que as xícaras se esvaziavam. Enquanto observávamos a rua, várias crianças passaram correndo por nós, e um dos meninos empurrou uma menina menor, derrubando-a de costas num monte de neve com um grito terrível. Zoia avançou na cadeira, pronta para repreender o menino pela maldade, mas a vítima se recobrou depressa e tirou pessoalmente sua desforra, o que lhe trouxe um sorriso satisfeito ao rosto. Famílias iam e voltavam de uma escola próxima, e nos acomodamos de novo com nossos pensamentos e recordações, tranquilos por saber que uma relação feliz e prolongada dispensa a necessidade de uma conversa constante. Nós dois havíamos aperfeiçoado a arte de ficar sentados juntos em silêncio, por horas a fio, mas nunca esgotávamos o que tínhamos a dizer.

— Sente o perfume no ar? — finalmente perguntou Zoia, enquanto terminávamos nossa última xícara de chá.

— Perfume?

— Sim, tem um... é difícil descrever, mas quando fecho os olhos e respiro devagar não posso deixar de lembrar a infância. Londres, para mim, sempre cheirou a trabalho. Paris cheirava a medo. Mas a Finlândia, ela me lembra uma época muito mais simples da vida.

— E a Rússia? — perguntei. — A que cheirava a Rússia?

— Por algum tempo, cheirava a felicidade e prosperidade — respondeu de pronto, sem parar para pensar. — E depois a loucura e doença. E a religião, claro. E depois... — ela sorriu e abanou a cabeça, encabulada em terminar a frase.

— O quê? — insisti sorrindo. — Diga.

— Você vai me achar uma boba — respondeu levantando os ombros num ar de desculpas —, mas sempre pensei na Rússia como uma espécie de romã estragada. Ela esconde sua natureza podre, vermelha e reluzente por fora, mas se a partimos, as sementes e arilos espirram fora, pretos e repugnantes. A Rússia me lembra uma romã. Antes de apodrecer.

Meneei a cabeça em sinal de concordância, mas mantive silêncio. Eu não tinha nenhum sentimento especial quanto ao perfume de nossa terra perdida, mas as pessoas, as casas e as igrejas que me cercavam na Finlândia redespertavam o passado. Eram noções mais simples, talvez — Zoia sempre teve mais tendência do que eu a empregar metáforas, talvez por ter recebido uma educação melhor do que a minha —, mas eu gostava da ideia de estar novamente perto de casa. Perto de São Petersburgo. Do Palácio de Inverno. Mesmo de Cáchin.

Mas como eu tinha mudado desde a última vez em que pusera os pés em qualquer desses lugares! Relanceando a vista pelo espelho enquanto lavava as mãos depois do almoço, captei a imagem de um homem idoso olhando seu reflexo, um homem que podia ter sido bonito em tempos passados, jovem e forte, mas agora não era nenhuma dessas coisas. Tinha o cabelo ralo e fino, fios branquíssimos agrupados no lado da cabeça, revelando uma testa com manchas amarronzadas que não guardava nenhuma semelhança com a pele lisa e bronzeada de minha juventude. O rosto era chupado, as faces encovadas, as orelhas invulgarmente grandes, como se fossem as únicas partes de minha fisionomia que não tinham se retraído. Os dedos tinham ficado ossudos, o esqueleto coberto por uma delgada camada de carne. Por sorte meus movimentos não tinham sido afetados, como muitas vezes eu temia, embora, ao acordar de manhã, agora levasse muito mais tempo até reunir todas minhas forças para me arrastar fora da cama, fazer minhas abluções e me vestir. Camisa, gravata, pulôver todos os dias, pois desde os dezesseis anos minha vida tinha se alicerçado na formalidade. A cada mês que passava, eu era mais sensível ao frio.

Às vezes eu achava estranho que um homem velho e acabado como eu ainda conseguisse merecer o amor e o respeito de uma mulher tão bela e jovial como minha esposa. Pois ela, para mim, não tinha mudado quase nada.

— Tenho uma ideia, Geórgui — disse Zoia quando voltei à nossa mesa, avaliando se me arriscaria a sentar de novo ou esperaria que ela se levantasse.

— Ideia boa? — perguntei com um sorriso, decidindo-me

pela primeira alternativa, visto que ela não dava nenhum sinal de se levantar.

— Creio que sim — respondeu hesitante. — Mas não sei bem o que você vai achar.

— Você acha que devíamos nos mudar para Helsinque — disse eu, tentando adivinhar suas palavras e rindo um pouco ao absurdo da ideia. — Vivermos nossos últimos dias à sombra da *Suurkirkko*, a catedral de São Nicolau. Você se apaixonou pelo estilo finlandês.

— Não — balançou a cabeça e sorriu. — Não, isso não. Não acho de jeito nenhum que devíamos ficar aqui. Na verdade, acho que a gente devia continuar.

— Continuar? — olhei para ela franzindo as sobrancelhas. — Continuar para onde? Entrar mais na Finlândia? É possível, claro, mas me preocupa que a viagem possa...

— Não, isso não — ela me aparteou, mantendo a voz clara e serena, como se temesse uma negativa caso demonstrasse franco entusiasmo. — Quero dizer, a gente devia ir para casa.

Soltei um suspiro. Desde que saímos de Londres, eu estava preocupado que essa viagem fosse demais para Zoia, e que ela iria lamentar a decisão, sentindo falta do aconchego e conforto de nosso apartamento em Holborn. Afinal não éramos mais crianças. Não era fácil passarmos tanto tempo em trânsito.

— Está se sentindo mal? — perguntei inclinando-me e pegando sua mão, procurando em seu rosto qualquer sinal de aflição.

— Não pior do que antes.

— A dor está demais para você?

— Não, Geórgui — respondeu com uma risadinha. — Estou perfeitamente bem. Por que você pergunta?

— Porque você quer ir para casa — respondi. — E podemos ir, claro que podemos ir, se é o que você realmente quer. De qualquer forma, restam apenas quatro dias de viagem. Seria mais fácil voltar a Helsinque e descansar lá, até a data do voo.

— Não estou falando em voltar para Londres — disse depressa, sacudindo a cabeça enquanto olhava de novo as crianças, brincando ruidosas nos montes de neve. — Não estou falando *naquela* casa.

— Que casa, então?

— São Petersburgo, claro — respondeu Zoia. — Afinal de contas já estamos aqui. Não seriam muitas horas a mais, seriam? Podíamos passar um dia lá, só um dia. E nunca imaginamos pisar outra vez na praça do Palácio. Nunca pensamos respirar de novo o ar russo. E se não formos agora, quando estamos tão perto, nunca mais iremos. O que você acha, Geórgui?

Fiquei olhando para ela sem saber o que dizer. Quando decidimos fazer essa viagem, certamente alguma parte lá dentro de nós dois ficou a ruminar se essa hipótese surgiria, e, se surgisse, quem seria o primeiro a levantá-la. A ideia era vir à Finlândia, avançar a leste até onde o clima e nossa saúde permitissem, olhar ao longe, talvez vislumbrar mais uma vez o contorno das ilhas no Viborgski Zaliv, quem sabe até a ponta do Primorsc, e relembrar, imaginar, elucubrar.

Mas não tínhamos, nenhum dos dois, comentado em voz alta a ideia de percorrer as poucas centenas de quilômetros que faltavam para chegar à cidade onde nos conhecemos. Até agora.

— Acho... — comecei engrolando as palavras, hesitante, antes de abanar a cabeça e retomar. — Eu me pergunto...

— O quê? — indagou ela.

— Será seguro?

O Palácio de Inverno

Eu lutava para controlar minha tremedeira.

O longo corredor no terceiro andar do Palácio de Inverno, onde o czar e sua família ficavam quando estavam em São Petersburgo, estendia-se friamente de ambos os lados, as paredes douradas se esmaecendo numa sombra intimidadora enquanto as velas bruxuleavam e se embaçavam na distância. E ali no meio estava um rapazola de Cáchin, que se sentia quase sufocado ao pensar nas pessoas que tinham andado por esses corredores no passado.

Claro que eu nunca tinha visto tanta grandiosidade — mal acreditava que existissem lugares assim fora de minha imaginação —, mas, olhando para baixo, notei que as juntas de meus dedos estavam brancas, tamanha era a força com que eu me agarrava aos braços da poltrona onde estava sentado. Meu estômago se revirava de nervosismo, e a cada vez que eu conseguia parar de bater ansiosamente o pé direito no chão de mármore, ele ficava imóvel só por um instante e logo recomeçava seu aflito sapateado.

A própria poltrona era um objeto da mais extraordinária beleza. As quatro pernas eram entalhadas em carvalho vermelho, com intricados motivos florais decorando as arestas. Engastados nas orelhas, havia dois filetes largos de ouro que, por sua vez, eram engastados com três tipos de pedras preciosas, das quais só reconheci uma, numa trilha salpicada de safiras azuis que faiscavam e mudavam de cor conforme eu examinava de ângulos diferentes. Um tecido de trama fina e cerrada envolvia a almofada densamente estofada com as plumas mais macias do mundo. Apesar da ansiedade, foi difícil reprimir um suspiro de prazer quando me sentei nela, pois os cinco dias anteriores não tinham oferecido nenhum outro conforto além do impiedoso couro da sela.

Quando iniciamos a viagem de Cáchin até a capital do império russo, não fazia nem uma semana que o grão-duque Nicolau Nicolaievitch tinha passado por nossa aldeia e sofrido um atentado. Minha irmã Ássia havia trocado os curativos em meu ombro duas vezes por dia, e quando as bandagens descartadas deixaram de mostrar vestígios de sangue, os soldados que esperavam na aldeia para me escoltar até meu novo lar anunciaram que eu estava pronto para a viagem. Se a bala tivesse entrado um pouco mais à direita, poderia ter paralisado meu braço, mas tive sorte e levou apenas um ou dois dias para se recompor a harmonia entre ombro, cotovelo e pulso. De vez em quando, uma fisgada de dor logo acima da ferida em cicatrização servia como ríspida censura, um lembrete do que eu tinha feito, e nessas horas eu fazia uma careta, não por causa da dor, mas porque minha atitude impensada tinha custado a vida de meu velho amigo.

O corpo de Colec Boriavitch continuou ali mesmo onde os soldados o enforcaram, balançando no teixo perto de nossa cabana durante três dias, até que Bóris Alexandrovitch teve autorização para cortar a corda e dar sepultura decente ao filho. Ele procedeu com dignidade, e a cerimônia foi realizada a cerca de um quilômetro e meio da aldeia, na tarde antes de minha partida.

— Você acha que podemos assistir ao enterro? — perguntei à minha mãe na noite anterior, mencionando a morte de meu amigo pela primeira vez, de tanta culpa que eu sentia pelo que tinha feito. — Queria me despedir de Colec.

— Você está louco, Geórgui? — reagiu encarando-me com uma carranca. Ela tinha sido muito solícita nos últimos dias, mostrando mais consideração por mim do que nos dezesseis anos anteriores, e me perguntei se, tendo eu roçado a morte, ela teria se arrependido da grande distância que havia entre nós. — Não nos receberiam bem.

— Mas ele era meu maior amigo — insisti. — E você o conhecia desde o dia em que ele nasceu.

— Desde o dia em que nasceu até o dia em que morreu — concordou mordendo o lábio. — Mas Bóris Alexandrovitch... ele deixou seus sentimentos muito claros.

— Talvez se eu falar com ele — sugeri. — Podia ir visitá-lo. Meu ombro está quase bom. Podia tentar explicar...

— Geórgui — atalhou minha mãe, sentando no chão a meu lado e espalmando a mão no músculo de meu braço sadio, abrandando tanto o tom de voz que até achei que ela podia adquirir alguma humanidade. — Ele não quer falar com você, entende? Ele nem está pensando em você. Ele perdeu o filho. É a única coisa que lhe importa agora. Ele anda pelas ruas parecendo assombrado por espíritos, chamando Colec aos brados e amaldiçoando Nicolau Nicolaievitch, acusando o czar, culpando todo mundo pelo que aconteceu, exceto a si mesmo. Os dois soldados o advertiram pelas palavras de traição, mas ele não dá ouvidos. Um dia desses ele também vai abusar, Geórgui, e vai acabar com uma corda no pescoço. Ouça o que eu digo, é melhor ficar longe dele.

Eu me sentia torturado pelo remorso e mal conseguia dormir de sentimento de culpa. A verdade era que eu não acreditava realmente que minha intenção tivesse sido salvar a vida do grão-duque, de forma alguma, e sim impedir que Colec cometesse um ato que só poderia resultar em sua própria morte. Não me passou desapercebida a ironia de que, ao fazer isso, eu próprio causei sua morte.

Mas, reconheço envergonhado, senti quase um alívio quando o pai dele não quis me ouvir, pois, se me deixasse falar, certamente eu iria me desculpar por meu gesto, e assim os guardas perceberiam que eu não era de forma alguma aquele herói que todos imaginavam, e a nova vida que me fora oferecida em São Petersburgo provavelmente acabaria por ali mesmo. Não podia permitir que isso acontecesse, pois queria partir. Agora havia a perspectiva de uma vida fora de Cáchin, e conforme a semana chegava ao fim e se aproximava o momento da partida, comecei a me perguntar se, afinal, minha intenção tinha sido mesmo salvar Colec ou se eu queria era salvar a mim mesmo.

Na manhã em que saí de nossa cabana para iniciar a longa jornada até São Petersburgo, vi meus companheiros mujiques a me encarar num misto de admiração e desprezo. Era verdade que eu tinha trazido grande honra à aldeia, salvando a vida do primo do czar, mas todos os homens e mulheres que me viam reunir meus parcos pertences e colocá-los nos alforjes do cavalo reservado para a viagem também tinham visto Colec crescer nessas mesmas ruas. Sua morte precoce, para nem mencionar minha participação nela, pairava no ar como um cheiro rançoso. Eles eram súditos leais dos Romanov, isso é verdade. Acreditavam na família imperial e no direito da autocracia. Atribuíam a Deus a ascensão do czar ao trono e acreditavam que seus familiares viviam em estado de glória. Mas Colec era de Cáchin. Era um de nós. Numa situação dessas, era impossível decidir de que lado ficava a lealdade.

— Você volta logo para mim, um dia desses? — perguntou Ássia enquanto eu me preparava. Ela passou vários dias tentando convencer os soldados a deixá-la ir comigo a São Petersburgo, onde, claro, esperava começar uma vida nova, mas eles não quiseram saber, e agora ela previa um futuro solitário em Cáchin, sem seu confidente mais próximo.

— Vou tentar — prometi, sem saber se queria ou não. Afinal, eu não fazia ideia do que me estava reservado. Não podia me comprometer fazendo planos com outras pessoas.

— Vou ficar esperando uma carta todos os dias — insistiu ela, agarrando minhas mãos e me fitando com olhos suplicantes prestes a explodir em lágrimas. — E a uma palavra sua, eu largo tudo e vou. Não me deixe apodrecendo aqui, Geórgui. Prometa. Fale sobre mim com todos que você encontrar. Fale que boa aquisição eu seria para lhes fazer companhia.

Anuí, beijei o rosto de Ássia, de minhas outras irmãs e de

minha mãe, e fui dar um aperto de mão a meu pai. Daniel me fitou como se não soubesse como reagir ao gesto. Finalmente conseguira fazer dinheiro comigo, mas seu lucro significava minha partida. Para minha surpresa, ele pareceu desconcertado com o fato, mas agora era tarde demais para repará-lo. Desejei boa sorte, mas não disse muito mais do que isso, montei no belo garanhão cinza, dei um último adeus e me afastei de Cáchin e de minha família para sempre.

A viagem em si não teve maiores percalços; foram cinco dias montando, descansando, e pouca ou nenhuma conversa para diminuir o tédio. Somente na penúltima noite, um dos soldados, Ruskin, demonstrou alguma simpatia quando eu estava sentado perto da fogueira do acampamento, contemplando as chamas.

— Você parece triste — disse ele, sentando a meu lado e atiçando o fogo dos gravetos com a ponta da bota. — Não está com vontade de ver São Petersburgo?

— Estou, claro — respondi erguendo os ombros, embora na verdade mal tivesse pensado nisso.

— Então o que há? Pela sua cara, há alguma outra coisa. Será medo?

— Não tenho medo de nada — retruquei na hora, virando-me para ele, e o lento sorriso que se abriu em seu rosto bastou para dissipar minha raiva. Era corpulento, forte e viril, e não havia nenhuma razão para algum atrito entre nós dois.

— Tudo bem, Geórgui Danielovitch — disse ele, erguendo as palmas das mãos. — Não precisa ficar bravo. Achei que você queria conversar, só isso.

— Pois bem, não quero — respondi.

Pairou um silêncio entre nós por algum tempo, e fiquei torcendo para que ele voltasse a seu companheiro e me deixasse em paz, mas aí ele falou de novo, com calma, como eu previa.

— Você se culpa pela morte dele — começou, agora sem me olhar, fitando o fogo. — Não, não se apresse tanto em negar. Eu sei. Estive observando você. E eu estava lá naquele dia, lembra?, vi o que aconteceu.

— Ele era meu melhor amigo — disse e senti uma grande onda de remorso subindo dentro de mim. — Se eu não tivesse corrido para ele como fiz...

— Então ele podia ter matado Nicolau Nicolaievitch e teria sido executado pelo crime da mesma maneira. Talvez pior. Se o primo do czar fosse assassinado, talvez a família inteira de seu amigo também fosse executada. Ele tinha irmãs, não tinha?

— Seis — respondi.

— E elas estão vivas porque o general está vivo. Você tentou impedir que Colec Boriavitch cometesse um crime hediondo, só isso. Um segundo de diferença, e talvez nada disso tivesse acontecido. Você não pode se culpar. Você agiu por bem.

Assenti, capaz de entender o sentido do que ele dizia, mas não adiantou muito. A culpa era minha, tinha certeza disso. Fui a causa da morte de meu amigo mais querido, e ninguém me convenceria do contrário.

Tive a primeira visão de São Petersburgo na noite seguinte, quando finalmente entramos na capital. O que logo eu reconheceria como grande glória do projeto triunfante de Pedro, o Grande, estava um pouco toldado pelas sombras da noite, o que não me impediu, porém, de contemplar assombrado a largura das ruas e a quantidade de pessoas, cavalos e carruagens que passavam a meu lado, em todas as direções. Nunca tinha visto tanto movimento. Nas calçadas, homens assavam castanhas em braseiros, que vendiam às damas e cavalheiros de passagem, envoltos em peles e chapéus da mais fina qualidade. Meus guardas pareciam nem prestar atenção nas cenas — suponho que estavam tão acostumados com elas que nem se impressionavam mais —, mas, para um garoto de dezesseis anos que nunca tinha ido muitos quilômetros além de sua aldeia natal, era um espetáculo deslumbrante.

Havia uma multidão reunida na frente de um daqueles

braseiros, e paramos perto de uma elegante carruagem, puxando as rédeas de nossos cavalos enquanto o povo abria alas para podermos passar. Eu não tinha comido quase nada o dia todo, e queria um saquinho de castanhas, meu estômago roncava à expectativa de uma refeição quente. A nosso redor as pessoas riam e brincavam; na frente delas estava uma senhora de meia-idade com ar severo, e ao lado quatro mocinhas vestidas com roupas iguais — irmãs, evidentemente —, dispostas por ordem de idade. Eram lindas e, apesar da fome que me apertava o estômago, meu olhar foi atraído por elas. Não tinham se apercebido de mim, até que uma, a última da escadinha — com uns quinze anos, imaginei —, virou a cabeça e se deparou com meu olhar. Normalmente eu coraria ou desviaria a vista, mas não foi o que fiz. Sustentei o olhar dela e simplesmente ficamos nos fitando, como se fôssemos velhos amigos, até que de repente ela sentiu o calor do saquinho que segurava, e soltou um grito ao deixá-lo cair, meia dúzia de castanhas rolando no chão em minha direção. Inclinei-me para catá-las e ela se precipitou para recolhê-las, mas, a uma ríspida repreensão da governanta, ela se deteve e, após uma breve hesitação, voltou para junto das irmãs.

— Madame! — gritei, começando a andar até ela com o prêmio na mão, mas, depois de alguns passos, um dos soldados da escolta me agarrou bruscamente pelo braço ferido, o que me fez gritar de dor e derrubar novamente as castanhas.

— O que você está fazendo? — perguntei virando-me furioso para ele, pois, sem saber bem por quê, odiei que ela me visse ceder a algo tão simples quanto a mão de outro homem. — São dela.

— Ela pode comprar mais — respondeu, arrastando-me de volta para nossos cavalos, e eu tão esfaimado como antes. — Mantenha-se em seu lugar, menino, ou vão lhe ensinar logo, logo.

Franzi a testa e olhei para a esquerda, onde a senhora e suas protegidas entravam de novo na carruagem e partiam, toda a multidão a acompanhá-las com os olhos, como bem mereciam, pois cada uma era mais bonita do que a outra, e a mais nova ofuscava todas elas.

Pouco depois percorríamos as margens do rio Neva, meus olhos fixos nas barragens de granito e nos casais jovens e alegres que passeavam pelas calçadas, entretidos em conversar. As pessoas aqui pareciam felizes, fato que me surpreendeu, pois eu esperava encontrar uma cidade dilacerada pela guerra. Mas parecia que nenhum de seus dissabores chegara a São Petersburgo, e as ruas e praças vibravam de risos, alegria e prosperidade. Eu mal conseguia controlar minha empolgação.

Finalmente viramos e chegamos a uma praça grandiosa, onde, estendendo-se diante de mim, ficava o Palácio de Inverno. Apesar da noite escura, a lua cheia me permitiu observar de olhos arregalados a cidadela de fachada verde e branca. Como alguém tinha construído um edifício tão extraordinário, era algo que ultrapassava minha compreensão; mesmo assim, eu parecia ser o único do grupo a ficar atônito com aquele esplendor.

— É aqui? — perguntei a um dos soldados. — É aqui que mora o czar?

— Claro — respondeu grosseiro, dando de ombros e exibindo o mesmo desinteresse em falar comigo que, junto com seu colega, já havia demonstrado durante toda a viagem. Desconfiei que tinham achado uma tremenda indignidade ficarem com uma tarefa tão trivial como escoltar um moleque até a capital, enquanto seus companheiros prosseguiam no séquito do grão-duque.

— E eu vou morar aqui também? — perguntei, tentando não rir a essa ideia tão despropositada.

— Quem sabe? — respondeu ele. — Nossas ordens são entregá-lo ao conde Charnetski, e depois disso é por sua conta.

Passamos pelo granito vermelho da Coluna de Alexandre, que tinha quase o dobro da altura do palácio, e olhei para cima, onde estava o anjo empunhando uma cruz no topo. O anjo estava com a cabeça inclinada, como em derrota, mas numa atitude triunfal, bradando aos inimigos que se apresentassem, protegido pelo poder de sua fé. Seguindo minha escolha, passei sob uma arcada que levava diretamente ao corpo do palácio, onde me retiraram o cavalo. Um cavalheiro imponente veio a meu encontro, olhou-me de cima a baixo enquanto eu me reempertigava após a longa viagem, parecendo totalmente indiferente ao que via.

— Você é Geórgui Danielovitch Jachmenev? — perguntou quando me aproximei.

— Sou, sim senhor — respondi educadamente.

— Meu nome é conde Vladimir Vladiavitch Charnetski — anunciou, visivelmente se deleitando com o som das palavras conforme lhe saíam da boca. — Tenho a honra de ser o encarregado da Guarda Imperial de Sua Majestade Imperial. Fui informado de que você praticou um gesto heroico em sua aldeia natal e foi recompensado com um lugar na residência do czar, estou correto?

— É o que eles dizem — admiti. — Na verdade, os acontecimentos daquela tarde foram tão rápidos que eu...

— Não importa — interrompeu ele, virando-se e fazendo sinal para que eu o seguisse, cruzando outra porta e entrando no interior tépido do palácio. — Saiba que esses atos heroicos fazem parte das responsabilidades diárias de quem zela pela segurança do czar e família. Você vai trabalhar com homens que arriscaram a vida em inúmeras ocasiões; portanto, não pense que você é minimamente especial. Não passa de um grão de areia, apenas isso.

— Certamente, senhor — respondi surpreso com sua hostilidade. — Nunca pensei que fosse qualquer coisa além disso. E asseguro que...

— Como regra, não gosto que me impinjam novos guardas — declarou ele, soprando e bufando de indignação, enquanto me conduzia por uma série de escadarias largas e atapetadas de púrpura, num passo tão acelerado que eu tinha de correr um pouco para conseguir acompanhá-lo, fato inesperado em vista da grande diferença de peso e idade entre nós. — Fico especialmente preocupado quando sou obrigado a supervisionar rapazes que não têm absolutamente nenhum treinamento e não sabem nada sobre nossos procedimentos aqui.

— Certamente, senhor — repeti, continuando a correr atrás dele e me esforçando ao máximo para mostrar a devida deferência e subordinação.

Ao subir as escadarias do palácio, contemplei admirado as largas molduras douradas em torno dos espelhos e vidraças. Estátuas de alabastro branco se ressaltavam das paredes, apoiadas triunfalmente em plintos, com os rostos se projetando das enormes colunas cinzentas que se erguiam do pavimento até o forro. Por entre portas abertas que levavam a uma sucessão de antessalas, entreviam-se pinturas e tapeçarias magníficas, em sua maioria representando grandes personalidades a cavalo, liderando os soldados em batalha, e o chão de mármore sob nossos pés ressoava como se estivéssemos em marcha. Surpreendeu-me que um homem com a circunferência do conde Charnetski — e era uma circunferência extraordinária — conseguisse andar pelos vestíbulos com tanta agilidade. Anos de prática, concluí eu.

— Mas de vez em quando o grão-duque mete essas fantasias na cabeça — prosseguiu — e, quando isso acontece, todos temos de acatar. Independentemente das consequências.

— Senhor — disse eu, agora parando um momento, decidido a mostrar minha virilidade, pretensão um tanto prejudicada pelo tempo que levei para recuperar o fôlego, pois tinha me dobrado ofegante, com as mãos na cintura. — Devo lhe dizer que, embora nunca tenha esperado me encontrar nesta posição tão elevada, farei tudo o que está a meu alcance para agir com firmeza e decoro, nas melhores tradições de suas forças de guarda. E desejo ardentemente aprender tudo o que uma guarda deve saber. O senhor verá também que aprendo rápido, prometo-lhe.

Ele se deteve um metro adiante de mim e se virou, fitando-me por um instante, tão espantado que fiquei em dúvida se ele avançaria e me daria uma bofetada ou simplesmente me atiraria por um dos altos vitrais que se estendiam ao longo das paredes. Acabou não fazendo nenhuma das duas coisas, apenas balançou a cabeça e continuou em frente, gritando que eu o seguisse, e depressa.

Poucos minutos depois, encontrei-me num longo corredor, recebi ordens de sentar naquela belíssima poltrona e fiquei agradecido pela pausa. Ele anuiu, satisfeito com a execução da tarefa, e se virou para ir embora. Mas antes que desaparecesse totalmente de vista, reuni coragem para chamá-lo.

— Senhor! — gritei. — Conde Charnetski!

— O que é? — perguntou voltando-se e me encarando como se não conseguisse crer em minha audácia em me dirigir a ele.

— Bem... — comecei olhando em torno e erguendo os ombros. — O que devo fazer agora?

— O que deve fazer, garoto? — perguntou aproximando-se alguns passos e dando uma risadinha, mas de amargura, achei eu, não de divertimento. — O que deve fazer? Esperar. Até ser chamado. E então receberá instruções.

— E depois disso?

— Depois disso — respondeu afastando-se outra vez e sumindo na escuridão do corredor — você fará o que todos nós fazemos aqui, Geórgui Danielovitch. Obedecerá.

Os minutos que fiquei lá sentado estendiam-se interminavelmente, e comecei a me perguntar se não teriam se esquecido de mim. Não havia nenhum movimento no corredor e, exceto a sensação de que uma coletividade inteira de criados prestimosos deslizava atrás de cada porta, poucos eram os sinais de vida. A pessoa que supostamente deveria me instruir sobre minhas obrigações não dava sinal algum de sua graça, e fui tomado por um desconforto cada vez maior, imaginando o que deveria fazer ou aonde deveria ir se não aparecesse ninguém para se incumbir de mim. Antes eu tinha esperanças de receber uma refeição quente, uma cama, algum lugar para me lavar da poeira da viagem, mas agora tais luxos me pareciam improváveis.

O conde Charnetski, profundamente desgostoso com minha presença, tinha sumido no interior do labirinto. Eu me perguntava se o grão-duque Nicolau Nicolaievitch estaria esperando para me entrevistar, mas de certa maneira eu achava que agora ele já teria voltado para Stavca, o quartel-general do exército. Meu estômago começou a roncar — fazia quase vinte e quatro horas que eu não comia nada — e olhei para ele, carrancudo, como se uma séria bronca o convencesse a ficar quieto. Seus resmungos, como uma porta com as dobradiças mal azeitadas rangendo ao se abrir devagar, ecoavam por todo o corredor, ricocheteando nas paredes e janelas, ficando mais altos e constrangedores a cada segundo. Tossindo de leve para disfarçar o ruído, levantei para esticar as pernas, e senti uma dor violenta do tornozelo até a coxa, por causa da longa cavalgada desde Cáchin.

O corredor onde eu estava não dava para a praça do Palácio, mas ficava do outro lado da cidadela, com vista para o Neva, iluminado ao longo das margens por uma fileira de postes de luz elétrica. Apesar do adiantado da hora, ainda havia alguns barcos de recreio passeando por ele, o que me surpreendeu, pois era uma noite fria e mal conseguia imaginar como devia estar gelado ali sobre as águas. Mas as pessoas pertenciam visivelmente às classes mais abastadas, pois, mesmo da distância onde eu estava, podia ver que estavam envoltas em peles, gorros e luvas de grande luxo. Imaginei o convés das embarcações repleto de comidas e bebidas, toda uma geração de príncipes e duquesas rindo e tagarelando, como se não tivessem qualquer preocupação no mundo.

Quem contemplasse tal cena jamais poderia imaginar que nosso país estava em guerra fazia mais de dezoito meses e que morriam por hora milhares de jovens russos nos campos de batalha da Europa. Não era propriamente Versalhes antes da chegada das carroças dos revolucionários, mas havia uma atmosfera de escapismo, como se as classes fundiárias de São Petersburgo fossem incapazes de imaginar a infelicidade e o descontentamento que se avolumavam nas vilas e aldeias.

Fiquei a observar enquanto um daqueles barcos, talvez o mais luxuoso, atracava bem na frente do palácio e dois guardas imperiais saltavam a curta distância entre o convés e a calçada, a embarcação deslizando suavemente até sua amarração, e então baixaram uma larga ponte levadiça oferecendo aos ocupantes uma passagem de segurança. Uma senhora corpulenta foi a primeira a sair, e se pôs de lado enquanto saíam quatro moças, todas vestidas de maneira idêntica, com vestidos longos, casacos e chapéus cinzentos, conversando entre si. Estiquei o pescoço para ver melhor e fiquei atônito ao ver que era o mesmo grupo da barraca de castanhas assadas. Devem ter ido de carruagem até o barco, para um curto passeio no final de uma noite agradável, mas ali onde eu estava, no terceiro andar do palácio, era alto demais para observá-las mais detidamente. Perguntei-me, porém, se elas se sentiriam observadas, pois, logo antes de sumir do campo de visão, uma delas — a mais nova, a mocinha que tinha deixado cair as castanhas no chão e cujo olhar me fascinara — hesitou, então levantou a cabeça para cima e encontrou meu olhar, com um ar de reconhecimento no rosto, como se tivesse esperado o tempo todo ver-me ali. Vislumbrei rapidamente seu sorriso antes de ela desaparecer, quase engasguei de nervoso, e franzi o cenho, confuso com a emoção desconhecida que tomou conta de mim.

Eu tinha posto os olhos nessa mocinha apenas por um

átimo, e mal tínhamos trocado palavra na banca de castanhas, mas havia um calor, uma bondade naquele seu olhar que me davam vontade de descer correndo a seu encontro, para conversar e descobrir quem era ela. Quase ri ao absurdo de minhas emoções. *Você está sendo ridículo, Geórgui!*, disse comigo mesmo, sacudindo a cabeça depressa para me livrar das imagens. Ainda sem nenhum sinal de alguém para me dar as instruções, comecei a andar pelo corredor, afastando-me daquelas janelas perigosas e da solidão de minha bela poltrona.

E foi então que comecei a ouvir vozes à distância.

Todas as portas cerradas eram profusamente ornamentadas, talvez com uns cinco metros de altura, uma cornija semicircular sobre os elaborados frisos dourados que ornavam cada superfície. Pus-me a imaginar quantas horas de trabalho teriam sido empregadas naqueles detalhes rebuscados. Quantas portas assim existiriam no palácio? Mil? Duas mil? Era demais para meu cérebro, e fiquei atordoado à ideia de quantas pessoas deviam ter labutado para realizar uma obra de tanto requinte, que existia para o deleite de uma única família. Será que pelo menos notavam a extrema beleza da obra, ou aquele delicado esplendor lhes passaria totalmente despercebido?

Hesitando apenas um momento, virei no ângulo de uma ramificação onde me esperava um corredor muito mais curto. Não havia luzes à minha esquerda, e a escuridão crescente me lembrou algumas das histórias mais aterradoras que Ássia me contava quando eu era pequeno, para me causar pesadelos; estremeci ligeiramente e me afastei. À minha direita, porém, havia uma série de velas acesas nos peitoris das janelas, e comecei a seguir por ali com espírito explorador, com cuidado, devagar, para que o som de minhas botas não ressoasse muito alto.

Ali também todas as portas estavam fechadas, mas não demorou muito até localizar as vozes num aposento um pouco mais adiante. Avancei, comprimindo o ouvido a cada porta, mas atrás delas havia apenas silêncio. O que acontecia em cada um daqueles aposentos?, eu me perguntava. Quem vivia ali, trabalhava ali, dava ordens dali? Os sons aumentaram de volume, e no final do corredor havia uma porta levemente entreaberta, mas hesitei antes de me aproximar. Agora as vozes estavam mais nítidas, embora as pessoas falassem baixo, e quando olhei ao redor vi um aposento simples diante de mim, com um genuflexório colocado bem no centro.

Ajoelhada, com a cabeça afundada no apoio estofado, havia uma mulher. E estava chorando.

Observei-a por um momento, intrigado com sua dor, antes que meus olhos passassem para o outro ocupante do aposento, um homem de costas para mim e de frente para a parede, onde havia um grande ícone numa tapeçaria luminescente. Ele tinha uma extraordinária cabeleira negra e comprida, que descia pelas costas, densa e áspera, como se estivesse muito suja, e vestia roupas simples de camponês, o tipo de túnica e calça que não destoaria em Cáchin. Perguntei-me que cargas-d'água estaria fazendo aqui, com trajes tão rústicos. Teria invadido o palácio? Seria algum ladrão? Mas não, era impossível, pois a dama ajoelhada diante dele usava o vestido mais elegante que eu já tinha visto, e evidentemente tinha razões para estar aqui no palácio; se ele fosse um intruso, não estaria dominando sua atenção de maneira tão concentrada.

— Você deve rezar, Matuchca — disse o homem de chofre, em voz baixa e grave, como se viesse das profundezas do inferno. Ele estendeu os braços numa atitude que lembrava o Cristo crucificado no Calvário. — Você deve depositar sua fé num poder maior do que príncipes e palácios. Você não é nada, Matuchca. E eu sou apenas um veículo por meio do qual a voz de Deus se faz ouvir. Perante Sua graça você deve suplicar pessoalmente. Deve se entregar a Deus sob qualquer aparência com que Ele se apresente. Deve fazer tudo o que Ele lhe pede. Pelo bem do menino.

A mulher não disse nada, mas enterrou ainda mais a cabeça na almofada diante do genuflexório. Senti um arrepio me percorrer e meu nervosismo aumentava enquanto assistia à cena que se desenrolava ali à minha frente. No entanto, estava hipnotizado e percebi que não conseguiria dar meia-volta e ir embora. Sustive a respiração, à espera de que o homem retomasse a palavra, mas de súbito ele girou sobre si, ciente de minha presença, e nossos olhos se encontraram.

Aqueles olhos. Lembrá-los mesmo agora... Eram como círculos de carvão, extraídos do centro de uma mina mórbida. Meus olhos se abriram ainda mais enquanto nos fitávamos e meu corpo se entorpeceu de medo. *Corra*, eu me dizia mentalmente. *Fuja!* Mas minhas pernas não obedeciam e continuamos a nos encarar até que, por fim, o homem inclinou ligeiramente a cabeça de lado, como que curioso sobre minha pessoa, e abriu um sorriso largo, um sorriso horrível, uma fieira de dentes amarelados numa caverna tenebrosa, e sua expressão pavorosa foi o que bastou para romper o sortilégio; eu me virei e saí correndo pelo caminho pelo qual tinha vindo, chegando de novo à ramificação, e ali fiquei hesitante, sem saber que lado tomar para voltar ao ponto onde o conde Charnetski me dissera para aguardar.

Correndo, na certeza de que ele vinha em perseguição para me matar, dei voltas e mais voltas, tomando os corredores errados e as direções opostas, agora perdido no palácio, assustado, arquejante, o coração em disparada, sem saber como iria conseguir de alguma maneira explicar meu desaparecimento, se devia simplesmente descer todas as escadarias possíveis até me encontrar fora do palácio, e então fugiria a toda pressa e voltaria a Cáchin, fingindo que nada disso tinha acontecido.

E então, como que num curioso passe de mágica, vi-me de volta no corredor de onde tinha partido. Parei e dobrei o corpo, recobrando o fôlego, e quando olhei para cima percebi que não estava sozinho.

Havia um homem de pé na extremidade do corredor, logo à saída de uma porta aberta, por onde brilhava uma luz intensa, que o iluminava quase como uma divindade. Fitei-o, imaginando que outros terrores essa noite ainda traria. Quem era aquele homem, banhado em alva glória? Por que me fora enviado?

— Você é Jachmenev? — perguntou com serenidade, a voz baixa e tranquila, mas chegando até mim sem nenhuma dificuldade.

— Sim, senhor — respondi.

— Por favor — disse virando-se e indicando a sala atrás dele. — Pensei que talvez você tivesse desaparecido.

Hesitei apenas um segundo antes de acompanhá-lo. Nunca tinha visto aquele homem antes, claro, nunca tinha posto os olhos nele. Mas soube imediatamente quem ele era.

Sua Majestade Imperial, czar Nicolau II, imperador e autocrata de Todas as Rússias, grão-duque da Finlândia, rei da Polônia.

Meu patrão.

— Peço desculpas se o fiz esperar — disse ele quando entrei no aposento, fechando a porta a minhas costas. — Como você bem pode imaginar, há muitos assuntos de Estado a atender. E hoje foi um dia longo, muito longo. Eu esperava... — Ao se virar para mim, interrompeu-se e me olhou assombrado. — Mas o que você está fazendo, menino?

Ele estava de pé à esquerda de sua escrivaninha, sem dúvida surpreso em me ver ajoelhado a três metros de distância, prosternando-me com as mãos estendidas no luxuoso tapete diante de mim, com a testa encostada no chão.

— Suprema Majestade Imperial — comecei, as palavras abafadas pelo tapete púrpura e vermelho onde enterrei meu nariz. — Permita-me oferecer minha sincera gratidão pela honra de...

— Por todos os santos do Céu, você quer se levantar, garoto, para que eu possa vê-lo e ouvi-lo?

Ergui os olhos e havia a sugestão de um sorriso flutuando em seus lábios; eu devia ser um espetáculo e tanto.
— Peço desculpas a Vossa Majestade — falei. — Eu ia dizendo que...
— E *ponha-se de pé* — insistiu ele. — Você parece um vira-lata açoitado, estendido desse jeito em cima de meu tapete.

Fiquei de pé e ajeitei minha roupa, tentando conferir algum tipo de dignidade à minha postura. Podia sentir o sangue que tinha afluído à cabeça quando estava prosternado, tornando meu rosto rubro, e sabia que certamente demonstrava embaraço por estar em sua presença.

— Peço desculpas — disse outra vez.

— Pode parar de se desculpar, para começar — disse ele, agora indo para trás da escrivaninha e se sentando. — A única coisa que nós dois fizemos nos dois últimos minutos foi pedirmos desculpas um ao outro. Isso precisa parar.

— Sim, Majestade — disse assentindo com a cabeça. Ousei fitá-lo diretamente enquanto ele me examinava, e fiquei um pouco surpreso com sua aparência. Não era alto, não mais do que um metro e sessenta e oito ou um e setenta, o que significava que eu ficaria cerca de um palmo acima dele se nos puséssemos lado a lado. Mas era muito bem-apessoado, rijo, de estrutura compacta, em forma e visivelmente atlético, com olhos azuis penetrantes, barba e bigode bem aparados, de pontas enceradas, mas levemente caídas, talvez por causa do adiantado da hora. Imaginei que cuidaria do bigode uma vez por dia, de manhã, ou mais de uma vez, se houvesse uma recepção à noite, para receber os convidados. Mas isso não tinha tanta importância assim ao receber a visita de alguém tão humilde como eu.

Ao contrário de minhas expectativas, o czar não vestia nenhuma roupa imperial extravagante, mas usava o traje simples de um mujique: uma camisa lisa cor de baunilha, calças largas e botas de couro escuro. Claro, era evidente que essas peças simples eram feitas com os melhores materiais, mas pareciam simples e confortáveis, e comecei a me sentir um pouco mais à vontade na presença dele.

— Então você é Jachmenev — disse por fim, sem revelar tédio ou interesse na voz clara; eu era simplesmente mais uma tarefa do dia.

— Sim, senhor.

— Seu nome completo?

— Geórgui Danielovitch Jachmenev — respondi. — Da aldeia de Cáchin.

— E seu pai? — perguntou. — Quem é ele?

— Daniel Vladiavitch Jachmenev. Também de Cáchin.

— Entendo. E ele ainda está conosco?

Olhei-o surpreso.

— Ele não veio comigo, senhor. Ninguém disse para vir.

— Ele ainda está vivo, Jachmenev... — explicou com um suspiro.

— Oh! Ah, sim. Sim, está vivo.

— E qual é a posição dele na sociedade?

— É sitiante, senhor.

— É dono da própria terra?

— Não, senhor. É lavrador.

— Você disse sitiante.

— Eu me expressei mal, senhor. Quis dizer que ele trabalha na terra. Mas a terra não é dele.

— De quem é, então?

— De Vossa Majestade.

A isso ele sorriu e ergueu uma sobrancelha enquanto avaliava minha resposta.

— De fato é — comentou. — Embora haja quem pense que toda a terra na Rússia deveria ser distribuída igualmente entre os camponeses. Meu antigo primeiro-ministro Stolipin introduziu essa reforma — acrescentou num tom sugerindo que ele não tinha sido favorável a ela. — Você conhece o sr. Stolipin?

— Não, senhor — respondi honestamente.

— Nunca ouviu falar nele? — indagou surpreso.
— Temo que não, senhor.
— Bem, não importa, suponho — disse esfregando cuidadosamente uma mancha de sujeira em sua túnica. — Ele já morreu. Levou um tiro na Ópera de Kiev, enquanto eu estava no camarote imperial olhando-o ali caído. É a tal ponto que esses assassinos podem chegar. Era um bom homem, Stolipin. Não o tratei como merecia.

Ele ficou em silêncio alguns instantes, comprimindo a língua contra a bochecha enquanto se perdia nas lembranças do passado; eu estava com o czar fazia poucos minutos, mas já suspeitava que o passado lhe pesava muito. E que o presente dificilmente era mais consolador.

— Seu pai — disse por fim, erguendo de novo os olhos para mim. — Você pensa que ele deveria receber sua própria terra?

Refleti sobre a pergunta, mas me senti confuso com o conceito e com minhas próprias palavras, e levantei os ombros para indicar minha ignorância.

— Receio não saber nada sobre esses assuntos, senhor. Mas tenho certeza de que o que o senhor decide é o correto.
— Então você tem confiança em mim?
— Tenho, sim senhor.
— Mas por quê? Você nunca me viu antes.
— Porque o senhor é o czar.
— E o que importa isso?
— O que importa isso?
— Sim, Geórgui Danielovitch — disse calmamente. — O que importa se sou o czar? O fato de simplesmente *ser* o czar lhe inspira confiança?
— Bem... sim — disse eu, novamente erguendo os ombros, e ele suspirou e abanou a cabeça.
— A pessoa não levanta os ombros na presença do ungido de Deus — disse firme. — É falta de educação.

— Peço desculpas, senhor — falei sentindo enrubescer de novo. — Não tive intenção de ser desrespeitoso.
— Você está se desculpando outra vez.
— É porque estou nervoso, senhor.
— Nervoso?
— Sim.
— Mas por quê?
— Porque o senhor é o czar.

A isso ele rompeu numa risada, numa longa e demorada risada que durou quase um minuto, deixando-me absolutamente desconcertado. Na verdade, eu não achava que iria ver o imperador naquela noite — ou em qualquer outra noite —, e nosso encontro se deu com tão pouco preparo ou formalidade que ainda me sentia desorientado. Parecia que ele queria me interrogar minuciosamente sobre uma posição que eu ainda não entendia, mas se conduzia de maneira pausada e cautelosa nas indagações, ouvindo cada resposta minha e dando continuidade a ela, tentando me flagrar em erro. E agora ria como se eu tivesse dito algo engraçado, só que, juro, eu não fazia ideia do que podia ter sido.

— Você parece confuso, Geórgui Danielovitch — falou por fim, dando-me um sorriso agradável ao cessar a risada.
— Sim, estou, um pouco. Eu disse alguma grosseria?
— Não, não — respondeu negando com a cabeça. — É apenas a coerência de suas respostas que me diverte, só isso. *Porque sou o czar.* Sou o czar, não sou?
— Ora, claro, sim senhor.
— E é também uma posição curiosa — disse pegando da escrivaninha um abridor de cartas incrustado de diamantes e equilibrando-o de pé, sobre a ponta, diante de si. — Talvez um dia eu lhe explique. Por ora, creio que lhe devo minha gratidão.
— Sua gratidão, senhor? — indaguei surpreso que ele pudesse me dever alguma coisa.
— Meu primo, o grão-duque Nicolau Nicolaievitch. Ele o

recomendou a mim. Contou como você o salvou de uma tentativa de assassinato.

— Não tenho certeza se foi algo tão sério assim, senhor — disse eu, pois as meras palavras pareciam assombrosamente traidoras, mesmo vindas do czar.

— Ah, não? Que nome você daria a isso, então?

Refleti sobre a pergunta.

— O garoto em questão. Colec Boriavitch. Eu o conhecia desde que éramos crianças. Ele era... foi um erro idiota da parte dele, o senhor entende. O pai dele era homem de opiniões fortes, e Colec gostava de impressioná-lo.

— Meu pai também era homem de opiniões fortes, Geórgui Danielovitch. Nem por isso saio por aí assassinando pessoas.

— Não, senhor, mas o senhor dispõe de um exército.

Ele ergueu a cabeça de chofre e me fitou surpreso, escancarando os olhos à minha impertinência, e eu mesmo fiquei profundamente chocado por ter dito tais palavras.

— Como? — disse depois de um tempo que me pareceu uma eternidade.

— Senhor — disse num esforço para me corrigir —, eu me expressei mal. Quis apenas dizer que Colec era escravo do pai, só isso. Ele estava apenas tentando agradá-lo.

— Então era o pai dele que queria que meu primo fosse assassinado? Devo mandar os soldados prender *a ele*?

— Só se for possível prender um homem pelos pensamentos que tem na cabeça e não pelas ações que pratica — disse eu, pois, se era responsável pela morte de meu melhor amigo, seria a danação se também tivesse nas mãos o sangue do pai dele.

— De fato — ponderou o czar. — E não, meu jovem amigo, não prendemos as pessoas por tais coisas. Isto é, a menos que seus pensamentos resultem em atentados. Assassinato é uma coisa terrível. É uma forma de protesto extremamente covarde.

Não respondi nada; não conseguia pensar em nada para dizer.

— Eu tinha apenas treze anos de idade quando meu avô foi assassinado, sabe... Alexandre II. O czar-Libertador, como foi chamado uma vez. O homem que libertou os servos, e então eles o mataram em troca de sua generosidade. Um covarde atirou uma bomba em sua carruagem na rua, não muito longe daqui, e ele escapou ileso. Quando desceu, outro indivíduo correu até ele e explodiu uma segunda bomba. Ele foi trazido até aqui, a este palácio. Nossa família se reuniu enquanto ele agonizava. Vi sua vida se escoar. Lembro como se fosse ontem. Uma de suas pernas tinha sido arrancada. E da outra não restou quase nada. Estava com as vísceras expostas e arfava com dificuldade. Era evidente que só lhe sobravam alguns minutos de vida. Mesmo assim, ele fez questão de falar a cada um de nós, dando sua última bênção, tão forte era mesmo num momento daqueles. Ele consagrou meu pai. Segurou minha mão. E então morreu. Quanta agonia deve ter sentido... Então você vê, eu conheço as consequências desse tipo de violência e estou decidido que nenhum membro de minha família venha jamais a ser assassinado.

Fiz um gesto de anuência, comovido com o relato. Desviei minha vista para as filas de livros que se alinhavam na parede à direita e estreitei os olhos para enxergar os títulos.

— Não desvie a cabeça de mim — disse o czar, mas numa voz que indicava mais curiosidade do que irritação. — Sou eu que desvio de você.

— Peço desculpas, senhor — disse olhando-o outra vez. — Não sabia.

— Mais desculpas — respondeu com um suspiro. — Estou vendo que vai levar algum tempo até você aprender nossas maneiras aqui dentro. Talvez lhe pareçam... curiosas, imagino eu. Você se interessa por livros? — perguntou então, indicando as prateleiras.

— Não, senhor — respondi abanando a cabeça. — Quero

dizer, sim, Majestade. — Resmunguei por dentro, esforçando-me em parecer menos ignorante. — Isto é... eu me interesso pelo que dizem.

O czar sorriu por um instante, parecendo prestes a soltar uma risada, mas então fechou o rosto e se inclinou para a frente.

— Meu primo é muito importante para mim, Geórgui Danielovitch — anunciou ele. — Mas, mais do que isso, ele é de extrema importância para o esforço de guerra. Sua perda seria de um peso incalculável. Por suas ações, você tem a gratidão do czar e de todo o povo russo.

Achei que não seria digno de minha parte continuar com meus protestos, e apenas curvei a cabeça em sinal de reconhecimento, ficando assim por alguns instantes antes de reerguê-la.

— Você deve estar cansado, garoto — ele disse então. — Sente-se, por que não?

Olhei em torno, e vi atrás de mim uma cadeira parecida com a que estava no corredor, mas não tão ornamentada quanto a cadeira que ele ocupava; então sentei e logo me senti um pouco mais relaxado. Enquanto isso, consegui dar uma rápida olhada pelo aposento, sem me deter nos livros, mas agora observando os quadros nas paredes, as tapeçarias, as obras de arte que ocupavam toda e qualquer superfície disponível. Eu nunca tinha visto tanta opulência. Era realmente de tirar o fôlego. Atrás do czar, logo acima de seu ombro esquerdo, vi a mais extraordinária peça decorativa e, embora fosse grosseiro ficar encarando, não consegui desviar os olhos. O czar, percebendo meu interesse, virou-se para ver o que tinha prendido minha atenção.

— Ah — virou-se de novo e me deu um sorriso. — E agora você notou um de meus tesouros.

— Peço desculpas, senhor — disse tentando ao máximo não encolher os ombros. — É que... nunca vi nada tão lindo.

— É, é bem bonito, não acha? — respondeu ele, estendendo e pegando com as duas mãos a escultura em formato oval, e colocando-a na mesa entre nós. — Chegue um pouco mais perto, Geórgui. Se quiser, pode examiná-la mais detalhadamente.

Puxei a cadeira para a frente e me inclinei. A peça não tinha mais de dezoito ou vinte centímetros de altura, e talvez a metade de largura, um ovo esmaltado dourado e branco, decorado com minúsculos retratos, apoiado num tripé em forma de águia firmado sobre uma base vermelha incrustada de pedras preciosas.

— É o chamado ovo Fabergé — explicou o czar. — Todos os anos, na Páscoa, o artista costuma oferecer um à minha família, a cada vez com um novo desenho e uma surpresa dentro dele. É impressionante, não acha?

— Nunca tinha visto nada parecido — falei, louco de vontade de estender a mão e tocá-lo, mas apavorado à ideia de danificá-lo de alguma maneira.

— Este aqui foi dado à czarina e a mim dois anos atrás, para comemorar os trezentos anos do reinado Romanov. Você vê, são os retratos dos czares anteriores. — Ele girou um pouco o ovo e começou a apontar alguns antepassados. — Mikail Fiodorovitch, o primeiro Romanov — disse ele, indicando um homenzinho simples e mirrado com um chapéu de ponta. — E aqui é Pedro, o Grande, um século mais tarde. E Catarina, a Grande, cinquenta anos depois. Meu avô, sobre quem comentei com você, Alexandre II. E meu pai — acrescentou mostrando um homem quase idêntico ao que estava diante de mim. — Alexandre III.

— E o senhor aqui — comentei apontando o retrato central. — Czar Nicolau II.

— De fato — respondeu aparentando prazer pelo fato de eu ter notado. — Minha única pena é que ele não acrescentou um último retrato ao ovo.

— De quem, senhor?

— Meu filho, claro. O czaréviche Alexei. Creio que seria

muito adequado ter sua imagem aqui. Um atestado de nossas esperanças para o futuro. — Avaliou suas palavras por um momento, e depois voltou a falar.

— E se eu fizer isso... — pôs a mão em cima do ovo e levantou cuidadosamente a tampa articulada — você verá a surpresa dentro dele.

Inclinei-me ainda mais para a frente, praticamente me estendendo sobre a escrivaninha, e me engasguei ao ver o globo ali dentro, os continentes revestidos de ouro, os oceanos representados em aço fundido azul.

— O globo se compõe de dois hemisférios setentrionais — disse-me, e percebi pela voz dele que estava gostando muito de ter um ouvinte interessado. — Aqui temos os territórios das Rússias em 1613, quando meu antepassado Miguel Fiodorovitch subiu ao trono. E aqui — prosseguiu virando o globo de ponta-cabeça — estão nossos territórios trezentos anos depois, sob meu governo. Mudou bastante, como você pode ver.

Sacudi a cabeça, sem palavras. O ovo tinha detalhes tão requintados, um desenho tão maravilhoso que eu poderia ficar ali dia e noite, e não me cansaria de sua beleza. Mas não foi o caso, pois, fitando mais alguns momentos as regiões sob seu reinado, ele recolocou a tampa e devolveu o ovo a seu lugar, na mesa atrás dele.

— Então aqui estamos nós — disse juntando as mãos e olhando o relógio na parede do outro lado. — Está ficando tarde. Talvez eu deva comentar a outra razão pela qual quis falar com você.

— Claro, senhor.

Ele me fitou como se ponderasse a forma correta de falar. Seu olhar me penetrou tão fundo que tive de desviar a vista, e meus olhos caíram numa foto emoldurada sobre a escrivaninha. Ele acompanhou meu relance.

— Ah, suponho que seja um começo tão bom quanto qualquer outro. — Ergueu a foto e me estendeu. — Você conhece, imagino eu, a família imperial.

— Tenho conhecimento dela, claro, senhor. Não tive a honra de...

— As quatro jovens neste retrato — prosseguiu ele, me ignorando — são minhas filhas, as grã-duquesas Olga, Tatiana, Maria e Anastácia. Posso dizer que estão se tornando moças muito bonitas. Tenho extremo orgulho delas. A mais velha, Olga, agora está com vinte anos. Talvez tenhamos logo seu casamento, é uma possibilidade. Há muitos rapazes aceitáveis entre as famílias reais da Europa. No momento, claro, não é possível. Não com essa maldita guerra. Mas logo, creio eu. Quando ela acabar. A mais nova que você vê aqui é minha favorita, a grã-duquesa Anastácia, que logo vai fazer quinze anos.

Observei o rosto no retrato. Era muito jovem, claro, mas eu não tinha nem dois anos a mais do que ela. Reconheci imediatamente. Era a mocinha que eu tinha encontrado antes na barraca de castanhas, ao anoitecer; a jovem senhorita que tinha olhado para cima e sorrido para mim ao sair do barco, uma hora antes. A mesma que me tinha lançado num tal estado de desconcerto, desnorteado com meu súbito acesso de paixão.

— Houve momentos — creio que posso confiar isso a você, Geórgui — em que pensei que jamais seria abençoado com um filho homem — prosseguiu o czar, pegando o porta-retratos de volta e me estendendo um outro, com o retrato individual de um rapazinho admirável. — Em que pensei que a Rússia jamais seria abençoada com um herdeiro. Mas felizmente a czarina e eu ganhamos nosso Alexei cerca de onze anos atrás. É um belo menino. Um dia será um grande czar.

Notei o ar bem-disposto do menino no retrato, mas fiquei um pouco surpreso com sua aparência de magreza e as olheiras no rosto.

— Não tenho dúvida, senhor — repliquei.

— Naturalmente ele conta com a proteção diária de muitos membros da Guarda Imperial — disse então, parecendo se debater um pouco com as palavras, como se não soubesse bem o quanto pretendia falar. — E cuidam bem dele, claro. Mas pensei... talvez alguém com idade mais próxima da dele, como companhia. Mas também com idade e coragem suficiente para protegê-lo, se for o caso. Quantos anos você tem, Geórgui?

— Dezesseis, senhor.

— Dezesseis, boa idade. Um menino de onze anos sempre vai respeitar um garoto um pouco mais velho. Penso que você talvez possa ser um bom modelo para ele.

Respirei nervoso. O grão-duque havia mencionado algo assim ao me visitar quando eu estava acamado em Cáchin, mas não acreditei que fossem confiar uma tarefa dessas a um mujique. Parecia tão distante de minhas expectativas em relação ao mundo que eu tinha certeza de que, a qualquer momento, acordaria e descobriria que tudo não passava de um sonho, e que o czar, o Palácio de Inverno e todas as glórias ali encerradas, até o belo ovo Fabergé, iriam se dissolver diante de mim e estaria novamente no chão de nossa isbá em Cáchin, despertando aos pontapés de Daniel, a exigir o desjejum.

— Eu ficaria honrado, senhor — disse por fim. — Se o senhor me julgar digno da posição.

— O grão-duque certamente julga assim — respondeu pondo-se de pé, e naturalmente segui o exemplo e me ergui também. — E ao meu ver você parece um rapaz muito respeitável. Creio que poderá cumprir bem o papel.

Fomos em direção à porta e, enquanto isso, ele pôs a mão imperial em meu ombro, enviando uma descarga elétrica que me percorreu todo o corpo. O czar, o próprio ungido do Senhor, estava tocando em mim. Era a maior bênção que eu jamais recebera. Ele segurou o osso de meu ombro com firmeza e me senti tão assoberbado de honra e reverência que pouco me importei com a dor ardente que se propagava pelo braço, devido ao ferimento que ele estava pressionando sem perceber.

— Então, posso confiar em você, Geórgui Danielovitch? — perguntou olhando-me no fundo dos olhos.

— Sem dúvida, Majestade — respondi.

— Espero que sim — disse ele, e havia uma ponta de profundo desespero e infelicidade em sua voz. — Se você vai assumir essa responsabilidade, há algo... Geórgui, o que vou lhe dizer agora nunca deverá sair desta sala.

— Senhor, seja o que for, levarei para o túmulo.

Ele engoliu em seco e hesitou. O silêncio se prolongou por mais de um minuto, mas agora eu não me sentia constrangido; pelo contrário, sentia que estava no centro de um grande segredo, algo que o Senhor de nossas terras estava a ponto de partilhar comigo. Mas, para minha decepção, ele pareceu mudar de ideia, pois, em vez de confiar em mim, simplesmente abanou a cabeça e desviou o olhar, soltando meu ombro e abrindo a porta para o corredor.

— Talvez não seja a hora — disse. — Antes vamos ver como você se desempenha em sua tarefa. Só lhe peço que cuide ao máximo de nosso filho. Ele é nossa grande esperança. Ele é a esperança de todos os russos leais.

— Farei tudo o que estiver a meu alcance para mantê-lo em segurança — garanti. — Dou minha vida por ele num instante.

— É o que eu precisava saber — respondeu sorrindo mais uma vez antes de fechar a porta diante de mim e me deixar novamente sozinho no corredor frio e vazio, pensando com meus botões se alguém viria me pegar e aonde eu teria de ir depois.

1970

No primeiro ano de minha aposentadoria, decidi que não iria a nenhum lugar que ficasse perto da biblioteca no Museu Britânico. Não porque eu não quisesse estar lá; pelo contrário, depois de passar toda a minha vida adulta encerrado no confortável ambiente erudito daquele espaço tranquilo, era praticamente o único lugar onde me sentia tão contente. Não, decidi evitá-la porque não queria me tornar um daqueles sujeitos incapazes de aceitar que a vida de trabalho chegou ao fim e que a rotina diária do emprego, que fornece ordem e disciplina a nossa vida, foi substituída pela total desorientação — ou o que Lamb chamava de "libertação" — do aposentado.

Eu lembrava muito bem aquela sexta-feira à noite, em 1959, quando houve uma festinha em homenagem ao sr. Trevors, que tinha chegado aos sessenta e cinco anos e cumpria sua última semana de trabalho na biblioteca. Havia comes e bebes, discursos, dezenas de pessoas desejando-lhe tudo de bom para o futuro. Oferecemos os chavões de sempre, dizendo que agora ele poderia fazer o que bem entendesse na vida, sem qualquer vergonha em fingirmos. A intenção era que o clima fosse leve e alegre, mas meu ex-patrão ia ficando cada vez mais melancólico conforme avançava a noite e se indagava em voz alta, para o embaraço dos presentes, como iria ocupar seus dias dali por diante.

— Sou sozinho no mundo — dizia ele num sorriso triste, os olhos empoçados de lágrimas enquanto todos nós desviávamos a vista, esperando que alguém o consolasse. — O que me resta sem o trabalho? Uma casa vazia. Sem Dorothy nem Mary — acrescentou em tom pausado, referindo-se à família

que teria sido um consolo na velhice, mas que lhe fora tirada.
— Este serviço era a única razão para me levantar de manhã.

Na segunda-feira seguinte, de manhã, ele chegou à biblioteca como de hábito, pontualmente, camisa e gravata em perfeita ordem, e insistiu em nos ajudar nas tarefas mais simples, com as quais nunca tinha se preocupado antes. Não sabíamos o que fazer — afinal, para nós, ele ainda conservava um ar de autoridade, tendo sido nosso chefe por tanto tempo — e assim não fizemos nada para impedir. Mas, para nosso desconforto, ele voltou no dia seguinte, e no outro dia também. Na quinta-feira de manhã, um dos diretores do museu o chamou de lado para uma conversa discreta e lhe disse que devia lembrar que nós estávamos ali para trabalhar, que éramos *pagos* para trabalhar, e não podíamos ficar conversando o dia inteiro. Vá para casa e aproveite sua aposentadoria: foi a mensagem de alento que recebeu. Desligue-se das preocupações, faça tudo o que nunca pôde fazer quando estava preso aqui dentro, todos os dias! O pobre sujeito fez exatamente isso. Foi para casa e se enforcou na mesma noite.

É claro que, quando eu pensava na aposentadoria, não tinha nenhuma intenção de permitir que acontecesse qualquer coisa do gênero. Entre outras coisas, Zoia e eu tínhamos a sorte de gozar de boa saúde. Tínhamos um ao outro, além de Michael, nosso neto de nove anos, que nos dava jovialidade. Certamente não havia a menor hipótese de que eu sucumbisse à depressão ou a um sentimento de inutilidade. Mas mesmo assim, um ano depois de me aposentar comecei a sentir vontade não de voltar a meu antigo emprego, mas de revisitar o ambiente de estudos que tanta falta me fazia. Ler mais. Aprender coisas que ignorava. Afinal, quando estava na ativa, vivia cercado de livros, mas raramente tive ocasião de estudar algum deles. E assim decidi voltar à tranquilidade da biblioteca algumas horas por dia, na parte da tarde, fazendo questão de não incomodar meus ex-colegas, na verdade até me ocultando às vistas deles, para que não sentissem nenhuma obrigação de conversar comigo. E fiquei contente com esse arranjo, feliz em passar os anos que me restassem entregue a uma atividade autodidata.

No final do outono de 1970, porém, logo depois de completar setenta e um anos, eu estava sentado à minha mesa costumeira, de tarde, quando vi uma mulher — cerca de trinta anos mais nova do que eu, imaginei — perto de uma prateleira, fingindo examinar os nomes dos livros, mas sendo absolutamente evidente que não estava interessada neles, e sim com o intuito de me observar. No momento, não pensei muito naquilo; provavelmente estava absorta em seus pensamentos, concluí eu, sem se dar conta que estava com os olhos postos em mim. Voltei a meu livro e não pensei mais no assunto.

No entanto, revi a mulher na tarde seguinte, quando sentou a uma mesa a três cadeiras adiante de mim e flagrei-a a me espiar quando achou que eu não estava prestando atenção; confesso que comecei a achar a situação incômoda e enervante. Se eu fosse mais jovem, talvez achasse que ela sentia alguma atração por mim, mas, no caso, não havia a menor possibilidade disso. Afinal já estava em minha oitava década. Os ralos cabelos que tinham sobrado mostravam uma cabeça irregular e pintalgada de manchas. Os dentes ainda eram meus e continuavam razoavelmente brancos, mas não acrescentavam nada a meu sorriso, ao contrário do que podia ter acontecido quando eu era mais jovem. E embora meus movimentos não estivessem demasiado prejudicados pela idade, eu tinha começado a utilizar os préstimos de uma bela bengala de Málaca, para garantir um equilíbrio mais firme quando ia e voltava diariamente da biblioteca. Em suma, eu não era nenhuma celebridade e certamente nenhuma figura capaz de despertar o desejo de uma mulher com metade de minha idade.

Pensei em trocar de assento, mas desisti. Afinal, fazia cinco anos que eu ocupava o mesmo lugar, todas as tardes. A luz era favorável, o que me ajudava na leitura, pois minha vista já não era tão boa como antes. Além disso, o lugar era calmo, pois estava cercado de estantes com assuntos tão impopulares que raramente alguém vinha me perturbar ali. Por que me mudaria? Ela que se mudasse, pensei eu. Aqui é meu lugar.

Ela saiu logo depois, não sem antes hesitar ao passar por mim, como se quisesse dizer alguma coisa e depois mudasse de ideia, e seguiu em frente.

— Você parece distraído — disse Zoia naquela noite, quando íamos deitar. — Algo de errado?

— Estou bem — disse eu, sorrindo-lhe, sem querer entrar em nenhum detalhe do assunto, para que ela não achasse que eu estava imaginando coisas e ficando biruta. — Não é nada. Estou um pouco cansado, só isso.

Mas não dormi, preocupado com o que aquela mulher queria comigo. Trinta, ou mesmo vinte anos antes, uma presença assim teria me enchido de fantasias paranoicas — quem a teria enviado para me espionar, o que eles queriam, se também estavam atrás de Zoia —, mas agora estávamos em 1970. Aqueles dias tinham ficado para trás, fazia muito tempo. Não conseguia imaginar nenhuma razão sensata para o interesse dela por mim, e comecei a me preocupar, achando que não era a mesma mulher que tinha visto antes, ou que era puro fruto de minha imaginação e a senilidade estava se instalando.

Mas essa preocupação foi deixada de lado no dia seguinte, quando cheguei à biblioteca logo depois do almoço e vi a mulher do lado de fora, perto dos grandes leões de pedra, bem envolta num casacão escuro e pesado, e ela ficou visivelmente tensa quando me viu na rua, caminhando em sua direção.

Eu, por minha vez, franzi o cenho e fui imediatamente tomado de nervosismo. Eu sabia que ela iria falar comigo, mas achei que, se passasse simplesmente ao lado sem nenhum sinal de reconhecimento, ela me deixaria em paz. Pois agora eu sabia exatamente quem era aquela mulher. Era totalmente óbvio. Nunca tinha posto os olhos nela antes que começasse a aparecer na biblioteca — nunca quis —, mas agora aqui estava ela, em minha frente, o que aliás era de um atrevimento sem igual.

Continue a andar, disse comigo mesmo. *Ignore-a, Geórgui. Não diga nada.*

— Sr. Jachmenev — disse a mulher quando me aproximei, levantei ligeiramente a mão enluvada e esbocei um sorriso enquanto passava por ela, percebendo enquanto isso que eu tinha realmente envelhecido. Era o gesto de um homem idoso, um personagem da realeza passando numa carruagem dourada. Senti-me na pele do grão-duque Nicolau Nicolaievitch distribuindo sua bênção à multidão aglomerada enquanto desfilava com seu cavalo pelas ruas de Cáchin, ignorando o perigo logo adiante.

— Sr. Jachmenev, desculpe-me, posso ter uma palavrinha...

— Tenho de entrar — murmurei rapidamente enquanto apertava o passo, decidido a não deixar que nenhum Colec contemporâneo apontasse contra mim. — Estou com muito trabalho hoje, lamento.

— Não tomará muito tempo — replicou ela, e vi seus olhos se encherem de lágrimas quando se postou diante de mim, bloqueando a passagem. Ela também estava nervosa, isso era evidente em sua expressão, e o tremor de suas mãos não podia ser inteiramente atribuído ao frio. — Desculpe-me muito por incomodá-lo, mas eu precisava. Simplesmente precisava.

— Não — murmurei indistintamente, abanando a cabeça, sem disposição de fitá-la. — Não, por favor...

— Sr. Jachmenev, se o senhor me disser para ir embora, eu irei e prometo deixá-lo em paz, mas só estou lhe pedindo alguns minutos de seu tempo. Talvez o senhor me deixe lhe oferecer uma xícara de chá, apenas isso. Sei que não tenho direito de lhe pedir nada, sei disso, mas por favor. Eu lhe imploro. Se seu coração...

Suas palavras foram morrendo à medida que as lágrimas brotavam e agora eu tive de olhar para ela, sentindo um grande aperto no coração, aquela dor terrível que me acometia nos momentos mais inesperados do dia, em horas em que eu nem estava pensando no acontecido. Momentos em que eu a odiava tanto que tinha vontade de encontrá-la pessoalmente, de apertar minhas mãos envelhecidas em torno de sua garganta e observar sua expressão enquanto lhe tirava a vida.

Mas foi ela que me encontrou. E ali estava, oferecendo-me uma xícara de chá.

— Por favor, sr. Jachmenev — retomou, e abri a boca para responder, mas o que ouvi foi um enorme grito de fúria saindo de mim, um pequeno fragmento da dor e do sofrimento que ela me causara, e que tinham aderido à minha alma com a firmeza de meus outros grandes segredos e tormentos.

Tínhamos esperado tanto tempo para ter um filho. Tínhamos sofrido tantas decepções. E então, um dia, ali estava ela. Nossa Arina, saudável, a quem era impossível não amar.

Quando nasceu, Zoia e eu a colocávamos no meio de nossa cama e sentávamos um de cada lado, sorrindo como seres agraciados com o impossível. Púnhamos o pezinho dela na palma da mão, maravilhados com seu ar feliz, assombrados com aquela bênção que finalmente havíamos recebido.

— Significa *paz* — dizíamos quando alguém perguntava a respeito de seu nome, e era o que ela nos trouxera: paz, a alegria de sermos pais. Quando chorava, ficávamos espantados que um ser tão pequenino fosse capaz de produzir um som tão melodioso. Quando eu voltava diariamente da biblioteca, mal conseguia conter o impulso de correr pela rua, de tanta ansiedade para chegar em casa e ver seu rostinho quando eu entrava, aquela expressão que me dizia que ela podia ter me esquecido nas oito horas anteriores, mas ali estava eu, e ela se lembrava de mim, e como era bom me ver de novo.

Ao crescer, ela não foi mais fácil nem mais difícil do que qualquer outra criança; ia bem na escola, sem se destacar nos estudos nem dar motivos de preocupação. Ela se casou jovem — jovem demais, pensei na época —, mas foi um casamento feliz. Não sei se ela enfrentou dificuldades parecidas com as que tínhamos enfrentado, mas passaram-se sete anos antes que se sentasse diante de nós, pegasse nossas mãos e nos contasse que íamos ser avós. Michael nasceu e sua presença em qualquer lugar era motivo de alegria constante. Uma noite, depois do jantar, Arina comentou que gostaria de lhe dar um irmãozinho ou irmãzinha. Não já, mas logo. E ficamos emocionados com a notícia, pois gostávamos da ideia de uma casa cheia de netos nos visitando.

E então ela morreu.

Arina estava com trinta e seis anos quando nos foi tirada. Dava aulas numa escola perto de Battersea Park, e um dia, num final de tarde, quando voltava para casa pela Albert Bridge Road, o vento lhe tirou o chapéu, ela correu para apanhá-lo na rua com trânsito sem olhar para os lados e foi atingida por um carro. Por mais difícil que seja admitir, foi por culpa exclusiva dela. O carro não teria a menor possibilidade de evitar a colisão. Claro que a tínhamos ensinado a tomar cuidado nas ruas, ela sabia disso, mas quem nunca foi apanhado de surpresa e por um momento esqueceu as coisas que sabia? O chapéu de Arina tinha voado; ela queria recuperá-lo. Foi algo simples que aconteceu. E ela morreu por causa disso.

Recebemos a notícia, Zoia e eu, mais tarde, ao anoitecer, quando bateram inesperadamente à porta da frente de casa. Abri e vi um homem pálido, ainda jovem, que reconheci em parte, mas sem conseguir situar de imediato. Tinha um ar de ansiedade, quase de medo, no rosto, e segurava nas mãos um boné de tecido marrom, que movia constantemente entre os dedos. Não sei por quê, mas minha atenção se concentrou cada vez mais nisso enquanto ele falava. Tinha mãos muito ossudas, a pele quase transparente, não muito diferentes de minhas próprias mãos já envelhecidas, embora eu tivesse quarenta anos a mais do que ele. Fiquei a observá-las enquanto ele falava, talvez para me manter firme, pois algo em sua expressão sugeria que eu não iria gostar do que ele viera dizer.

— Sr. Jachmenev? — indagou.

— Sim.

— Não sei se o senhor se lembra de mim. Sou David Frasier.

Fitei seu rosto e hesitei, sem o reconhecer muito bem, mas Zoia surgiu por trás de mim antes que eu ficasse em situação embaraçosa.

— David — disse ela. — O que o traz aqui esta noite? Geórgui, você se lembra do amigo de Ralph? Do casamento?

— Claro, claro — respondi, agora reconhecendo-o. Bêbado, ele tinha tentado dançar o *hopak*, os braços cruzados, erguendo os pés e tentando manter o corpo reto. Ele pensava que era um símbolo de unidade, um sinal de respeito pelos anfitriões, e eu não quis lhe explicar que a dança praticamente se resumia a um exercício de aquecimento antes dos combates.

— Sr. Jachmenev — disse ele, o rosto traindo sua ansiedade. — Sra. Jachmenev. Ralph me mandou. Pediu que pegasse vocês.

— Nos pegasse? — perguntei. — O que você quer dizer, *nos pegasse*? O que fizemos a ele?

— Ralph pediu? — perguntou Zoia ignorando-me, o sorriso se apagando levemente. — Por quê? O que aconteceu? Foi Michael? Arina?

— Houve um acidente — respondeu depressa. — Mas parece que não foi muito sério. Não sei os detalhes, infelizmente. É Arina. Estava voltando da escola. Um carro bateu nela.

Notei que ele usava frases curtas, em *staccato*, e fiquei

imaginando se era sua maneira natural de falar. Parecia um tiroteio. Foi o que pensei enquanto ele falava. Tiroteio. Soldados no fronte. Linhas de rapazolas, ingleses, alemães, franceses, russos, lado a lado, atirando em tudo o que estava diante deles, uns matando os outros sem perceber que as vítimas eram outros jovens, cuja volta ao lar era aguardada com ansiedade por pais incapazes de conciliar o sono. As imagens flutuavam em meu espírito. Violência. Concentrei toda minha atenção nisso. Não queria ouvir o que ele estava dizendo. Não queria escutar as palavras que saíam da boca desse homem, desse sujeito que dizia que viera nos pegar, desse moço que ousava insinuar que conhecia minha filha. Se não ouvir, pensei eu, nada terá acontecido. Se não ouvir. Se pensar em outra coisa totalmente diferente.

— Onde? — perguntou Zoia. — Quando aconteceu?

— Umas duas horas atrás — respondeu ele, e não pude deixar de ouvir. — Acho que foi perto de Battersea. Foi levada para o hospital. Creio que está bem. Não creio que seja muito grave. Mas estou com o carro de Ralph lá fora. Ele me pediu que viesse buscá-los.

Zoia se lançou por ele e pela porta, correndo pelos degraus até o carro, como se não tivesse a menor dúvida em seguir para o hospital sozinha, sem nenhum de nós, desdenhando o fato de que precisaríamos de Frasier para nos levar até lá. Fiquei onde estava, sentindo um certo torpor nas pernas e um vazio no estômago, e a sala começou a oscilar levemente.

— Sr. Jachmenev — disse o rapaz, avançando para mim com a mão estendida como que para me amparar. — Sr. Jachmenev, o senhor está bem?

— Estou ótimo, rapaz — devolvi, preparando-me para sair. — Vamos. Se você vai nos levar até lá, então, pelo amor de Deus, vamos logo.

A ida foi difícil. O trânsito estava carregado, e levamos quase quarenta minutos para ir de nosso apartamento em Holborn até o hospital. Durante o percurso, Zoia bombardeou o rapaz com perguntas, enquanto eu estava sentado no banco de trás, quieto feito um camundongo, só ouvindo, recusando-me a abrir a boca.

— Você acha que ela está bem? — perguntava Zoia. — Por que você acha? Ralph disse isso?

— Eu acho — disse ele, parecendo cada vez mais que queria estar longe dali. — Ele me ligou no serviço. Não fica longe do hospital, entende? Ele me disse onde estava, pediu que fosse encontrá-lo imediatamente na recepção, pegasse o carro e viesse apanhar vocês dois.

— Mas o que ele disse? — indagou Zoia, com um tom levemente agressivo. — Diga exatamente. Ele disse que ela vai ficar boa?

— Ele disse que ela tinha sofrido um acidente. Perguntei se ela estava bem e ele foi meio brusco comigo. Disse: *Sim, sim, ela vai ficar bem, mas você precisa ir buscar já os pais dela.*

— Ele disse que ela ficaria bem?

— Acho que sim — disse Frasier. Notei o tom de pânico em sua voz. Não queria dizer nada que achasse que não deveria dizer. Não queria dar falsas informações. Oferecer esperança quando não havia. Sugerir que nos preparássemos quando não era necessário. Mas ele dispunha de algo que não tínhamos, e que por sua voz eu sabia o que era. Ele tinha visto Ralph. Tinha visto a expressão no rosto de Ralph quando pegou as chaves do carro.

Chegando ao hospital, corremos para o balcão de atendimento e fomos imediatamente encaminhados para um corredor curto e subimos um lance de degraus. No alto da escada, olhando à esquerda e à direita, ouvimos uma voz a nos chamar — *Vovó! Vovô!* — e o som de passos, nosso Michael, com apenas nove anos, correndo em nossa direção, com os braços estendidos, o rosto coberto de lágrimas.

— *Dusha* — disse Zoia, inclinando-se para levantá-lo, e nisso meu olhar foi mais além, no corredor, e vi um homem de cabelos ruivos conversando com um médico e reconheci meu genro Ralph. Fiquei observando. Não me movi. O médico falava. Tinha o rosto sério. Após alguns instantes estendeu o braço, pôs a mão no ombro esquerdo de Ralph e contraiu os lábios. Não havia mais nada a dizer.

Então Ralph se virou, percebendo a agitação atrás dele, e nossos olhos se encontraram. Seu olhar me atravessou, sua expressão me dizendo o que eu precisava saber enquanto focava meu rosto longamente antes de me reconhecer.

— Ralph — disse Zoia, agora pondo Michael de lado e correndo até ele, nisso deixando cair a bolsa no chão — quando ela chegara a pegá-la? indaguei-me —, uma escova de cabelos, clipes, um bloquinho de notas, uma caneta, alguns lenços de papel, chaves, uma carteira, uma foto, lembro-me de tudo isso caindo e se espalhando pelo piso de ladrilhos brancos, como se o próprio centro de sua vida inteira tivesse se rompido de súbito.

— Ralph — ela gritou agarrando-o pelos ombros. — Ralph, onde ela está? Ela está bem? Responda, Ralph! Onde ela está? Onde está minha filha?

Ele fitou Zoia, abanou a cabeça e, no silêncio que se seguiu, Michael se virou para mim, o queixo tremendo levemente de medo diante da natureza inesperada das emoções a seu redor. Estava com uma camiseta de futebol, de seu time favorito, e me ocorreu que logo eu poderia levá-lo para assistir a uma partida, se o tempo permitisse. O menino precisava saber que era amado. Que nossa família se definia pelos entes que havíamos perdido.

Por favor, sr. Jachmenev, disse ela e finalmente concordei em acompanhar a mulher que tinha me observado na biblioteca até a Russell Square, onde sentamos lado a lado num banco, pouco à vontade. Parecia-me estranho partilhar uma situação tão íntima com uma mulher que não era minha esposa. Queria escapar daquela cena, não tomar parte dela, mas havia concordado com seu pedido e não iria quebrar minha palavra.

— Não estou tentando comparar meu sofrimento ao seu — disse ela, escolhendo as palavras com cuidado. — Entendo que são coisas totalmente diferentes. Mas por favor, sr. Jachmenev, acredite quando lhe digo como lamento. Não creio ter palavras para expressar o remorso que sinto.

Agradava-me o bulício a nosso redor, pois os ruídos e zumbidos das conversas me permitiam não lhe prestar toda a atenção. De fato, enquanto ela falava, eu entreouvia um jovem casal sentado a cerca de três metros de distância, empenhado numa discussão acesa sobre a natureza de seu relacionamento, o qual, pelo que percebi, era instável.

— A polícia me disse que eu não devia contatá-lo — prosseguiu a sra. Elliott, pois assim se chamava a senhora que havia atropelado e matado minha filha na Albert Bridge Road vários meses antes. — Mas eu precisava. Não parecia certo não dizer nada. Senti que devia localizá-los, falar com vocês dois e apresentar algum tipo de desculpas. Espero não ter agido mal. Certamente não quero piorar ainda mais as coisas para vocês.

— Falar com nós dois? — perguntei captando esse trecho, enquanto me virava para ela e franzia o cenho. — Não entendo.

— Com o senhor e sua esposa, quero dizer.

— Mas só estou eu aqui — respondi. — A senhora veio falar comigo.

— Sim, achei que seria o melhor — disse baixando o olhar para suas mãos. Eu podia ver o quanto ela estava nervosa pela maneira como torcia e revirava as luvas entre os dedos, gesto que me relembrou imediatamente David Frasier, na noite em que esteve à porta de nossa casa, num estado de grande ansiedade. As luvas eram visivelmente caras. O casaco também era de excelente qualidade. Pus-me a imaginar quem seria essa mulher, de onde viria o dinheiro dela. Se tinha ganhado com seu trabalho, se herdara, se se devia ao casamento. Os policiais, naturalmente, estavam dispostos a me responder a qualquer coisa que quisesse saber, e creio que ficaram surpresos por não querer saber nada. Eu não precisava saber nada. Afinal, que diferença faria? Arina continuaria morta. Nada iria mudar esse fato.

— Pensei que se o encontrasse antes, falasse e explicasse como me senti — prosseguiu —, talvez então o senhor pudesse conversar com sua esposa e eu falaria com ela também. Para lhe pedir desculpas.

— Ah — assenti e deixei escapar um leve suspiro. — Agora entendo. É interessante ver, sra. Elliott, como as pessoas têm nos abordado, a mim e à minha mulher, de maneiras diferentes nestes últimos meses.

— Interessante?

— Curiosamente as pessoas parecem sentir que, de certa forma, é pior para a mãe do que para o pai. Que, de certa forma, a dor é mais intensa. As pessoas me perguntam constantemente como Zoia está passando, como se eu fosse o médico de minha esposa e não o pai de minha filha, e não creio que perguntem a ela a mesma coisa a meu respeito. Posso estar enganado, claro, mas...

— Não, sr. Jachmenev — respondeu depressa, sacudindo a cabeça. — Não, o senhor me entendeu mal. Não quis sugerir que...

— E mesmo agora a senhora vem antes falar comigo, para aplainar o caminho para a tarefa muito mais difícil adiante, a seu ver. Claro, não pensei nem por um instante que lhe foi fácil começar esta conversa. Para ser sincero, admiro-a por isso, mas é deprimente que a senhora pense que a perda de Arina nos afeta, à minha mulher e a mim, de maneiras diferentes. Que a morte dela seja menos dolorosa para mim.

Ela anuiu e abriu a boca para dizer alguma coisa, pensou melhor e desviou o olhar. Fiquei calado, querendo que ela pensasse no que eu havia dito. À minha esquerda, o rapaz dizia à namorada que ela precisava relaxar, afinal o que importava, tinha sido só uma festa, ele estava bêbado, ela sabia que ele a amava de verdade, e ela queria se vingar xingando-o com palavrões, um pior do que o outro. Se pretendia castigá-lo dessa maneira, não estava funcionando, pois ele ria fazendo um ar falsamente horrorizado, o que só exacerbava a fúria da moça. Perguntei-me por que sentiam necessidade de que todo mundo ouvisse a briga entre eles. Se a paixão deles, como os artistas de cinema, só era real quando presenciada pelos outros.

— Também sou mãe, sr. Jachmenev — disse a sra. Elliott depois de alguns instantes. — Suponho que seja natural pensar imediatamente nos sentimentos de outra mãe, nessas circunstâncias. Mas certamente não pretendia minimizar o sofrimento do senhor.

— A senhora é genitora, e os genitores são dois — repliquei corrigindo sua observação, mas me abrandei um pouco. Era fácil ver o quanto aquela mulher estava sofrendo. Eu também sofria terrivelmente, mas era uma dor que nunca se atenuaria. Para mim seria fácil aliviar sua angústia, tranquilizar sua consciência pelo menos um pouco. Seria um gesto de extrema bondade, e me perguntei se eu seria capaz. — Quantos filhos a senhora tem? — indaguei pouco depois.

— Três — respondeu ela, parecendo apreciar a pergunta. Claro que apreciou; todos eles gostam quando lhes perguntam sobre os filhos. *Eles*, agora, não *nós*. — Dois rapazes na universidade. Uma menina ainda no colegial.

— Importa-se se perguntar como se chamam?

— De maneira alguma — respondeu ela, talvez surpresa com a cordialidade da pergunta. — O mais velho se chama John, que era o nome de meu marido. O segundo é Daniel. E a menina é Beth.

— *Era* o nome de seu marido? — indaguei virando-me para ela, tendo logo percebido o verbo no passado.

— Sim, fiquei viúva quatro anos atrás.
— Ele ainda devia ser bastante moço — comentei, pois ela própria estava na casa dos quarenta.
— Era, era sim. Morreu uma semana antes de fazer quarenta e nove anos. Ataque cardíaco. Foi totalmente inesperado. — Alçou os ombros e olhou ao longe, agora perdida entre suas lembranças e sua própria dor, e relanceei a vista pelo parque, imaginando quantas pessoas ali presentes sofriam dores semelhantes. A moça à minha esquerda estava sugerindo ao rapaz uma série de coisas que ele podia fazer, nenhuma delas especialmente agradável, e ele tentava impedi-la de se levantar e ir embora. Desejei que diminuíssem o volume de suas vozes monótonas; causavam-me um profundo tédio.
— Posso lhe perguntar sobre sua filha? — disse então, e senti meu corpo se enrijecer um pouco mais diante de sua audácia. — Claro, se preferir que não...
— Não — repliquei depressa. — Não, não me importa. O que a senhora gostaria de saber?
— Ela era professora, não?
— Era, sim.
— O que ela ensinava?
— Inglês e história — respondi, sorrindo de leve ao lembrar o orgulho que senti quando ela escolheu áreas tão pouco práticas. — Mas ela tinha outras ideias. Queria ser escritora.
— Mesmo? — indagou a sra. Elliott. — O que ela escrevia?
— Poemas, quando era mais nova. Não eram muito bons, para falar a verdade. Mais tarde, contos, que eram muito melhores. Publicou dois, sabe? Um numa pequena antologia, o outro no *Express*.
— Não sabia disso — replicou abanando a cabeça.
— E por que haveria de saber? Não é o tipo de coisa que a polícia iria lhe dizer.
— Não, de fato — comentou, contraindo levemente o maxilar ao som da terrível palavra que ouvira.

— Ela estava escrevendo um romance quando morreu — continuei. — Tinha quase terminado.

E agora tenho de admitir meu remorso pelo que estava fazendo àquela mulher, pois nada disso era verdade. Pelo que eu sabia, Arina nunca tinha escrito nenhum poema. Nem tinha publicado nenhum conto nem tentara escrever um romance. Não tinha qualquer vocação para isso. Ao inventar esse lado criativo de seu caráter, era como se eu sugerisse que um grande potencial fora liquidado muito cedo, que ela tinha matado não só uma pessoa, mas também todas as dádivas que teria oferecido ao mundo ao longo da vida.

— Já havia certo interesse, creio eu — prossegui, continuando a enfeitar minha mentira. — Um editor tinha lido seus contos e queria ver outros materiais.

— Sobre o que era? — perguntou ela.

— Como assim?

— O romance que ela estava escrevendo. O senhor leu?

— Uma parte — respondi calmamente. — Era uma história de culpa. E de acusação. Acusação infundada.

— O livro já tinha nome?

— Tinha.

— Posso perguntar qual era?

— *A casa para fins especiais* — respondi sem hesitar, assustado com a quantidade de verdades que minha mentira lhe apresentava, mas a sra. Elliott não comentou nada, simplesmente desviou o rosto, incomodada com o rumo de nossa conversa. Eu também me senti desconfortável e sabia que não poderia continuar com a charada.

— A senhora precisa entender — retomei — que não a culpo inteiramente pelo que aconteceu. E certamente não... não a odeio, se é o que a senhora está pensando. Arina correu para a rua, pelo que me disseram. Ela devia ter olhado. Não importa, não é mesmo? Nada vai trazê-la de volta. Foi corajoso de sua parte vir falar comigo, e agradeço. Realmente agradeço. Mas a senhora não pode ver minha esposa.

— Mas, sr. Jachmenev...

— Não — atalhei com firmeza, pondo a mão no joelho, como um juiz batendo seu martelo na mesa do tribunal. — É assim que tem de ser, receio. Contarei a Zoia que vi a senhora, claro. Ela ficará a par de seu grande remorso. Mas não pode haver nenhum contato entre as duas. Seria demais para ela.

— Mas talvez se eu...

— Sra. Elliott, a senhora não está me ouvindo — insisti, ficando um pouco alterado. — O que a senhora está pedindo é impossível e egoísta. A senhora quer encontrar nós dois, receber nosso perdão, para que possa com o tempo superar esse acontecimento terrível e, se não o esquecer, ao menos aprender a viver com ele, mas isso não será possível para nós, e a maneira como a senhora vai lidar com sua reação a esse acidente é um assunto que não nos diz respeito. Sim, sra. Elliott, eu sei que foi um acidente. E se isso lhe é de algum auxílio, sim, eu a perdoo pelo que aconteceu. Mas por favor. Não me procure mais. E não tente encontrar minha esposa. Ela não aguentaria, entende isso?

Movendo a cabeça numa afirmativa, ela começou a chorar um pouco, mas pensei: não, não vou me fazer de protetor. Se tem lágrimas, que chore. Se tem dor, que sinta. Os filhos que conversem com ela mais tarde, e lhe digam as coisas que precisa ouvir para atravessar esses dias tristes. Afinal ela ainda tem filhos.

Era hora de encerrar a conversa.

— Você acha que é culpa sua, não é?

Zoia virou para me olhar, com uma expressão que mesclava incredulidade e hostilidade.

— O que você quer dizer? *O que* eu acho que é culpa minha?

— Você esquece que a conheço melhor do que ninguém. Sei o que você está pensando.

Tinham se passado mais de seis meses desde a morte de Arina, e a rotina normal de nossa vida voltava a se restabelecer, como se nunca tivesse acontecido nenhuma desgraça. Nosso genro Ralph voltara ao trabalho e fazia de tudo para afastar a tristeza, por causa de Michael. O menino ainda chorava diariamente e falava sobre a mãe como se achasse que de alguma maneira nós a mantínhamos longe dele; a perda, a natureza incompreensível de sua morte, era uma questão que ele ainda não podia aceitar. Havia sessenta e dois anos de diferença entre Michael e mim, e no entanto nossas emoções eram iguais como se fôssemos gêmeos.

Tínhamos acabado de voltar da casa de nosso genro, onde Zoia e Ralph haviam discutido sobre o menino. Ela queria que Michael passasse mais noites conosco, mas Ralph não queria que ele fosse dormir fora desde já. Antes ele costumava pernoitar conosco, dormindo no quarto de Arina quando solteira, mas esse arranjo terminou logo após sua morte. Não que Ralph tentasse afastar Michael de nós: simplesmente não queria ficar sem ele. Eu entendia isso. Parecia-me plenamente razoável. Pois eu sabia o que era querer minha filha junto comigo.

— Claro que é culpa minha — disse Zoia. — E você me acusa disso também, eu sei. E se não acusa, é porque é um tolo.

— Eu não a acuso de nada — gritei avançando para ela e virando-a para me encarar. Havia uma dureza em sua expressão, um olhar que se ocultara por muitos anos e que agora ressurgira, desde o atropelamento de Arina, que me dizia exatamente o que ela estava pensando. — Você acha que a considero responsável pela morte de nossa filha? Que loucura. Eu a considero responsável por uma única coisa. Pela vida dela!

— Por que você está me dizendo isso? — perguntou com uma voz traindo que estava à beira das lágrimas.

— Porque é algo que você sempre sentiu e isso tem sombreado nossa vida. E você está errada, Zoia, não enxerga isso?

Não teria como estar mais errada por se sentir assim. Lembre, eu vi como você reagia a cada vez. Quando Leo morreu...
— Faz anos, Geórgui!
— Quando perdemos nossos amigos na blitz.
— Todo mundo perdeu amigos naquela época, não foi?
— bradou ela. — Você acha que eu me considerava responsável?
— E em todas as vezes que você abortou. Também nessas ocasiões eu vi isso em você.
— Geórgui... por favor — disse ela, com voz cansada. Eu não pretendia magoá-la, vocês entendem, mas aquilo vinha do fundo do coração. Precisava ser dito.
— E agora Arina — continuei. — Agora você acha que ela morreu por causa...
— Pare! — ela gritou avançando sobre mim, batendo os punhos cerrados em meu peito. — Você não pode parar nem por um segundo? Por que você acha que precisa me lembrar dessas coisas? Leo, os bebês, nossos amigos, nossa filha... sim, todos eles morreram, todos. O que adianta falar neles?

Sentei e passei a mão por meu rosto em desespero. Eu amava profundamente minha mulher, mas sempre houve um fio percorrendo nossas vidas, um fio de tormento nunca citado. Suas dores, suas lembranças eram tão entranhadas que lhe restava pouquíssimo espaço para as dores e lembranças dos outros, mesmo as minhas.

— Existem coisas na vida que é impossível ignorar — disse Zoia depois de alguns minutos de silêncio, enrodilhada numa poltrona a meu lado, os braços em torno do corpo numa atitude defensiva, o rosto branco como a neve em Livadia. — São coincidências demais para ser simples coincidências... Sou um amuleto que atrai a infelicidade, Geórgui. É isso que eu sou. Só trouxe desgraça, durante minha vida toda, para as pessoas que me amavam. Só dor e sofrimento. É por minha culpa que tantas delas morreram, e sei que isso é verdade. Eu também devia ter morrido, talvez, quando era menina. Talvez? — repetiu com um riso amargo e sacudindo a cabeça. — O que estou dizendo? Claro que devia ter morrido. Era meu destino.

— Isso é loucura — disse eu, erguendo-me e tentando pegar sua mão, mas ela se afastou de mim, como se o mero toque lhe queimasse a pele. — E eu, Zoia? Não foi nada disso que você trouxe para minha vida.

— A morte não. Mas sofrimento? Desgraça? Angústia? Você acha que eu não lhe trouxe nada disso?

— Claro que não trouxe — respondi, ansioso em tranquilizá-la. — Olhe para nós, Zoia. Estamos casados há mais de cinquenta anos. Temos sido felizes. *Eu* tenho sido feliz. — Fitei-a, argumentando com ela para que minhas palavras diminuíssem sua angústia. — Você não? — indaguei quase com medo de ouvir a resposta e ver nossa vida se desmoronar.

Ela suspirou, mas por fim fez sinal de concordância.

— Sim. Você sabe que sim. Mas isso que aconteceu — com Arina, quero dizer — foi demais para mim. São tragédias demais. Não consigo aceitar mais nenhuma em minha vida. Não consigo mais, Geórgui.

— O que você quer dizer?

— Estou com sessenta e nove anos de idade — respondeu com o início de um sorriso. — E já chega. Eu não... Geórgui, não tenho mais gosto pela vida. Nunca tive, para ser sincera. Não quero. Não quero mais nada. Você entende?

Ela se levantou e me olhou com um ar tão resoluto que me assustou.

— Zoia, do que você está falando? Você não pode falar assim, é...

— Oh, não é o que você está pensando — respondeu abanando a cabeça. — Não desta vez, juro. Só estou dizendo que, quando chegar a hora, e vai ser logo, não vou lamentar. Quando basta, basta, entende, Geórgui? Você nunca sente isso? Veja essa vida que vivi, e que vivemos juntos. Pense nisso. Como conseguimos sobreviver todo esse tempo? — Ela abanou a cabeça e soltou um longo suspiro, como se a resposta fosse muito simples e evidente. — Quero que acabe, Geórgui. Só isso. Quero apenas que acabe.

O príncipe de Moguilev

Depois de chegar a São Petersburgo, passei semanas pensando em Cáchin, na família que tinha deixado, no amigo cuja morte tanto me pesava na consciência. À noite, deitado em meu beliche estreito, o rosto de Colec aparecia diante de mim, com os olhos saltados, a garganta marcada e ferida pelas cordas. Eu imaginava seu terror quando os soldados o levaram para a árvore onde fora amarrado o nó corrediço; apesar de todas as suas bravatas, eu não era capaz de imaginá-lo indo para a morte com outro sentimento a não ser o medo no coração e o pesar pelas décadas que não viveria. Eu rezava para que ele não tivesse me culpado demais; em todo caso, dificilmente se equipararia à grande culpa que eu próprio sentia.

E quando não pensava em Colec era minha família que ocupava meus pensamentos, em especial minha irmã Ássia, que teria dado qualquer coisa para estar onde eu estava agora. De fato, era em Ássia que eu estava pensando no final de tarde em que vi pela primeira vez a grande Sala de Leitura do Palácio de Inverno. As portas estavam abertas e me virei na intenção de voltar atrás, mas num impulso mudei de ideia e entrei, e ali, pela primeira vez na vida, encontrei-me sozinho na tranquilidade de uma biblioteca.

Três paredes estavam repletas de livros de cima a baixo, com uma escadinha presa a um trilho em cada uma delas, de forma que o consulente podia percorrer as prateleiras deslizando pelo piso. No centro ficava uma mesa de carvalho maciço, onde estavam dois grandes volumes — abertos, com uma série de mapas. Havia amplas poltronas de couro dispostas em vários locais do aposento, e me imaginei sentado ali uma tarde inteira, absorto na leitura. Eu nunca tinha lido um único livro na vida, claro, mas eles me chamavam, sussurrando em suas encadernações uniformes, e eu ia de um a outro, examinando as páginas de rosto, lendo os parágrafos iniciais como conseguia, pondo os volumes já folheados na mesa atrás de mim, sem nem pensar.

Estava tão absorto em meu exame que apenas quando escutei o som de botas pesadas atravessando a sala caí em mim e percebi que não estava sozinho. Voltei-me, e, com o susto, arremessei ao ar o livro que tinha nas mãos. Ele caiu com estrépito, aberto no chão a meus pés, o barulho ecoando pelas paredes, enquanto eu me punha de joelhos e inclinava a cabeça na presença do ungido.

— Majestade — disse sem me atrever a olhar para cima.
— Majestade, devo apresentar minhas mais sinceras desculpas. Eu me perdi e...
— De pé, Geórgui Danielovitch — disse o czar, e levantei devagar. Pouco antes, eu pensava saudoso em minha família; agora estava apavorado à ideia de ser despachado de volta para ela. — Olhe para mim.

Ergui a cabeça lentamente e nossos olhos se encontraram. Senti que começava a enrubescer, mas ele não estava com ar zangado nem contrariado.

— De qualquer forma, o que você está fazendo aqui?
— Eu me perdi no caminho — respondi. — Não pretendia entrar, mas quando vi...
— Os livros?
— Sim, senhor. Despertaram meu interesse, foi isso. Quis ver o que havia neles.

Ele respirou pesado por alguns instantes, como se estivesse decidindo qual a melhor maneira de lidar com a situação, até que suspirou e se afastou, indo para trás da mesa de carvalho e olhando os livros de cartografia, virando as páginas, sem olhar para mim enquanto falava.

— Não o imaginava um leitor — disse calmamente.
— Não sou, senhor. Isto é, nunca fui.

— Mas você *sabe* ler?
— Sei, sim senhor.
— Quem o ensinou, seu pai?
Abanei a cabeça.
— Não, senhor. Meu pai não poderia. Foi minha irmã Ássia. Ela tinha alguns livros que comprou numa banca. Ela me ensinou as letras — a maioria delas, pelo menos.
— Entendo. E com quem ela aprendeu?
Refleti sobre a pergunta, mas fui obrigado a admitir que não sabia. Em sua vontade de fugir de nossa aldeia natal, talvez Ássia tivesse simplesmente aprendido sozinha, de modo a poder escapar para mundos mais atraentes pelo breve tempo das páginas de um conto.
— Mas você gostava? — perguntou o czar. — Quero dizer, algo o atraiu aqui dentro.
Olhei em torno da sala e ponderei alguns instantes, antes de dar uma resposta honesta.
— Há algo... interessante, sim senhor. Minha irmã me contava histórias. Eu gostava de ouvir. Julguei que poderia encontrar algumas aqui, que me fariam lembrar dela.
— Suponho que você esteja começando a sentir saudades de sua família — disse o czar, agora indo até a janela, inteiramente iluminado pela luz suave que se filtrava para o interior da sala. — Sei que sinto saudades da minha sempre que estou longe dela, pelo tempo que for.
— Não tenho tido tempo de pensar neles, senhor — repliquei. — Procuro me dedicar o máximo possível ao trabalho. Digo, com o conde Charnetski. E o restante do tempo tenho a honra de passar com o czaréviche.
Ele sorriu à menção do filho e assentiu.
— Sim, de fato. E vocês estão se dando bem?
— Sim, senhor. Muito bem.
— Ele parece apreciá-lo. Perguntei-lhe sobre você.
— Fico contente em saber, senhor.
Ele assentiu e desviou o olhar, os mapas atraindo-lhe a

atenção por um momento, e caminhou até eles, acariciando a barba ao examiná-los.

— Esses desenhos — murmurou. — Está tudo aqui nesses desenhos, você entende isso, Geórgui? A terra. As fronteiras. Os portos. Como triunfar. Se ao menos eu conseguisse ver. Ver — disse reforçando o som do *v*, mais para si do que para mim. Concluí que devia deixá-lo com seus estudos, de modo que comecei a recuar, sem lhe voltar as costas, enquanto me dirigia para a porta.

— Talvez fosse o caso de lhe arranjar algumas aulas — falou alto antes que eu conseguisse sair.

— Aulas, senhor?

— Para melhorar sua leitura. Estes livros são para ser lidos, digo a todos os membros da equipe que podem ler à vontade, desde que cuidem dos livros e devolvam no mesmo estado em que os pegaram. Você gostaria, Geórgui?

Por um instante eu não soube responder se gostaria ou não, mas não quis desapontá-lo, de forma que lhe dei a resposta que achei que gostaria de ouvir.

— Sim, Majestade. Gostaria muito.

— Bem, vou providenciar que o conde o encaminhe a algumas aulas frequentadas pelos rapazes no Corpo de Pajens. Se você vai passar tanto tempo com Alexei, é mais do que adequado que você receba instrução. Agora pode se retirar — disse e me dispensou.

Virei e saí da sala, fechando a porta atrás de mim, mal sabendo que, com aquela conversa com o czar, iniciava-se uma vida inteira cercada de livros.

Antes de trocar qualquer palavra com a grã-duquesa Anastácia Nicolaievna, dei-lhe um beijo.

Tinha-a visto em três ocasiões, uma vez na banca de castanhas às margens do Neva, e outra vez na mesma noite, mais tarde, enquanto esperava ser atendido em minha primeira noite no Palácio de Inverno, quando olhei pela janela para o rio e vi as quatro grã-duquesas saírem do barco de passeio.

A terceira vez ocorreu dois dias depois, quando eu voltava do treinamento à tarde com a Guarda Imperial. Exausto, preocupado pensando que nunca conseguiria alcançar o nível de força e energia dos colegas e logo me mandariam de volta para Cáchin, retornava para meu dormitório no final do dia e me perdi no labirinto do palácio, abrindo uma porta que achei que levava ao corredor do quarto, mas que, na verdade, dava numa espécie de sala de aula, onde entrei e percorri metade de sua extensão antes de erguer do chão meus olhos cansados e perceber o engano.

— Posso ajudá-lo, meu jovem? — disse uma voz à esquerda. Virei e vi monsieur Gilliard, o preceptor suíço das filhas do czar, de pé atrás de sua escrivaninha e fitando-me com uma mescla de irritação e divertimento.

— Perdoe-me, senhor — respondi depressa, corando um pouco pela tolice. — Pensei que era a porta para meu quarto.

— Bem, como você pode ver — replicou ele, abrindo os braços em toda sua extensão para indicar os mapas e retratos que cobriam as paredes, retratos dos romancistas famosos e dos grandes músicos que faziam parte dos estudos das jovens —, não é.

— De fato, senhor — respondi, fiz uma vênia cortês e me virei para sair. Nisso, percebi as quatro irmãs sentadas em duas filas de carteiras individuais, observando-me entre curiosas e enfaradas. Era a primeira vez que eu me via diante delas — mal tinham se apercebido de mim na banca de castanhas — e fiquei um pouco encabulado, mas também me senti imensamente privilegiado por estar em tal presença. Era realmente algo grandioso, para um mujique como eu, estar numa sala com as filhas do czar: uma honra indescritível. A mais velha, Olga, ergueu os olhos do livro com uma expressão de piedade no rosto.

— Ele parece esgotado, monsieur Gilliard — observou ela. — Está aqui faz poucos dias e já está exausto.

— Estou muito bem, obrigado, Alteza — disse fazendo uma profunda reverência.

— Ele é aquele que levou um tiro no ombro, não é? — perguntou a segunda, Tatiana, uma mocinha alta e elegante com os cabelos e olhos cinzentos da mãe.

— Não, não pode ser ele, ouvi dizer que quem salvou a vida do primo Nicolau foi um rapaz extremamente bonito — gracejou a terceira irmã, Maria, e lhe atirei um olhar irritado, pois eu ainda podia me sentir intimidado com a nova vida no palácio real, mas estava cansado demais com tantos exercícios de justa, esgrima e pugilismo com os homens do conde Charnetski para permitir que um grupo de meninas fizesse troça de mim, por mais elevada que fosse a condição social delas.

— É ele — disse uma voz mais serena, e ao me virar vi a grã-duquesa Anastácia me olhando. Tinha quase quinze anos naquela época, um ano e pouco mais nova do que eu, com olhos de um azul-vivo e um sorriso que me devolveu prontamente o vigor.

— E como *você* sabe disso, *Shvipsik*? — perguntou Maria, voltando-se para a irmã mais nova, que não mostrava nenhum sinal de timidez ou embaraço.

— Porque você tem razão — disse num muxoxo. — Eu ouvi dizer a mesma coisa. Foi um rapaz bonito que salvou a vida de nosso primo. O nome dele era Geórgui. Então deve ser ele.

As outras moças se desfizeram em risinhos, apupando às gargalhadas o comentário atrevido da irmã, mas nós dois continuamos a nos fitar, e em certo momento vi os cantos de sua boca se erguerem levemente num sorriso e, para meu próprio espanto, tive a impertinência de lhe devolver o mesmo elogio.

— Nossa irmã está apaixonada — exclamou Tatiana, e nisso monsieur Gilliard bateu vivamente a madeira do apagador em cima da escrivaninha, ao que demos um salto, Anastácia e eu, rompendo a ligação que tínhamos estabelecido entre nós, e me virei embaraçado para o professor.

— Peço desculpas, senhor — disse depressa. — Atrapalhei sua aula.

— De fato, meu jovem. Você tem alguma opinião a partilhar sobre as ações do conde Vronski?

Fitei-o surpreso.

— Não. Nunca vi o referido cavalheiro.

— Sobre a infidelidade de Stepan Arkadievitch, então? A busca de realização de Levin? Talvez queira comentar a reação de Alexei Alexandrovitch à traição da esposa?

Eu não fazia ideia do que ele estava falando, mas ao ver o romance aberto nas carteiras das grã-duquesas, desconfiei que afinal não eram pessoas de carne e osso, e sim personagens literários. Olhei de relance para Anastácia, que encarava o preceptor com um ar desapontado.

— Ele não entende, não é? — disse Tatiana, talvez percebendo que eu parecia indeciso, sem saber o que fazer. — É um simplório, não acha?

— Fique quieta, Tatiana — cortou Anastácia, virando-se para olhar a irmã com profundo desprezo. — Ele está perdido, só isso.

— É verdade — disse eu a monsieur Gilliard, sem ousar me dirigir diretamente à grã-duquesa. — Estou perdido.

— Bem, aqui você não vai se encontrar — respondeu ele, mal sabendo como estava distante da verdade. — Retire-se, por favor.

Concordei depressa, fiz mais uma rápida reverência e segui rapidamente para a porta. Ao sair, quando me virei para fechá-la, mais uma vez encontrei o olhar de Anastácia. Ela ainda me observava e notei uma onda de rubor em seu rosto. Em minha vaidade, fiquei imaginando se ela conseguiria se concentrar de novo na aula; de minha parte, eu sabia que a noite estava perdida.

* * *

Passei a tarde seguinte, de novo, em treinamento com os soldados. O conde Charnetski, que era totalmente contrário à minha indicação e não perdia oportunidade de patentear seu desagrado, havia insistido que eu aprendesse num mês as habilidades indispensáveis que seus homens tinham levado anos para adquirir, e a necessidade de aprender depressa me deixava enfraquecido e esgotado ao final de cada dia de treinamento. Eu tinha passado muitas horas na sela de uma potente égua de batalha, aprendendo como controlá-la com a mão esquerda enquanto empunhava uma pistola na direita para derrubar um hipotético assassino, e ao atravessar a praça do Palácio minhas pernas cansadas e os braços trêmulos me conduziam apenas para o conforto de minha cama.

Parando no pequeno átrio coberto que servia de passagem entre a praça e o palácio, fitei o jardim que se abria diante de mim. As árvores que bordejavam a curta trilha até a entrada tinham perdido suas folhas e, apesar do ar gelado, vi a filha mais nova do czar, de costas para mim, sentada na beirada da fonte central, perdida em pensamentos, imóvel como uma das estátuas de alabastro que ornamentavam as escadarias e vestíbulos do palácio.

Talvez sentindo minha presença, seus ombros se abaixaram quando ela se endireitou um pouco e, sem mover o corpo, virou cuidadosamente a cabeça para a esquerda e pude contemplá-la de perfil. Círculos rosados floresciam em suas faces, os lábios se entreabriram, as mãos se ergueram da borda da fonte, como que ansiosas em fazer alguma coisa, e então se assentaram. Eu podia ver o adejar de seus cílios perfeitos no ar frio; podia sentir cada movimento de seu corpo.

E baixinho sussurrei seu nome.

Anastácia.

Ela se virou naquele instante — impossível que tivesse me ouvido, mas ela sabia —, o corpo rígido, mas seu rosto buscando o meu. A capa azul-escura que a envolvia escorregou ligeiramente pelos ombros e ela a ajustou de novo ao corpo, levantando-se e vindo em minha direção. Nervoso, recuei para trás de uma das doze colunas de seis pilares que cercavam o quadrilátero e observei enquanto ela dirigia intencionalmente os passos em minha direção, seus olhos presos aos meus.

Eu não sabia o que dizer ou o que fazer enquanto ela me fitava, parada diante de mim, com um misto de desejo e incerteza; deveríamos pelo menos trocar algumas palavras. Ela estendeu um pouco sua pequena língua rosada e passou-a pelos lábios, suportando o frio gélido do ar por alguns instantes e depois recolhendo-se para a cálida gruta de sua boca. Como aquela língua macia me pareceu sedutora! Como despertou minha imaginação, com pensamentos que me encheram de excitação e vergonha!

Fiquei plantado ali onde estava, engolindo em seco, nervoso, desejando-a desesperadamente. Minha obrigação seria lhe fazer uma profunda vênia e uma saudação formal antes de continuar meu caminho, mas não consegui obedecer ao protocolo. Pelo contrário, recolhi-me ainda mais nas sombras das colunas, contemplando-a, sem afastar o olhar de seu rosto enquanto ela se aproximava de mim. Eu tinha a boca seca e estava sem palavras. Fitamo-nos em silêncio até que outro membro da Guarda Imperial, patrulhando as cercanias da praça do Palácio, passou ao lado de Anastácia num galope tão inesperado que ela deu um salto e emitiu um gritinho, com medo de ser derrubada e pisoteada pelo cavalo, e se refugiou em meus braços.

Naquele momento, como dois amantes empenhados na mais graciosa dança, dei-lhe um rodopio, e suas costas se comprimiram contra a grande porta de carvalho que se erguia atrás de nós. Ali ficamos nas sombras, num local em que ninguém nos veria, contemplando-nos intensamente até que seus olhos começaram a se cerrar e eu me inclinei e apertei meus lábios frios e gretados contra o calor de sua boca macia e rosada. Envolvi-a com meus braços, uma das mãos a segurá-la por trás com firmeza e a outra perdendo-se entre a delicada maciez de seus cabelos acobreados. A única coisa em que conseguia pensar naquele instante era o quanto eu a desejava. O fato de não termos trocado sequer uma palavra não tinha importância alguma. E tampouco o fato de ser uma grã-duquesa, filha da linhagem imperial, ao passo que eu era um simples criado, um mujique que viera oferecer um pouco de segurança a seu irmão mais novo. Pouco me importava se alguém nos visse; eu sabia que ela queria, tanto quanto eu. Trocamos um beijo que não sei quanto tempo durou, e então, separando-nos apenas para retomar o fôlego, ela pôs a mão em meu peito e me olhou entre assustada e enlevada, e por fim desviou o olhar e fitou o chão, movendo a cabeça como se não fizesse a menor ideia de como chegara a tal ousadia.

— Lamento — foram as primeiras palavras que disse a ela.

— Pelo quê? — perguntou Anastácia.

— Tem razão — respondi erguendo os ombros. — Não lamento coisa alguma.

Ela hesitou por um rápido momento e então sorriu.

— Nem eu.

Olhamo-nos e fiquei encabulado por não saber o que fazer a seguir.

— Preciso ir — disse ela. — É hora do jantar.

— Alteza — disse procurando sua mão. Debati-me em busca de alguma frase, sem nenhuma noção do que pretendia dizer a ela, afora que queria que continuasse ali comigo por mais algum tempo.

— Por favor — disse movendo a cabeça. — Meu nome é Anastácia. Posso chamá-lo de Geórgui?

— Pode.

— Gosto desse nome.

— Significa *lavrador* — respondi encolhendo os ombros constrangido, e ela me sorriu.
— É o que você é? O que você era?
— É o que meu pai é.
— E você, o que você é? — perguntou brandamente.
Pensei naquilo; eu nunca tinha me feito essa pergunta antes, mas agora, ali de pé no frio cortante sob as colunas, com essa jovem diante de mim, parecia haver uma única resposta verdadeira.
— Sou seu.

Eu ainda era um novato na residência real quando embarquei no trem imperial com destino a Moguilev, a pequena cidade ucraniana perto do mar Negro onde ficava o quartel-general de nosso exército russo. Sentado à minha frente, animado com a perspectiva de sair do mundo fechado do palácio para o ambiente mais alvoroçado de uma base militar, estava um garoto de onze anos de idade, Alexei Nicolaievitch, o czaréviche e grão-duque da Casa dos Romanov.
Em momentos assim, ainda me parecia muito estranho ver como minha vida tinha mudado radicalmente. Um mês antes, eu era um mujique como outro qualquer, cortando lenha em Cáchin, dormindo no chão áspero, passando fome, vivendo esgotado, receando o inverno gelado que logo iria chegar e extinguir qualquer chance de felicidade. Agora eu usava o uniforme bem ajustado da Guarda Imperial, preparando-me para uma viagem aquecida e confortável, na certeza de lautas refeições pela frente, e com o ungido de Deus sentado a alguns passos de mim.
Era a primeira vez que eu ia viajar no trem imperial e embora já tivesse começado a me acostumar com o luxo e a extravagância desde a chegada a São Petersburgo, a opulência do ambiente ainda conseguia me assombrar. Eram dez vagões, incluindo um salão, uma cozinha, gabinetes privados

para o czar e a czarina, alojamentos para cada um dos filhos, os criados e as bagagens. Um segundo trem, menor, vinha atrás com uma hora de diferença, transportando um grande séquito de conselheiros e criados. Geralmente o trem principal levava apenas a família imperial, com dois médicos, três cozinheiros, um pequeno exército de guarda-costas e o conselheiro que o czar decidisse honrar com seu convite. Como fazia mais de três semanas que eu estava ao lado do czaréviche como protetor e confidente, meu lugar no trem era matéria protocolar.

Naturalmente, cada centímetro do piso, das paredes e do forro estava recoberto com os materiais mais luxuosos que os projetistas do trem tinham conseguido encontrar. As paredes eram feitas de teca indiana, com estofamentos de couro gravado e revestidas de seda dourada. A nossos pés, um esplêndido tapete macio forrava os vagões em toda a extensão, enquanto todas as peças de mobiliário eram de faia ou mogno, cobertas de cretone brilhante inglês e decoradas com entalhes ou douraduras. Era como se todo o Palácio de Inverno fosse transferido para uma plataforma móvel, e nenhum ocupante do trem jamais precisasse pensar que, do outro lado das janelas, estendiam-se vilas e aldeias onde as pessoas viviam na sordidez e na miséria e se sentiam cada vez mais desiludidas com o czar.

— Tenho quase medo de me mexer e estragar algo — comentei com o czaréviche, enquanto passávamos pelas lavouras dos camponeses e pelos pequenos povoados, de onde saíam as pessoas para vir acenar e saudar o trem, mas parecendo descontentes, a boca torcida de desagrado, esqueléticas por falta de comida. Praticamente não havia jovens entre eles, claro; em sua maioria estavam mortos, escondidos ou lutando pela preservação de nosso curioso estilo de vida no fronte.

— O que você quer dizer, Geórgui? — perguntou ele.

— Bem, é tão esplendoroso — respondi olhando em redor as paredes azul-vivas e as sedas que pendiam nas laterais das janelas. — Você não percebe?

— Os trens não são todos assim? — indagou ele, olhando-me surpreendido.

— Não, Alexei — respondi sorrindo, pois para mim o surpreendente era o cotidiano do filho do czar. — Não, este aqui é especial.

— Foi meu avô que fez — falou no tom de quem supõe que todos os avôs foram grandes homens. — Alexandre III. Ele era fascinado por estradas de ferro, pelo que me disseram.

— Tem só uma coisa que não entendo — comentei. — A velocidade dele.

— Por quê? O que há de errado nela?

— É que... Não conheço muito essas coisas, claro, mas certamente um trem assim pode andar muito mais rápido do que isso, não?

Fiz o comentário porque, desde que tínhamos saído de São Petersburgo, o trem não passava de quarenta quilômetros por hora. Estava mantendo a velocidade de maneira quase constante, sem acelerar nem diminuir a marcha durante o percurso, o que tornava a viagem extremamente calma, mas também levemente frustrante. E prossegui:

— Conheço cavalos que ultrapassariam este trem.

— Ele sempre anda devagar assim — explicou o czarévich. — Isto é, quando estou nele. Mamãe diz que não podemos correr o risco de qualquer solavanco.

— Qualquer um acharia que você é de porcelana — comentei, esquecendo por um instante meu lugar e imediatamente lamentando o que tinha dito, pois ele me olhou estreitando os olhos com ar desaprovador e uma expressão que fez gelar meu sangue, e eu pensei *sim, este menino algum dia pode ser czar*.

— Peço desculpas, senhor — acrescentei a seguir, mas ele parecia já ter esquecido minha transgressão e voltara a seu livro, um volume sobre a história do exército russo que seu pai lhe tinha dado várias noites antes, e que desde então vinha ocupando sua atenção. Era um garoto extremamente inteligente, isso eu já havia percebido, e tinha tanto gosto pela leitura quanto pelas atividades ao ar livre que seus pais sempre procuravam impedir.

Meu primeiro contato com o czaréviche tinha se dado na manhã seguinte à minha chegada no Palácio de Inverno, e gostei dele imediatamente. Era pálido e de olhos escuros, mas mostrava uma autoconfiança que atribuí ao fato de dispor da atenção de todos os que passavam por sua vida. Ele estendeu a mão para me cumprimentar e apertei-a orgulhoso, curvando a cabeça em sinal de respeito ao me apresentar.

— E você vai ser meu novo guarda-costas — disse em voz branda.

Prontamente olhei para o conde Charnetski, que havia me levado à presença real, o qual fez um rápido sinal de concordância.

— Sim, senhor. Mas espero ser também seu amigo.

Ele franziu levemente o cenho a essa palavra, como se não lhe dissesse nada, ponderou por um instante e retomou a conversa.

— Meu último guarda-costas fugiu com uma das cozinheiras para se casar, sabia?

Abanei a cabeça em negativa e soltei uma breve risada, achando graça por ele ter levado a ofensa tão a sério. Era como se dissesse que o segurança havia tentado asfixiá-lo enquanto dormia.

— Não, senhor. Não sabia.

— Imagino que deviam estar tremendamente apaixonados para trair um tal cargo, mas foi uma união inadequada, pois ele era primo do príncipe Hagurov e ela não passava de uma prostituta regenerada. As famílias devem sentir uma profunda vergonha.

— Sim, senhor — concordei, hesitando apenas um instante, imaginando se eram palavras dele mesmo ou se tinha entreouvido as frases dos mais velhos, e que agora apenas repassava como se fossem suas. Mas seu cenho carregado sugeria que ele tinha se apegado àquele guarda-costas e a perda lhe doía.

— Meu pai acredita convictamente que o apropriado é o casamento entre iguais — prosseguiu. — Não admite que ninguém faça uma união abaixo de seu nível. Antes dele, havia um sujeito que não me agradava nem um pouco. Entre outras coisas, o hálito dele cheirava mal. E não era capaz de controlar suas funções corporais. Considero tais coisas vulgares, você não?

— Suponho que sim — respondi ansioso em não discordar dele.

— Mas — continuou ele, mordiscando o lábio enquanto avaliava o assunto — às vezes também achava aquilo engraçado. Como quando o tio Gui veio ficar com papai e ele soltou uns barulhos terríveis quando nos levaram, a mim e a minhas irmãs, na manhã seguinte para cumprimentá-lo. Na verdade foi cômico. Mas ele foi despedido por causa disso. O guarda-costas, digo. Não meu tio.

— Não parece um comportamento muito apropriado, Alteza — observei, espantado em pensar que alguém se referisse ao imperador Guilherme, com quem nosso país estava em guerra, como tio Gui.

— Não, não era mesmo. Ele decaiu a meus olhos, mas disseram a minhas irmãs e a mim para ignorarmos a vulgaridade dele. E antes teve um outro guarda-costas. Desse eu gostava muito.

— E o que aconteceu com ele? — perguntei, esperando algum outro episódio engraçado de amores ilícitos ou hábitos pessoais desagradáveis.

— Foi morto — respondeu Alexei sem emoção. — Em Czarskoe Selo. Um assassino atirou uma bomba na carruagem em que eu estava, mas o cocheiro viu a tempo e avançou rápido, antes que ela caísse em meu colo. Esse guarda-costas estava sentado na carruagem logo atrás de nós, e a bomba caiu em cima dele. Foi pelos ares.

— Isso é terrível! — exclamei apavorado com a violência do fato, e de súbito ciente de que minha vida podia correr um perigo semelhante ao cuidar de um protegido tão ilustre.

— É, sim — concordou ele. — Embora papai diga que ele teria se orgulhado de morrer daquela maneira. Isto é, a serviço da Rússia. Afinal, seria muito pior se eu morresse.

Vindo de qualquer outro menino, o comentário pareceria irrefletido e arrogante, mas o czaréviche falou com tanta compaixão pelo segurança morto e com um entendimento tão claro da própria posição que não o desprezei por causa disso.

— Bem, não está em meus planos fugir para me casar, soltar peidos ou explodir pelos ares — disse-lhe sorrindo e ingenuamente imaginando que podia lhe falar de maneira tão direta, levando em conta apenas sua idade e não sua posição.

— Então tenho esperanças de estar aqui a protegê-lo por um bom tempo.

— Jachmenev! — chamou o conde Charnetski logo em seguida, e me virei para ele, pronto para pedir desculpas, antes de notar que o czaréviche me fitava boquiaberto. Por um instante fiquei em dúvida se ele ia estourar numa gargalhada ou chamar os outros guardas para me arrastar dali acorrentado, mas por fim simplesmente abanou a cabeça, como se a plebe fosse para ele uma fonte de inesgotável interesse e divertimento, e assim demos início a nossos novos papéis.

Nas semanas seguintes, desenvolvemos uma agradável informalidade entre nós. Ele me disse para chamá-lo de Alexei, o que fiz de bom grado, pois provavelmente eu não aguentaria passar o dia todo tratando um menino de onze anos como "Alteza" ou mesmo "senhor". Ele me chamava de Geórgui, e gostava do nome porque uma vez teve um cãozinho chamado assim, até o dia em que foi atropelado por uma das carruagens do pai, fato que tomei como presságio de mau agouro.

Ele tinha seus passatempos habituais e, aonde quer que

fosse, eu ia junto. De manhã, assistia à missa com os pais, depois seguia diretamente para o café da manhã e então ia ter aulas particulares com o preceptor suíço, monsieur Gilliard. De tarde, ele saía para os jardins, embora eu notasse que os pais, mesmo ocupados, sempre ficavam de olho no filho, e não tinha autorização para praticar atividade alguma que pudesse ser considerada cansativa; atribuí o fato à preocupação deles em prevenir qualquer problema que pudesse acontecer ao herdeiro do trono. De noite, ele jantava com a família, e depois se sentava com um livro, ou às vezes jogávamos gamão, que me ensinou na primeira noite que passamos juntos e no qual eu ainda não tinha conseguido ganhar.

Além disso, havia suas quatro irmãs, Olga, Tatiana, Maria e Anastácia, cujos aposentos ele invadia sempre que podia, e adorava atormentá-las, tanto quanto elas o amavam e se preocupavam com ele. Como guarda-costas de Alexei, eu passava muitas horas na companhia das grã-duquesas, mas de modo geral, claro, elas ignoravam minha presença.

Exceto uma, pela qual eu tinha me apaixonado.

— Esqueça os cavalos — comentei com Alexei sentado ali, olhando pela janela. — *Eu* corro mais rápido do que este trem.

— Então por que não experimenta, Geórgui Danielovitch? Tenho certeza de que o motorneiro pararia e deixaria você tentar.

Fiz-lhe uma careta e Alexei deu uma risadinha, sinal inconfundível de que ele podia ser muitas coisas — educado, bem-falante, inteligente, herdeiro do trono, futuro líder de milhões de pessoas —, mas no fundo continuava a ser aquilo que todo russo foi em algum momento da vida.

Um meninote.

A czarina Alexandra Fiodorovna tinha sido contrária a essa viagem desde o começo.

Entre todos os membros da família imperial, era com ela que eu tinha tido menos contato desde minha chegada a São Petersburgo. O czar era sempre simpático e amigável, até lembrando meu nome na maioria das vezes, o que eu tomava como sinal de grande distinção. Mas ele sofria muito com o desenrolar da guerra, o que se refletia em seu rosto, vincado de rugas e com fundas olheiras. Passava os dias em seu gabinete, em consulta a seus generais, cuja companhia muito apreciava, ou aos líderes da Duma, cuja mera existência parecia odiar. Mas nunca permitia que seus sentimentos pessoais a cada dia respingassem nas relações com os que o cercavam. Na verdade, sempre que eu o via, ele me cumprimentava com cortesia e perguntava como me sentia no novo cargo. Naturalmente, meu temor e respeito pelo czar nunca diminuíram, mas descobri também que eu era presunçoso o suficiente para gostar dele como pessoa, e sentia enorme orgulho em estar a seu lado.

Alexandra era diferente. Mulher alta e atraente, com nariz afilado e olhos inquisitivos, ela considerava vazios os aposentos onde houvesse apenas criados ou guardas, e nessas ocasiões conduzia-se, nos gestos e nas palavras, como se estivesse sozinha.

— Nunca fale com ela — disse-me uma noite Serguei Stassiovitch Poliakov, membro da Guarda Imperial com quem eu tinha feito amizade por sermos vizinhos de quarto, nossas camas separadas apenas por uma parede fina, pela qual eu ouvia seus roncos à noite. Com dezoito anos de idade, ele era dois anos mais velho do que eu, mas ainda assim um dos membros mais jovens do regimento de elite do conde Charnetski, e eu me sentia lisonjeado por ter me adotado como amigo, pois ele se mostrava muito mais afeito e acostumado ao palácio do que eu. — Ela consideraria um grande sinal de desrespeito se você tentasse puxar conversa.

— Nunca faria isso — garanti a ele. — Mas às vezes nossos olhares se interceptam num aposento, e não sei se devo cumprimentá-la ou me inclinar.

— Ela pode interceptar seu olhar, Geórgui — respondeu ele numa breve risada —, mas, acredite em mim, você não intercepta o dela. Ela simplesmente olha através de gente como nós. Somos fantasmas, todos nós.

— Eu não sou um fantasma! — retorqui, surpreso por me sentir insultado com a pecha. — Sou um homem.

— Claro, claro — disse ele, apagando um cigarro pela metade no salto da bota enquanto se levantava para ir embora, guardando-o no bolso da jaqueta para fumar mais tarde. — Mas não esqueça como ela foi criada. É neta da rainha Vitória, da Inglaterra. Uma criação dessas não torna a pessoa muito sociável. Ela nunca fala com os criados, se puder evitar.

Sem dúvida eu achava aquilo plenamente razoável. Minha genealogia não tinha reis nem príncipes — eu nem sabia os nomes de alguns avós —, então por que a imperatriz da Rússia haveria de se dignar a falar comigo? Na verdade, eu sentia tal reverência pela família imperial que jamais esperei que algum deles sequer me notasse, mas, quando levava em conta a gentileza de seu marido, do filho e das filhas, às vezes perguntava-me se tinha feito alguma coisa que a ofendera.

Eu tinha visto a czarina em minha primeira noite no palácio, claro, embora na época não tivesse percebido quem era a dama ajoelhada no genuflexório, de costas para mim. Ainda podia lembrar o fervor com que orava e a enorme devoção que parecia dedicar a seu Deus. E não tinha esquecido aquela visão tenebrosa e aterradora diante dela, o padre arreganhando um sorriso malévolo em minha direção. Embora não o tivesse visto desde então, sua imagem não deixava de me perseguir.

O aspecto negativo de sua recusa em notar minha presença era que ela não se pejava em adotar um comportamento não muito régio enquanto eu estava no aposento, coisa que me constrangia algumas vezes, como ocorreu dois dias antes de embarcarmos no trem imperial, quando o czar já havia decidido levar Alexei ao quartel-general das Forças Armadas.

— Nicky! — gritou ela, entrando com passo firme num dos salões no último andar do palácio, onde o czar estava perdido em pensamentos, trabalhando em seus papéis. Eu estava sentado num canto um pouco mais escuro, pois Alexei, objeto de meus cuidados, estava estendido no tapete, brincando com um jogo de trilhos e trens de brinquedo que havia montado no chão. Como não podia deixar de ser, os trens eram folheados a ouro e os trilhos eram feitos de fina chapa de aço. Pai e filho me ignoravam totalmente, claro, e mantinham uma conversa intermitente. Embora o czar estivesse absorto no trabalho, eu já tinha percebido que ele ficava muito mais tranquilo quando Alexei estava por perto, e levantava os olhos e ficava ansioso a cada vez que, por alguma razão, o filho saía do aposento.

— Nicky, diga-me que entendi mal.

— Entendeu mal o quê, minha querida? — perguntou ele, levantando os olhos da papelada, mas com ar cansado, e imaginei por alguns instantes se, na verdade, ele não teria cochilado enquanto estava ali sentado.

— Ana Virubova me falou que você vai para Moguilev na quinta-feira, para visitar o exército.

— Isso mesmo, Florzinha — respondeu ele, usando o apelido carinhoso que dava a ela e que parecia estar em absoluto contraste com sua aparência geralmente soturna e fanada. Fiquei pensando se, quando eram jovens e durante o namoro, teriam se comportado de maneira muito diferente da atual. — Escrevi ao primo Nicolau na semana passada e disse que iria passar alguns dias lá para dar alento aos soldados.

— Claro, claro — disse ela descartando o assunto. — Mas você não vai levar Alexei, certo? Pois me falaram que...

— Ah, sim, era minha intenção — comentou ele em tom sereno, desviando o olhar, como se soubesse muito bem a discussão que se seguiria.

— Mas não posso permitir isso, Nicky! — gritou ela.

— Não pode permitir? — indagou ele com uma nota de divertimento em seu tom gentil — E por que não?

— Você sabe por quê. Não é um lugar seguro.

— Não existem mais lugares seguros, Florzinha, ou você não tinha percebido isso? Você não sente a tempestade se avolumando em torno de nós? — Ele hesitou um pouco, e as pontas de seu bigode se ergueram levemente enquanto esboçava um sorriso. — Eu sinto.

Ela estava a ponto de protestar, mas, pelo visto, o comentário a desconcertou por um momento e ela virou a cabeça para olhar o filho, sentado no chão alguns passos adiante, o qual tinha erguido os olhos dos trens e agora observava a cena que ali se desenrolava. A imperatriz lhe sorriu brevemente, um sorriso ansioso, apertou as mãos num gesto nervoso e se voltou para o marido.

— Não, Nicky. Faço questão de que ele fique aqui comigo. Só a viagem em si já seria intolerável. E sabe-se lá como estarão as condições quando vocês chegarem lá. E quanto aos perigos em Stavka, nem preciso falar! E se um terrorista alemão localizar a posição de vocês?

— Florzinha, enfrentamos esses perigos todos os dias — replicou ele num tom exausto. — E o lugar mais fácil de nos localizar é aqui em São Petersburgo.

— *Você* enfrenta esses perigos, é verdade. E *eu* também. Mas Alexei não. Nosso filho não.

O czar fechou os olhos por um instante, depois levantou e andou até a janela, por onde fitou o Neva.

— Ele deve ir — retomou finalmente, virando-se e encarando diretamente a esposa. — Já falei ao primo Nicolau que ele irá comigo. Ele iria distribuir um boletim entre os soldados.

— Então diga a ele que mudou de ideia!

— Não posso fazer isso, Florzinha. A presença dele em Moguilev será muito encorajadora. Você bem sabe como o moral das tropas anda baixo, a disposição de espírito está caindo muito. Você lê os mesmos despachos que eu leio, vi você com eles em sua sala pessoal. Tudo o que pudermos fazer para incentivar os homens...

— E você acha que um menino de onze anos pode fazer isso? — ela indagou com um riso amargo.

— Mas ele não é apenas um menino de onze anos, certo? É o czaréviche. É o sucessor ao trono da Rússia. É um símbolo...

— Oh, detesto quando você fala dele dessa maneira! — cortou ela, agora percorrendo a sala num frenesi de raiva, passando por mim como se eu fosse uma mera faixa do papel de parede ou um sofá decorativo. — Ele não é um símbolo para mim. É meu filho.

— Florzinha, ele é mais do que isso, e você sabe.

— Mas, mamãe, eu quero ir — falou uma vozinha lá do tapete, e Alexei fitou a czarina com um olhar de adoração e franqueza. Olhos, percebi eu, iguais aos dela. Os dois eram muito parecidos.

— Sei disso, meu querido — respondeu ela, inclinando-se para lhe beijar o rosto. — Mas lá não é seguro para você.

— Terei cuidado, prometo.

— Você sempre cumpre as promessas — disse ela. — Mas e se você levar um tombo? E se uma bomba explodir por perto e você cair? Ou, Deus o livre, se aparecer uma bomba bem onde você está?

Senti um impulso desesperado de abanar a cabeça e suspirar, pensando que ela era a mãe mais superprotetora que existia. Se ele levasse um tombo? Que ideia ridícula, concluí eu. Ele tinha onze anos. Devia estar levando uns dez tombos por dia. Sim, e se levantando a cada vez.

— Florzinha, o menino precisa ter contato com o mundo real — disse o czar, agora com a voz mais firme, no tom de quem estava de decisão tomada e não iria mais discutir. — A vida toda ele tem sido criado e mimado em palácios, protegido e cercado de todos os cuidados. Pense nisto: e se me acontecesse alguma coisa amanhã e ele tivesse de ocupar meu lugar? Ele não tem a menor ideia do que é ser czar. Nem eu sabia grande coisa quando nosso amado pai nos foi tirado, e eu já era um homem de vinte e seis anos. Que chance teria Alexei nessas circunstâncias? Ele passa a vida inteira aqui, com você e as meninas. É hora de aprender alguma coisa sobre suas responsabilidades.

— Mas o perigo, Nicky — implorou ela, agora correndo para o marido e pegando-lhe as mãos. — Você precisa ter consciência disso. Eu fiz consultas muito cuidadosas a respeito. Perguntei ao padre Grigori o que ele acha desse plano, antes mesmo de vir falar com você. Então veja, não sou tão impetuosa quanto você poderia pensar. E ele me disse que não era uma boa ideia. Que você devia reconsiderar...

— O padre Grigori me diz o que devo fazer? — bradou ele horrorizado. — O padre Grigori acha que sabe melhor do que eu como governar este país, é isso? Que sabe como ser um bom pai para Alexei melhor do que o homem que o gerou?

— Ele é um homem de Deus — protestou ela. — Ele fala com um ser maior do que o czar.

— Ora, Florzinha! — rugiu afastando-se dela, numa voz frustrada e encolerizada. — Não vou conversar sobre isso mais uma vez. Todo dia a mesma coisa! Agora chega, está me ouvindo? Chega!

— Mas Nicky!

— Mas coisa nenhuma! Sim, sou o pai de Alexei, mas sou o pai de muitos outros milhões de pessoas, e também sou responsável pela proteção delas. O menino vai comigo para Moguilev. Receberá todos os cuidados, garanto a você. Derevenko e Fiodorov irão conosco, de forma que, se acontecer alguma coisa, os médicos estarão lá para atendê-lo. Gilliard também irá, para não se atrasar nos estudos. Haverá soldados e guarda-costas cuidando dele. E Geórgui não sairá de seu lado, desde a hora em que ele se levantar até o momento em que for dormir de noite.

— Geórgui? — bradou a czarina, franzindo o rosto de surpresa. — E quem é Geórgui, posso saber?
— Minha querida, você o viu. Pelo menos umas dez ou doze vezes.

Ele acenou a cabeça em minha direção, dei uma leve tossidela e me levantei, saindo das sombras do aposento e aparecendo diante dela. A czarina se virou e me fitou como se não tivesse a mínima ideia do que eu fazia ali ou por que eu estava solicitando sua atenção, até se afastar e andar decidida até o marido.

— Se alguma coisa acontecer com ele, Nicky...
— Não vai acontecer nada com ele.
— Mas, se acontecer, eu lhe garanto...
— Você me garante o quê, Florzinha? — perguntou friamente. — O que é que você me garante?

Então ela hesitou, o rosto próximo ao dele, mas não disse nada. Vencida, virou-se e me lançou um olhar gelado antes de descer os olhos até o filho, quando então seu rosto novamente se distendeu de felicidade, como se não existisse nenhuma outra visão mais bela ou perfeita no mundo.

— Alexei — falou em tom gentil, estendendo a mão. — Alexei, deixe os brinquedos e agora venha com a mamãe, está bem? É hora de jantar.

Ele concordou, ergueu-se, deu-lhe a mão e seguiu-a enquanto ela saía impetuosamente da sala.

— Então? — perguntou-me o czar em voz fria e irada. — O que você está esperando? Vá com ele. Cuide dele. É para isso que você está aqui.

O Quartel-General das Forças Armadas Russas — Stavka — ficava no alto de uma colina, na antiga casa do governador da província, de onde ele foi obrigado a se mudar para garantir que ainda teria uma região para governar quando a guerra acabasse. Era uma mansão ampla e espraiada, situada numa área de dezenas de hectares, com cabanas e choças nos arredores, que se disseminavam na paisagem em quantidade suficiente para acomodar todos aqueles militares que estavam por ali.

O grão-duque Nicolau Nicolaievitch, que ficava em Stavka praticamente em caráter permanente, ocupava o segundo melhor dormitório da residência, um aposento calmo no primeiro andar, que dava para um jardim onde o governador havia tentado, sem êxito, cultivar verduras e legumes na terra congelada. Mas o melhor cômodo, uma grande suíte no último andar da casa, com banheiro privativo e gabinete anexo, permanecia livre para todas as ocasiões em que o czar vinha inspecionar as tropas. A vista pelas janelas com treliças era um panorama tranquilo dos morros à distância, e nas tardinhas serenas podia-se às vezes ouvir a água a correr nos regatos próximos, dando a ilusão de que o mundo estava em paz e que levávamos uma inocente vida rural na tranquilidade da Bielo-Rússia oriental. Durante nossa permanência, o czar dividia esse aposento com Alexei, ao passo que eu ocupava um beliche numa pequena saleta do térreo, que dividia com outros três guarda-costas, entre eles meu amigo Serguei Stassiovitch, um dos seguranças dedicados exclusivamente à proteção do czar.

Era uma alegria observar o czar e o czarévitche juntos nessa época, pois eu nunca tinha visto pai e filho se divertirem tanto com a mútua companhia. Em Cáchin, todos estranhariam e desaprovariam esse tipo de afeição. O máximo de ternura filial a que chegávamos era o respeito que meu velho amigo Colec mostrava pelo pai Bóris. Mas aqui havia uma ternura e uma amizade entre os dois que me fazia invejar a relação deles, e se acentuavam ainda mais quando estavam longe da austeridade da vida no palácio. Nessas horas eu pensava em Daniel, e com mágoa.

O czar insistiu desde o começo que Alexei fosse tratado não como menino, mas como o herdeiro do trono russo. Nenhuma conversa era considerada séria ou privada demais para seus ouvidos. Quando Nicolau saía para visitar as tropas, Alexei cavalgava a seu lado, enquanto Serguei, eu e os demais guarda-costas seguíamos logo atrás. Durante as revistas, os soldados ficavam em posição de sentido e respondiam às perguntas do imperador, e o menino se mantinha calmamente ao lado do pai, polido e atento, ouvindo tudo o que era dito e digerindo cada palavra.

E quando visitávamos os hospitais de campanha, o que fazíamos com frequência, ele não demonstrava nenhum sinal de melindre ou horror, apesar das cenas terríveis que se estendiam diante de nós.

Num determinado acampamento, todo nosso séquito entrou numa tenda de pálio cinza onde um grupo de médicos e enfermeiras atendia cerca de cinquenta a sessenta soldados feridos, deitados em leitos tão apertados que pareciam formar um único e enorme colchão, emendado para morrerem nele. Pairava no ar o cheiro de sangue, de membros em decomposição e de carne em putrefação, e quando entramos voltei correndo para o ar livre, contorcendo a cara de nojo e segurando na garganta o impulso natural de vomitar. O czar não mostrou nenhum sinal de náusea; Alexei tampouco se permitiu ser tomado por aqueles horrores sensoriais. Na verdade, olhando para meu lado enquanto eu tossia, notei seu ar de clara desaprovação, que me embaraçou, pois ele não passava de um menino, cinco anos mais novo do que eu, e estava se conduzindo com mais dignidade do que eu seria capaz. Lutei contra meu nojo e segui o grupo imperial, conforme avançava de leito em leito.

O czar falava de um em um, inclinando-se até o rosto de cada um deles, para que a conversa tivesse um ar mais pessoal. Alguns conseguiam murmurar alguma resposta, outros não tinham energia nem compostura para entabular um diálogo. Todos pareciam absolutamente intimidados com a presença do czar entre eles; talvez pensassem, em meio à febre, que estavam simplesmente delirando. Era como se Cristo em pessoa tivesse entrado na tenda e começasse a distribuir suas bênçãos.

No centro da tenda, Alexei soltou a mão do czar, foi até os leitos do outro lado e começou a falar aos soldados, imitando o pai. Sentava-se ao lado deles e lhes contava como tinha vindo de longe, desde São Petersburgo, para estar ali com eles. Que ele montava um cavalo de batalha, mas que andávamos a passo lento para não lhe acontecer nada. Falava de miudezas, coisas sem importância que deviam lhe parecer sumamente importantes, mas os doentes apreciavam a simplicidade de suas palavras e ficavam encantados com ele. Quando estavam chegando ao final de suas respectivas fileiras, vi que o czar se virava para observar o filho, o qual estava pondo um pequeno ícone entre as mãos de um homem que perdera a visão durante um ataque. Voltando-se para um de seus generais, comentou algo em voz baixa que não consegui ouvir, o general assentiu e fitou o czaréviche, enquanto este concluía sua conversa.

— Aconteceu alguma coisa, papai? — perguntou Alexei, virando-se e vendo todos os olhos postos nele.

— Não, nada, meu filho — respondeu o czar, e tive certeza de ouvir as palavras embargadas em sua garganta, tão dominado estava ele pela compaixão diante do sofrimento do ferido, mesclada ao orgulho pela atitude do filho. — Mas venha, é hora de irmos.

Não vi o grão-duque Nicolau Nicolaievitch, cuja vida eu salvara e cuja gratidão me trouxera a essa nova existência, senão depois de uma semana em Stavka. Quando nos reencontramos, ele acabava de retornar do fronte, onde comandara as tropas com graus variados de sucesso, e voltara a Moguilev para se aconselhar com o primo czar e planejar a estratégia do outono. Eu havia entrado na casa pelo jardim, onde Alexei construía um forte entre algumas árvores, quando vi aquele homem gigantesco vindo pelo corredor em minha direção. Meu impulso inicial foi me virar e sair correndo, pois sua enorme altura e largura sugeriam uma presença extremamente intimidadora — quase mais intimidadora do que o próprio czar —, mas era tarde demais para fugir, pois ele tinha me visto e erguia a mão num aceno.

— Jachmenev — bradou enquanto se aproximava, praticamente bloqueando a passagem da luz do sol pelas portas abertas. — É você, não é?

— Sou, sim senhor — declarei fazendo uma vênia profunda e respeitosa. — Que bom vê-lo novamente.

— Mesmo? — indagou em tom surpreso. — Bem, fico contente em ouvir. Então aqui está você — acrescentou, olhando-me de cima a baixo para decidir se ainda me aprovava ou não. — Pensei que daria certo. Disse ao primo Nicky, há um garoto que encontrei num buraco de aldeia, um moleque muito valente. Não é lá grande coisa, isso é verdade. Podia ter mais alguns centímetros de altura e mais alguns quilos de musculatura, mas não é ruim de todo. Podia ser exatamente quem você está procurando para cuidar do jovem Alexei. Fico contente em ver que ele me deu ouvidos.

— Sou-lhe grato, senhor, pela grande mudança em minhas condições.

— Sim, sim — disse ele evasivamente. — Que diferença de... onde foi que nos encontramos?

— Cáchin, senhor.

— Ah, sim, Cáchin. Lugarzinho horrível. Tiveram de enforcar o louco que tentou atirar em mim. Não queria fazer isso, na verdade, era apenas um garoto, mas não há desculpas para um gesto desses. Precisava servir de exemplo. Você entende, não é mesmo?

Assenti, mas não disse nada. A lembrança de minha participação na morte de Colec era uma coisa que eu tentava evitar, pois me sentia tremendamente culpado pelas vantagens que obtive com ela. Além disso, sentia falta da companhia dele.

— Amigo seu, não era? — perguntou o grão-duque passado um momento, ao perceber minha reticência.

— Crescemos juntos. Às vezes ele tinha ideias estranhas, mas não era mal-intencionado.

— Não tenho muita certeza disso — replicou franzindo a testa. — Afinal ele apontou uma arma contra mim.

— É verdade, senhor.

— Bem, agora faz parte do passado. A sobrevivência dos mais aptos e tudo aquilo. Aliás, por falar nisso, onde está o czaréviche? Não seria sua obrigação estar com ele o tempo todo?

— Está logo ali — respondi acenando a cabeça para o bosquezinho, onde o menino arrastava alguns troncos pelo mato para ajudar na construção das paredes do forte.

— Ele está bem ali, sozinho? — perguntou o grão-duque, e não consegui reprimir um suspiro de decepção. Fazia quase dois meses que eu cuidava do czaréviche e nunca tinha visto um menino tão cercado de atenções. Os pais agiam como se ele fosse se quebrar a qualquer momento. E agora o grão-duque insinuava que não podia ficar sozinho para não se machucar. Às vezes eu tinha vontade de gritar: *É só um menino. Uma criança! Vocês nunca foram crianças?*

— Posso voltar lá, se assim o senhor preferir — respondi. — Entrei apenas por um momento para...

— Não, não — atalhou depressa, abanando a cabeça. — Ouso dizer que você sabe o que está fazendo. Não costumo dizer aos servos dos outros como fazer seu serviço.

Fiquei um pouco irritado com essa caracterização. O servo do czar. Era isso o que eu era? Bem, claro que sim. Dificilmente eu podia me dizer livre. Mesmo assim, era desagradável ouvir aquilo em voz alta.

— E você se adaptou bem a suas novas obrigações? — indagou ele.

— Sim, senhor — respondi com sinceridade. — Eu... talvez não seja a expressão correta, mas me dou muito bem com elas.

— A expressão é corretíssima, meu rapaz — disse ele, fungando de leve e assoando o nariz num enorme lenço branco. — Nada melhor do que um sujeito gostar do que faz. O dia passa muito mais rápido. E como vai aquele seu braço? — acrescentou desferindo um soco tão forte em meu ombro, bem no lugar em que a bala tinha me atingido, que mal consegui reprimir um uivo de dor ou um soco de volta, gesto que só me traria consequências horríveis.

— Muito melhor, senhor — respondi rangendo os dentes.

— Ficou uma cicatriz, como o senhor bem disse, mas...

— Um homem deve ter cicatrizes — atalhou rápido. — Estou cheio de cicatrizes, sabe. Tenho o corpo coberto delas. Sem roupa, parece que um gato se arrastou em cima de mim com garras compridas. Alguma hora eu lhe mostro.

Olhei para ele atônito com a observação. A última coisa que eu queria era fazer um passeio turístico pelas cicatrizes do grão-duque. Ele prosseguiu, sem dar atenção à minha surpresa.

— Não há um soldado neste exército que não tenha cicatrizes. Tome isso como sinal de honra, Jachmenev. E quanto às mulheres... Bem, quando elas virem, garanto-lhe que isso vai atiçar a fantasia delas mais do que você pode imaginar.

Corei, inocente que era, e baixei os olhos para o chão, em silêncio.

— Por todos os santos, garoto! — exclamou numa leve risada. — Você ficou da cor de um tomate! Já anda exibindo a cicatriz para todas as putas em volta do Palácio de Inverno, não é?

Eu não disse nada e olhei para longe. A verdade é que jamais tinha feito algo assim, e continuava tão inocente dos prazeres da carne como no dia em que nasci. Não tinha o menor interesse por prostitutas, embora estivessem disponíveis, pois eram mercadorias indispensáveis na vida palaciana. E não tinha o menor interesse em mulheres que não exigiam paga por seus encantos. Só uma moça atraía todas as minhas atenções. Mas jamais poderia revelar o fato, pois era uma afeição tão imprópria que a revelação poderia me custar a vida. A última coisa que eu faria seria contar a Nicolau Nicolaievitch.

— Bem, sorte sua, garoto — disse ele, estapeando de novo meu braço. — Você é jovem. Pode encontrar seus prazeres onde... Bom Deus!

A súbita mudança de tom me fez levantar os olhos e vi que ele estava olhando pela janela, para o jardim, onde a construção do forte do czaréviche avançava muito bem. Mas Alexei estava fora do campo de visão e, quando acompanhei os olhos do grão-duque, consegui enxergá-lo a uns cinco metros de altura do solo, sentado num galho grosso que se projetava de um carvalho.

— Alexei! — arquejou o grão-duque, e a palavra saiu trêmula.

— Ó de lá! — gritou o menino de seu mirante, a voz chegando até nós, deliciado com a altura a que tinha subido. — Primo Nicolau, Geórgui, vocês conseguem me ver?

— Alexei, fique onde está! — atroou o grão-duque, correndo para o jardim. — Não se mexa, entendeu? Fique exatamente onde está. Vou socorrê-lo.

Segui depressa atrás dele, espantado com a gravidade que o grão-duque parecia atribuir à questão. O menino tinha conseguido subir sozinho na árvore, e não teria maiores dificuldades em descer. No entanto, Nicolau Nicolaievitch tinha saído em disparada para o carvalho, como se a vida de todos nós e o destino da própria Rússia dependessem de resgatarmos Alexei dali.

Mas era tarde demais. A imagem daquele homem descomunal arremetendo em sua direção foi demais para o menino, que tentou se levantar e descer pelo tronco — talvez pensando que havia transgredido alguma regra desconhecida e que seria prudente sair correndo antes que o apanhassem e lhe dessem um castigo —, mas enroscou o pé num galho e logo ouvi-o soltar um grito de surpresa, enquanto se debatia para encontrar apoio num dos galhos e ramos menores abaixo dele, até que caiu estatelado no chão, num baque sonoro, onde se pôs de pé, esfregou a cabeça e o cotovelo, e nos abriu um sorriso como se a cena toda tivesse sido uma grande surpresa para ele, mas não totalmente desagradável.

Devolvi o sorriso. Afinal ele estava bem. Era apenas uma travessura. Não tinha acontecido nada de mais.

— Rápido — disse o grão-duque, agora virando-se para mim com o rosto pálido. — Vá chamar os médicos. Traga-os aqui imediatamente, Jachmenev.

— Mas ele está bem, senhor — protestei, espantado por levar o acidente tão a sério. — Olhe para ele, ele só...

— Traga-os *já*, Jachmenev — urrou ele, quase me derrubando em sua fúria, e desta vez não vacilei.

Virei, corri, chamei ajuda.

E em poucos minutos a casa inteira ficou num suspense dramático.

O anoitecer chegou e passou sem nenhuma refeição; a noite transcorreu sem nenhuma passatempo. Por fim, às duas da manhã, arranjei uma desculpa para deixar o aposento onde estavam reunidos os demais membros da Guarda Imperial, cada um me encarando com mais desprezo do que o outro, e voltei para meu beliche, onde a única coisa que eu queria era fechar os olhos, adormecer logo e deixar para trás os acontecimentos daquele dia horroroso.

Nas horas entre o acidente e a manhãzinha seguinte, senti desorientação, raiva e autopiedade, mas ainda não sabia por que o tombo de Alexei era considerado uma calamidade tão grande, pois ele não mostrava nenhum ferimento externo, afora algumas pequenas raladuras no cotovelo, na perna e no peito. Naturalmente eu tinha começado a entender que os cuidados com o czaréviche não se deviam apenas ao fato de ser o herdeiro do trono, mas que havia algo mais sério. Retrospectivamente, lembrei algumas conversas com o czar, com alguns guardas e até com o próprio Alexei, onde as questões ficavam implícitas, nunca expostas com clareza, e amaldiçoei minha burrice por não ter investigado melhor.

Ao seguir pelos corredores, sentindo-me cada vez mais compadecido de mim mesmo, uma porta à esquerda se abriu e, antes que eu pudesse olhar naquela direção para ver quem estava ali dentro, um punho me agarrou pela lapela e, praticamente me erguendo do chão, puxou-me para dentro.

— Como você pôde ser tão idiota? — perguntou Serguei Stassiovitch, fechando a porta e me girando para ficar de frente para ele. Para meu grande espanto, vi que a única outra pessoa no aposento era a irmã mais velha de Alexei, a grã-duquesa Maria, de pé com as costas apoiadas a uma janela, o rosto pálido, os olhos vermelhos de lágrimas. Um dos guardas tinha dito antes que a czarina Alexandra já havia chegado de São Petersburgo e, ao saber disso, senti um súbito acesso de esperança de que ela não tivesse vindo sozinha.

— Por que você não estava vigiando? — retomou meu amigo.

— Eu *estava* vigiando, Serguei — insisti, transtornado com o fato de que o mundo inteiro parecia ter decidido que todo o ocorrido era culpa desse pobre mujique de Cáchin. — Eu estava no jardim com ele, ele não estava fazendo nada perigoso. Entrei só por um instante e me distraí com...

— Você não devia tê-lo deixado — falou Maria avançando em minha direção.

Fiz-lhe uma profunda reverência, que ela afastou com a mão como se fosse um insulto. Éramos da mesma idade — ambos tínhamos feito dezessete anos poucos dias antes — e ela possuía uma beleza de porcelana que virava a cabeça dos homens sempre que entrava num aposento. Alguns a consideravam a grande beldade entre as filhas do czar. Mas eu não.

— É isso que acontece quando admitem amadores entre nossas fileiras — disse Serguei, dando-me as costas frustrado e andando pela sala. — Oh, desculpe dizer, Geórgui, nem chega a ser falha sua, mas você não tem experiência para tanta responsabilidade. Foi absolutamente ridículo da parte de Nicolau Nicolaievitch recomendá-lo. Você sabe quanto tempo treinei para proteger o czar?

— Ora, você só tem dois anos a mais do que eu, não vejo grande diferença — respondi, pois de jeito nenhum aceitaria ouvir uma repreensão dele.

— E ele está no palácio há oito anos — vociferou a grã-duquesa, aproximando-se ainda mais, enfurecida com minha observação. — Serguei passou a adolescência no Corpo de Pajens. Você ao menos tem ideia do que seja isso?

Deu-me um olhar de desprezo, abanou a cabeça e respondeu a própria pergunta.

— Claro que não sabe. Ele foi um dos cento e cinquenta garotos escolhidos entre a nobreza da corte e treinado de acordo com as regras da Guarda Imperial. E somente os mais excelentes membros do corpo têm a função de proteger minha família. Ele aprendeu diariamente a observar, a ver onde estão os riscos, a impedir que aconteça qualquer tragédia. Você faz alguma ideia da quantidade de parentes e antepassados meus que foram assassinados? Você percebe que meu irmão, minhas irmãs e eu andamos à sombra da morte a cada instante do dia? Só podemos contar com nossas orações e nossos guardas. Serguei Stassiovitch é o tipo de homem de que precisamos. Não você, não você.

Balançou a cabeça e me olhou com ar de dó. Pareceu-me realmente extraordinário que ela parecesse dividir sua fúria entre o que havia acontecido com seu irmão e o que eu acabara de dizer a Serguei. O que ele representava para ela, afinal, além de ser apenas mais um membro da Guarda Imperial? O objeto de sua acalorada defesa agora estava junto à janela, fumegando de raiva, e vi Maria ir até ele e lhe falar baixinho, enquanto ele acenava em discordância e dizia *não*. Imaginei se Maria não estaria um pouco apaixonada por ele, talvez, pois era um rapaz que chamava a atenção, alto e bem-apessoado, com olhos azuis penetrantes e cabelos loiros que lhe davam uma aparência mais ariana do que russa.

— Não sei o que esperam de mim — disse finalmente, agora chegando à beira das lágrimas de tanta aflição. — Tenho cuidado dele o máximo que posso, desde o momento em que recebi minhas obrigações. Foi um acidente, por que é tão difícil de entender? Meninos sofrem acidentes.

— Vá dormir um pouco, Geórgui — disse Serguei em tom controlado, virando-se para mim e vindo me dar no ombro um tapinha de comiseração. Afastei a mão dele, pois não queria sua condescendência. — Amanhã vai ser um dia puxado, com toda certeza. Vão querer falar com você. Não é culpa sua, de fato. A verdade é que deviam tê-lo avisado antes. Talvez se você soubesse...

— Soubesse? — franzi a testa desconcertado. — Soubesse o quê?

— Vá — disse ele abrindo a porta e me empurrando de volta para o corredor.

Eu estava a ponto de argumentar, mas Serguei havia retomado a conversa com a grã-duquesa. Sentindo-me totalmente excluído de seus interesses, fiquei profundamente desapontado com a situação e fui embora depressa, mas em vez de ir para a cama como havia planejado, voltei para o jardim onde se iniciara toda aquela situação.

Era uma noite de lua cheia, e me encontrei no mesmo lugar onde, de tarde, estive conversando com o grão-duque, agora contente em estar sozinho com meus pensamentos e mágoas pessoais. Lá fora soprava uma brisa suave; fechei os olhos diante das portas abertas e deixei que ela me envolvesse, imaginando que estava longe dali, num local onde não se esperava tanto de mim. Naquela escuridão, na solidão sombria daquele vestíbulo em Stavka, era possível encontrar um pouco de paz, um pequeno desafogo do drama que nos engolfara durante toda a tarde e a noite.

Ouvi o som dos passos no corredor antes mesmo de pensar em me virar e olhar naquela direção. Havia uma premência, uma decisão neles que me deixaram nervoso.

— Quem vem lá? — chamei.

A despeito do que pudessem pensar Serguei e a grã-duquesa Maria, nos últimos tempos eu tinha sido treinado de várias maneiras, com perícia cada vez maior, para enfrentar um assassino em potencial, mas certamente ele não estaria aqui, em pleno quartel-general.

— Quem vem lá? — repeti mais alto, pensando se ainda teria oportunidade de me redimir aos olhos da família imperial antes do amanhecer. — Apresente-se.

Ao dizer isso, finalmente a figura saiu ao brilho do luar e, antes que eu pudesse recobrar o fôlego, ela estava diante de mim, levantando a mão no ar, e num único gesto incisivo e resoluto deu-me uma bofetada vigorosa no rosto. Fiquei tão tomado pela surpresa diante da força e do caráter inesperado daquele gesto que perdi o equilíbrio, cambaleei para trás, pisei em falso e caí fincando dolorosamente o cotovelo no chão, mas não emiti nenhum som, simplesmente fiquei ali sentado, atordoado e afagando o maxilar machucado.

— Seu tolo — disse a czarina, adiantando-se mais um passo, e recuei um pouco, como um caranguejo andando para trás na areia, mesmo achando que ela não pretendia me bater de novo. — Seu tolo idiota — repetiu com a voz devastada de ódio e medo.

— Majestade — falei pondo-me de pé, mas mantendo uma distância de segurança. Seus olhos estavam absolutamente aterrorizados, um pânico como eu nunca tinha visto antes. — Continuo a insistir com as pessoas, foi um acidente. Não sei como...

— Não podemos *ter o luxo* de acidentes — gritou ela. — Que sentido tem você, se não cuida de meu filho? Se não o mantém afastado do perigo?

— Que sentido tenho eu? — perguntei, sem qualquer dúvida de que aquela expressão não me agradava, mesmo vinda da imperatriz da Rússia. — Não posso ficar de olhos grudados nele todos os instantes do dia. Ele é um menino. Quer aventuras.

— Ele caiu de uma árvore, foi o que me disseram. O que ele estava fazendo em cima de uma árvore, para começar?

— Subiu nela. O czaréviche estava construindo um forte. Suponho que estava procurando mais lenha e...

— Por que você não estava junto? Você devia estar com ele!

Abanei a cabeça e desviei o olhar, incapaz de entender como ela era capaz de pensar que eu poderia estar sempre ao lado do menino. Era um garoto cheio de energia, independentemente do que pensassem a respeito dele. Vivia escapando de mim.

— Geórgui — disse a czarina, rodeando o rosto com as mãos e assim ficando por um momento, enquanto soltava um longo hausto de ar. — Geórgui, você não entende. Eu falei ao Nicky que devíamos ter lhe explicado.

— Explicado? — perguntei, agora eu alçando a voz, apesar de nossa diferença de nível, pois, fosse o que fosse, não podiam mais guardá-lo de mim. — Explicado o quê? Conte-me, por favor!

— Escute — disse ela, pondo um dedo nos lábios em sinal de silêncio, e olhei em torno, esperando ouvir alguma coisa que explicasse tudo.

— O que é? Não ouço nada.

— Eu sei. Agora está tudo quieto. Nem um som. Mas daqui a uma hora, talvez menos, esses corredores ressoarão com os gritos de meu filho, enquanto começam as primeiras dores. O sangue nas feridas não vai se coagular. E então ele vai começar a sofrer. E você pode achar que nunca ouviu gritos tão angustiados, mas... — ela soltou um pequeno riso amargo enquanto balançava a cabeça — não serão nada, *nada*, em comparação ao que virá em seguida.

— Não foi uma queda séria — protestei, notando a fragilidade de minhas objeções, pois tinha começado a entender que havia uma razão para tantas medidas de precaução.

— Poucas horas depois, e então começará a doer de verdade — prosseguiu ela. — Os médicos não conseguirão estancar o sangue, pois as lesões são todas internas, e é impossível operá-lo, pois não podemos permitir que ele sangre ainda mais. Não tendo vazão natural, o sangue vai correr para os músculos e as articulações de Alexei, tentando preencher espaços que já estão cheios, aumentando cada vez mais as áreas feridas. Ele vai começar a sofrer de uma maneira que nem você, nem eu somos capazes de imaginar. Ele vai chorar. E então vai gritar. Vai gritar durante uma semana, talvez mais. Você pode imaginar o sofrimento, Geórgui? Você pode imaginar como deve ser, para gritar tanto e por tanto tempo?

Fiquei a olhá-la, sem dizer nada. Claro que não podia imaginar. Estava além da imaginação.

— E durante esse tempo todo, ele vai perder e recobrar a consciência, mas na maior parte do tempo estará desperto sentindo a dor — prosseguiu ela. — Terá delírios e convulsões no corpo inteiro. Ele vai se alternar entre pesadelos, gritos de dor e súplicas ao pai ou a mim para ajudá-lo, para aliviar um pouco o sofrimento, mas não poderemos fazer nada. Ficaremos sentados ao lado da cama, falaremos com ele, seguraremos sua mão, mas não choraremos, porque não podemos mostrar fraqueza diante dele. E isso vai se prolongar sabe-se lá por quanto tempo. E então, sabe o que pode acontecer, Geórgui?

Abanei a cabeça.

— O quê?

— Então ele pode morrer — disse ela friamente. — Meu

filho pode morrer. A Rússia pode ficar sem herdeiro. E tudo isso porque você deixou que ele subisse numa árvore. Agora você entende?

Eu não sabia o que dizer. O menino era hemofílico; tinha a chamada "doença dos reis", que entreouvi nos cochichos dos criados, mas a que nunca dei muita atenção. Vitória, a falecida rainha da Inglaterra, avó da czarina, era portadora e, como a maioria de seus filhos e netos se casaram com príncipes e princesas da Europa, a doença constituía um segredo vergonhoso em muitas cortes. Inclusive a nossa. Deviam ter me dito antes, pensei com amargura. Deviam ter confiado em mim. Pois afinal eu preferia cravar um punhal no peito a causar qualquer sofrimento ao czaréviche.

— Posso vê-lo? — perguntei, e ela me sorriu por um instante, abrandando um pouco o semblante, antes de simplesmente virar e desaparecer nas sombras do longo corredor, rumo ao quarto do czaréviche.

— Quero vê-lo! — gritei para ela, sem nem me passar pela cabeça como estava sendo inconveniente. — Por favor, deixe-me vê-lo!

Meus gritos, porém, caíram em ouvidos moucos. Os passos da czarina eram rápidos, mas, ao contrário de antes, cada vez menos audíveis, desaparecendo na distância, e fiquei novamente sozinho, contemplando o jardim, desesperado e lamentando minhas ações.

E foi neste momento que Anastácia veio até mim.

Ela tinha ouvido todas as palavras que sua mãe e eu tínhamos trocado. Devia ter chegado no último trem, tal como eu esperava. Tinha vindo por causa do irmão.

E por minha causa também, pensei eu.

— Geórgui — chamou ela, a voz pouco mais que um sussurro, passando por cima das sebes e touceiras e chegando como música a meus ouvidos. Voltei o rosto para o lado de onde vinha o som e vi seu vestido branco ondulando por trás do verde-escuro da vegetação. — Geórgui, estou aqui.

Olhei rapidamente em torno para me certificar de que não éramos observados e corri até o jardim. Ela me esperava atrás de um conjunto de sebes e, quando vi seu rosto ansioso, senti vontade de chorar. O irmão dela estava de cama, aterrorizado, preparando-se para semanas de sofrimento indizível, mas de repente nada disso parecia importar, e fiquei envergonhado. Pois ela estava aqui, à minha frente.

— Tinha esperança de que você viesse.

— Mamãe nos trouxe — disse em tom de lamento e caiu em meus braços. — Alexei está...

— Eu sei. E foi culpa minha. Foi tudo por culpa minha. Eu devia... devia ter tomado mais cuidado. Se eu soubesse...

— Você não sabia dos perigos — retomou ela. — Estou assustada, Geórgui. Por favor, me abrace. Me abrace e diga que vai ficar tudo bem.

Não hesitei. Envolvi-a com meus braços e apertei seu rosto em meu peito, beijando-lhe os cabelos macios e ali pousando os lábios, aspirando o aroma delicado de seu perfume.

— Anastácia — disse cerrando os olhos, sem saber como tinha chegado àquela situação. — Anastácia, minha amada.

1953

Eu esperava Zoia sentado junto à janela de uma lanchonete na frente da Escola Central de Arte e Desenho, espiando o relógio de vez em quando e tentando ignorar as conversas ao redor de mim. Ela estava mais de meia hora atrasada e eu começava a me enervar. Diante de mim estava um exemplar aberto de *A nave da revolta*, mas não conseguia me concentrar na leitura e acabei pondo-o de lado, pegando então uma colherinha para mexer o café e tamborilando nervosamente os dedos da outra mão na mesa.

Do outro lado da rua, os professores e estudantes da faculdade caminhavam devagar, parando e conversando, rindo, cochichando, trocando beijos, alguns atraindo carrancas de desaprovação dos transeuntes por causa de suas roupas pouco ortodoxas. Um rapaz com cerca de dezenove anos virou a esquina e marchou pela rua como se fosse o porta-estandarte de um regimento, com calças bem justas, camisa e colete de cor escura, tudo encimado por uma casaca eduardiana que lhe batia nos joelhos. O cabelo estava besuntado de brilhantina, empinado na frente formando um elegante topete, e ele se pavoneava como se a cidade inteira lhe pertencesse. Era impossível não olhar, e provavelmente era essa sua intenção.

— Geórgui.

Olhei em volta e fiquei surpreso ao ver minha mulher aguardando a meu lado; eu estava tão absorto contemplando o movimento na frente da faculdade que nem percebi sua chegada. Era algo, pensei com uma leve tristeza, que jamais teria acontecido um ano antes.

— Olá — cumprimentei consultando o relógio e imediatamente me arrependendo do gesto, pois era uma atitude agressiva, querendo lhe apontar o atraso sem precisar dizer uma palavra. Eu estava aborrecido, verdade, mas não queria *parecer* aborrecido. Tinha passado a maior parte do último semestre tentando não *parecer* aborrecido. Era uma das coisas que nos mantinham juntos.

— Desculpe, mesmo — ela disse, sentando com um suspiro exausto e tirando o chapéu e o casaco.

Ela havia cortado o cabelo bem curto algumas semanas antes, num estilo que lembrava a rainha — isto é, a rainha-mãe; ainda não me acostumara a chamá-la assim —, e, para ser franco, eu não tinha gostado. Mas naquela época havia muitas coisas de que eu não gostava.

— Eu me atrasei bem na hora de sair — explicou. — A secretária do dr. Highsmith não estava na mesa e eu não podia ir embora sem marcar a próxima sessão. Ela demorou um tempo enorme para voltar, e quando voltou não conseguia encontrar a agenda. — Abanou a cabeça e suspirou, como se o mundo fosse um lugar demasiado cansativo, mas então deu um leve sorriso e se virou para mim. — A coisa toda levou uma eternidade. E aí os ônibus... bem, de qualquer forma, o que posso dizer? Além de pedir desculpas...

— Não tem problema — respondi movendo a cabeça como se nada daquilo realmente importasse. — Nem tinha percebido a hora. Está tudo bem?

— Tudo ótimo.

— O que você vai querer?

— Só uma xícara de chá, por favor.

— Só chá?

— Por favor — disse em tom alegre.

— Não está com fome?

Ela hesitou um pouco, avaliando, e sacudiu a cabeça.

— Agora não. Hoje, por alguma razão, não estou com muito apetite. Só o chá mesmo, obrigada.

Assenti e fui até o balcão pedir um novo bule de chá. De pé ali, esperando a água ferver e a infusão ficar pronta, fiquei observando minha mulher enquanto ela fitava pela janela a faculdade onde dava aulas fazia cinco anos, tentando não sentir ódio pelo que ela tinha feito a nós. Pelo que ela tinha feito a mim. Pelo fato de chegar atrasada, sem apetite, o que me sugeria que tinha estado em algum outro lugar, com algum outro homem, almoçando com ele e não comigo. Embora eu soubesse que não era o caso, odiava Zoia por me fazer desconfiar de cada movimento seu.

— Obrigada — agradeceu quando pus a xícara à sua frente. — Estava precisando disso. Agora está frio lá fora. Eu devia ter trazido um lenço. E como você passou sua manhã?

Dei de ombros, exasperado com seu ar bem-disposto e a conversa frívola, como se não houvesse nada de errado no mundo, como se nossa vida fosse o que sempre tinha sido e o que sempre deveria ser.

— Como sempre — respondi. — Um tédio.

— Oh, Geórgui — disse ela, estendendo a mão por sobre a mesa e pousando-a na minha. — Não diga isso. Sua vida não é um tédio.

— Bem, com certeza não é tão animada quanto a sua — repliquei, arrependendo-me imediatamente dessas palavras, enquanto ela se imobilizava, tentando entender se eu realmente pretendera ser tão ferino quanto parecia; manteve a mão mais alguns instantes sobre a minha e então retirou, olhando pela janela e sorvendo cuidadosamente o chá. Eu sabia que ela não voltaria a falar enquanto eu não quebrasse o silêncio. Depois de mais de trinta anos de casados, eu era capaz de prever quase tudo o que ela faria. Ainda podia me surpreender, é claro, e Ássia tinha provado isso. Mesmo assim, eu a conhecia melhor do que qualquer outra pessoa.

— A moça nova começou — disse por fim, pigarreando e puxando um assunto pouco arriscado. — É uma novidade, imagino.

— Ah, é mesmo? — perguntou ela em tom neutro. — E como ela é?

— Muito simpática. Ansiosa em aprender. Muito informada sobre livros. Fez literatura em Cambridge. Medonhamente inteligente.
Zoia sorriu e reprimiu uma risada.
— *Medonhamente inteligente* — repetiu. — Geórgui, como você virou inglês!
— Virei?
— Virou, sim. Você jamais usaria uma expressão dessas quando chegamos em Londres. São todos esses anos cercado de professores e catedráticos na biblioteca.
— Suponho que sim. De fato eles dizem que a linguagem se altera quando a pessoa se integra mais a uma outra sociedade.
— Ela é tímida?
— Quem? — indaguei.
— Sua nova assistente. Aliás, como ela se chama?
— Srta. Llewellyn.
— É de Gales?
— É.
— E é quietinha?
— Não. Não é porque ela resolveu trabalhar numa biblioteca que isso significa que seja alguma flor ultrassensível da qual ninguém pode chegar perto, pois se arroxearia de vergonha, entendeu?
Zoia suspirou e me fitou.
— Tudo bem. Eu não estava insinuando nada. Só estava conversando um pouco.
Irritabilidade. Petulância. Ansiedade. Desejo subconsciente de notar algo de errado em qualquer expressão que ela usasse. Necessidade de criticá-la, de fazê-la se sentir mal consigo mesma. Eu notava isso a cada vez que falávamos. E odiava o fato. Não era assim que devíamos ser. Devíamos nos amar, tratar um ao outro com respeito e gentileza. Afinal nunca fomos Geórgui e Zoia. Éramos GeórguieZoia.
— Ela vai se acertar — retomei em tom um pouco mais

leve, para não aumentar a tensão da conversa. — As coisas não serão as mesmas sem a srta. Simpson, claro. Ou sem a sra. Harris, aliás. Mas estamos aqui, a vida continua, os tempos mudam.

— É verdade — respondeu ela, inclinando-se para pegar a bolsa e tirando um exemplar do *Times* daquela manhã. — Você viu isso? — perguntou colocando o jornal sobre a mesa, virado para mim.

— Vi, sim — comentei depois de uma breve hesitação.

Eu fazia questão de ler *The Times* todos os dias de manhã na biblioteca, e ela sabia disso. O que me surpreendeu foi que *ela* tivesse visto, pois Zoia não era grande apreciadora dos noticiários, ainda mais hoje em dia, quando tantas notícias eram de conteúdo belicoso.

— E o que você acha?

— Não acho nada — respondi erguendo o jornal e observando a foto de Josef Stálin, com o bigode basto, os olhos de pálpebras pesadas sorrindo com falsa cordialidade. — O que você quer que eu ache?

— Devíamos dar uma festa — disse em voz baixa, mas triunfante. — Devíamos comemorar, você não acha?

— Não, não acho. O que há para festejar, afinal? Ele morreu. E depois dele, você pensa... o quê? Que as coisas vão voltar a ser o que eram?

— Claro que não — replicou Zoia, retomando o jornal e olhando de novo a foto por um momento, para então dobrá-lo e apertá-lo dentro da bolsa. — Estou feliz, só isso.

— Que ele tenha partido?

— Que ele tenha morrido.

Permaneci em silêncio. Detestava aquele seu tom malévolo. Claro que eu não era nenhum admirador de Stálin; tinha lido o suficiente para desprezar o homem e suas ações. Nos trinta e cinco anos desde que saímos da Rússia, eu me mantive bastante informado sobre os fatos que ocorriam em minha terra natal para me sentir aliviado de não participar mais deles. Mas não podia celebrar uma morte, nem mesmo a dele.

— Bom — retomei a seguir —, daqui a pouco tenho de voltar ao serviço e queria saber de sua manhã. Como foi?

Zoia fitou a mesa por alguns instantes. Parecia desapontada por mudarmos de assunto tão depressa; talvez quisesse se estender numa longa conversa sobre Stálin, seus atos, seus expurgos e todos os seus múltiplos crimes. Ela podia ter essa conversa se quisesse, decidi mentalmente. Mas não comigo.

— Foi bem.

— Só bem?

— Foi um pouco mais... complicado desta vez, imagino eu.

Avaliei esse comentário, hesitando antes de continuar minhas perguntas.

— Complicado? Como assim?

— É difícil explicar — respondeu franzindo ligeiramente a testa enquanto pensava a respeito. — Em nossa primeira sessão na semana passada, o dr. Highsmith pouco se interessou por qualquer coisa além de meu dia a dia e minhas rotinas. Queria saber se eu gostava do trabalho, há quanto tempo moro em Londres, há quanto tempo estamos casados. Perguntas muito simples. O tipo de coisa que você pode ficar comentando numa festa, ao falar com um estranho.

— Você ficou incomodada com isso? — indaguei.

— Não especialmente. Isto é, claro que eu tinha um limite até onde queria falar. Nem conheço o homem. Mas parece que ele notou isso. E logo me questionou a esse respeito.

Assenti.

— E até que ponto você voltou no passado?

— Bastante, de várias maneiras — admitiu ela. — Contei como tinham sido as coisas durante a guerra, os anos anteriores a ela, desde que chegamos aqui. Quanto tempo tivemos de esperar até ter uma filha. Falei... — então hesitou e mordeu o lábio, mas logo ergueu os olhos e usou um tom mais decidido;

fiquei pensando se isso já era resultado de algum conselho do dr. Highsmith. — Falei um pouco sobre Paris.

— Mesmo? — indaguei surpreso. — Nunca falamos sobre Paris.

— É — disse ela, em tom levemente acusador. — Nunca falamos.

— Deveríamos falar?

— Talvez.

— E o que mais?

— A Rússia.

— Você falou sobre a Rússia?

— Também só em termos muito gerais — respondeu Zoia. — Parecia estranho comentar assuntos tão pessoais com alguém que eu tinha acabado de conhecer.

— Você não confia nele?

Ela acenou com a cabeça.

— Não é isso. Confio nele, acho que sim. É que... é engraçado, na verdade ele não faz nenhuma pergunta propriamente dita. Ele apenas conversa comigo. Conversamos. E então me pego me abrindo com ele. Contando coisas. Parece até uma espécie de hipnose. Eu estava pensando nisso antes, enquanto esperava a secretária voltar, e ele me pôs na cabeça... me fez lembrar...

— Eu sei — interrompi baixinho, quase num sussurro, como se a simples menção a seu nome pudesse trazer a besta de volta do além.

Tive uma reminiscência fugaz na memória. Estava com dezessete anos, congelando de frio, arrastando um corpo para as margens do Neva, pronto para lançá-lo às profundezas. Havia sangue no chão, por causa dos tiros. Uma sensação no ar de que o monstro ainda podia ressuscitar e matar todos nós. A sala da lanchonete começou a girar enquanto eu revivia as sensações daquela noite e tremia. Não gostava de pensar naquilo. Não me permitia sequer relembrar aquilo.

— Ele tem uma voz muito tranquilizadora — ela respondeu, sem confirmar, sem precisar confirmar o que eu tinha dito. — Ele me deixa à vontade. Eu tinha medo de que ele fosse como o dr. Hooper, mas não é. Parece realmente se importar.

— E você falou sobre os pesadelos?

— Hoje falamos. Ele começou me perguntando por que, em primeiro lugar, eu tinha ido consultá-lo. Na outra vez, nem tinha reparado que ele não tinha perguntado. Você não se incomoda de lhe contar tudo isso, Geórgui?

— Claro que não — eu disse, ensaiando um sorriso. — Quero mesmo saber, mas... só se você quiser contar. Se ele te ajuda, é a única coisa que me importa. Não precisa sentir que tem a obrigação de me contar tudo.

— Obrigada. Imagino que algumas coisas ficariam estranhas se eu repetisse fora do contexto. Coisas que faziam sentido na hora, entende... Seja como for, contei a ele que nesses últimos tempos andava acordando demais durante a noite, falei dos sonhos horríveis, de como apareciam do nada. De fato, é ridículo que, depois de tantos anos, essas memórias voltem à tona.

— E o que ele disse?

— Nada de mais. Pediu que descrevesse os sonhos, e descrevi. Alguns, pelo menos. Outros acho que ainda não posso comentar com ele. E depois passamos a falar sobre coisas variadas. Falamos de você.

— De mim?

— É.

Engoli em seco. Não tinha muita certeza se queria fazer a próxima pergunta, mas não havia como evitar.

— E o que ele queria saber sobre mim?

— Pediu que eu o descrevesse, foi só.

— E o que você contou?

— A verdade, claro. Como você é bom. Atencioso. Amoroso. — Hesitou um pouco e se inclinou levemente para a frente. — Como você tem cuidado de mim nesses anos todos. E como é compreensivo.

Contemplei-a e senti as lágrimas começando a se formar. Não estava com raiva; estava me sentindo magoado mais uma vez. Traído. Procurei as palavras certas. Não queria agredir.

— E você falou sobre... você contou para ele?

Concordou com um aceno.

— Sobre Henry? Contei, sim.

Suspirei e desviei o olhar. Mesmo agora, passado quase um ano, o nome ainda abalava meu humor e equilíbrio. Ainda nem conseguia acreditar direito que aquilo tinha acontecido, que depois de tantos anos juntos ela podia me trair com outro homem.

Arina apresentou Ralph a Zoia e a mim no final do verão. Eu não sabia o que devia esperar — afinal, era a primeira vez que ela trazia um rapaz à nossa casa —, e na verdade eu estava apavorado com a perspectiva de conhecê-lo. Não só porque isso me obrigava a reconhecer que minha filha estava se tornando adulta, mas também porque tinha de encarar o fato de que eu mesmo estava envelhecendo. Tolo como era, sempre pensei em minha vida como um leito de rosas que se estendia à frente em eterna primavera, um campo de tulipas a ponto de desabrochar para uma vida esplêndida, enquanto na verdade ela mais parecia uma planta no outono, com as folhas começando a pretejar e murchar, restando-lhe apenas o declínio do inverno. Absorto entre os sistemas de arquivamento da Biblioteca Britânica, passei o dia quieto e com o espírito ocupado com essa reflexão que me forçava à sensatez, e quando a srta. Llewellyn perguntou se eu me sentia bem, não me restou senão sair da tristeza e lhe dar um sorriso constrangido e uma explicação honesta.

— Não sei. É que tenho pela frente uma noite bastante fora do comum.

— Oh! — exclamou ela, com a curiosidade espicaçada.
— Parece interessante. Vai a algum lugar especial?

— Infelizmente não. Minha mulher convidou o namorado de nossa filha para jantar. É a primeira vez que vou enfrentar esse suplício, e não estou com muita vontade.

— Levei meu companheiro Billy para conhecer meus pais uns dois meses atrás — comentou ela, estremecendo levemente à lembrança e se enlaçando com os braços agasalhados num cardigã. — Terminou numa briga pavorosa. Meu pai o atirou fora de casa. Disse que nunca mais falaria comigo enquanto eu continuasse com Billy.

— Verdade? — perguntei, na esperança de que minha noite não acabasse de forma tão dramática. — Então ele não gostou do rapaz?

Ela revirou os olhos como se o horror da cena ultrapassasse qualquer descrição.

— Na verdade, foi um monte de bobagens. Billy disse algo que não devia ter dito, e aí papai disse algo ainda pior. Ele gosta de se achar um revolucionário, o Billy, e papai não quer nada com esse tipo de coisa. Ele é bem aquele sujeito da velha escola que defende o Império Britânico, o senhor conhece o perfil. Precisava ouvir como eles gritavam na hora em que o pobre rei entrou na conversa, que Deus o tenha em paz. Achei que os vizinhos iam chamar a polícia! Que idade tem sua filha, aliás, sr. Jachmenev, se posso perguntar?

— Acabou de fazer dezenove anos.

— Bom, então é só o começo. Tenho certeza de que haverá muitos outros jantares pela frente. O senhor vai ver. Esse rapaz vai ser o primeiro de dúzias.

Esse comentário não me proporcionou exatamente o alívio que ela imaginava, e naquele dia voltei para casa um pouco mais tarde do que o habitual, pois parei numa igreja de bairro para acender uma vela — *enquanto eu viver* —, visto que era dia 12 de agosto e eu tinha uma promessa a cumprir.

— Geórgui — disse Zoia, fitando-me ansiosa quando entrei em casa. — O que aconteceu? Achei que você chegaria meia hora atrás.

— Desculpe — respondi, notando o empenho que ela tinha dedicado à roupa e à aparência. — Você está muito bem — acrescentei, um pouco irritado pelo fato de ter se dado a tanto trabalho por um rapaz que nem conhecíamos.

— Bem, não precisa parecer tão surpreso — respondeu com uma risadinha ofendida. — Você sabe que de vez em quando até me esforço.

Sorri e lhe dei um beijo. Durante anos, frases assim seriam tomadas como manifestação de afeto e brincadeira. Agora havia uma tensão subterrânea, uma sensação de que aquilo que tentávamos enterrar não tinha sido perdoado, e que uma palavra errada num momento errado poderia levar, como no caso do namorado e do pai da srta. Llewellyn, à mais catastrófica discussão.

— Você vai tomar banho?
— Precisa?
— Você trabalhou o dia todo — respondeu ela brandamente, mordiscando o lábio.

— Então acho que é melhor — suspirei, atirando minha pasta num lugar onde eu sabia que ela seria obrigada a recolher e guardar fora de vista, depois que eu saísse da sala. — Não vou demorar. Em todo caso, a que horas ele deve chegar?

— Não antes das oito. Arina disse que iam beber alguma coisa depois do expediente, e que viriam em seguida.

— Então ele é de beber — disse eu, carrancudo.

— Beber alguma coisa, eu falei — replicou Zoia. — Dê uma chance ao rapaz, Geórgui. Nunca se sabe, você pode gostar dele.

Eu duvidava, mas, depois de alguns minutos estendido na banheira, gozando a paz e o relaxamento da água quente e espumante, continuei a refletir sobre o fato desconcertante de que Arina tinha chegado à idade em que os pensamentos se voltavam para o sexo oposto. Parecia que ainda ontem ela era uma menininha. Ou, melhor, que era um bebezinho. Na verdade, parecia que tinham se passado poucos anos desde a época em que Zoia e eu sofríamos e nos desesperávamos à ideia de nunca sermos abençoados com um filho. Minha vida, percebi, estava deslizando e indo embora. Eu tinha agora cinquenta e quatro anos; como cheguei a essa idade? Não foi há poucos meses que cheguei ao Palácio de Inverno e percorri os corredores dourados atrás do conde Charnetski, para meu primeiro encontro com o czar? Pois não foi agora no começo deste ano que roubei um momento para mim a bordo do *Standart*, enquanto a família imperial assistia a uma apresentação do Quarteto de Cordas de São Petersburgo?

Não, disse comigo mesmo, abanando a cabeça à minha tolice e me afundando um pouco mais na banheira. Não foi, não. Tudo isso aconteceu anos atrás. Décadas atrás.

Eram dias que faziam parte de uma vida totalmente diferente, uma existência nunca mais mencionada. Fechei os olhos e mergulhei a cabeça sob a superfície da água. Prendendo a respiração, o eco do passado encheu meus ouvidos e minha memória, e mais uma vez me perdi entre aqueles anos terríveis e maravilhosos entre 1915 e 1918, quando o drama de nosso país se desenrolava à minha frente. Afastado do mundo, podia sentir novamente a ferroada aguda do ar cortante às margens do Neva, que me queimava o nariz e me fazia arfar de frio, podia imaginar as fisionomias do czar e da czarina com a mesma nitidez como se estivessem diante de mim. E o perfume de Anastácia preenchia meus sentidos como num sonho, seguindo-se uma imagem indistinta da jovem pela qual eu me apaixonara.

— Geórgui — chamou Zoia, batendo à porta e dando uma olhada para dentro, sua presença me fazendo aflorar imediatamente à tona, retomando o fôlego enquanto com as mãos eu afastava o cabelo molhado da testa e dos olhos. — Geórgui, eles vão chegar logo.

Ela hesitou, talvez inquieta com uma inesperada expressão de dor e mágoa em meu rosto.
— O que foi? O que há de errado? — perguntou.
— Nada.
— Como, nada? Você está chorando.
— É a água do banho — emendei, imaginando se de fato era possível que a água espumante de sabonete tivesse se misturado a minhas lágrimas, sem que eu nem percebesse.
— Seus olhos estão vermelhos.
— Não é nada — repeti. — Só estava pensando numa coisa, é isso.
— Em quê? — indagou com uma ponta de ansiedade na voz, como se temesse ouvir a resposta.
— Nada de mais. Alguém que eu conhecia, e só. Alguém que morreu muito tempo atrás.

Em certos momentos, eu a odiava pelo que tinha feito. Jamais pensei que teria em mim algum outro sentimento por Zoia além do amor, mas às vezes, deitado na cama a seu lado, meu corpo sentindo que iria evaporar se a tocasse, eu queria gritar de decepção e dor.
Quando acabou, quando estávamos tentando recompor nossas vidas destroçadas, tomei coragem para perguntar a ela por que, afinal, aquilo tinha acontecido.
— Não sei, Geórgui — disse num suspiro, como se o simples fato de querer uma resposta fosse uma grosseria de minha parte.
— Não sabe — repeti ríspido.
— Exato.
— Então está bem. O que posso dizer?
— Nunca tive amor por ele, se isso tem alguma importância.
— Só piora — respondi, sem saber se era verdade ou não, mas porque queria machucá-la. — Então para que tudo isso,

afinal de contas, se você nunca o amou? Pelo menos seria alguma coisa.

— Ele não me conhecia — disse em voz baixa. — Por isso ele era diferente.

— Conhecer você? — perguntei franzindo o cenho. — O que você quer dizer?

— Meus pecados. Ele não conhecia meus pecados.

— Não! — gritei arremetendo contra ela, minha fúria aumentando. — Não use *isso* para justificar o que fez!

— Oh, não estou usando, Geórgui, não mesmo — disse ela meneando a cabeça e agora em prantos. — Foi só... como posso lhe explicar uma coisa que nem eu mesma entendo? Você vai me deixar?

— É o que eu mais quero — falei; era mentira, claro. — Eu jamais faria uma coisa dessas com você. Jamais.

— Eu sei.

— Você acha que não sinto tentação? Você acha que nunca olho uma mulher desejando que seja minha?

Ela vacilou, mas por fim moveu a cabeça numa negativa.

— Não, Geórgui. Acho que não. Não acredito que alguma vez tenha sentido alguma tentação.

Abri a boca para discutir com ela, mas como poderia? Ela estava certa.

— É isso que faz de você *você* — retomou. — Você é bondoso e decente, e eu... — Ela parou e, ao retomar, pronunciando palavra por palavra, sua voz era mais categórica do que nunca. — Eu não sou.

Ficamos em silêncio por longo tempo e me ocorreu uma ideia, tão monstruosa que nem podia acreditar que estava a formulá-la.

— Zoia, você fez isso para que eu *quisesse* deixá-la?

Ela me fitou e engoliu em seco, virando para o outro lado, sem dizer nada.

— Você acha que, se eu a deixasse, seria uma espécie de punição? Que você merece ser punida?

Silêncio.

— Oh, meu Deus — e abanei a cabeça. — Você ainda crê que foi culpa sua, não é? Você ainda quer morrer.

A porta da frente se abriu às oito horas em ponto e Arina foi a primeira a entrar, um sorriso tímido no rosto, a expressão que sempre adotava quando criança depois de fazer alguma travessura mas querendo ser descoberta. Ela se aproximou e beijou nós dois, como sempre fazia, e então, saindo da sombra densa do corredor, entrou um rapaz, chapéu na mão, as faces um pouco coradas, visivelmente ansioso em causar boa impressão. Fiquei enternecido, a contragosto, com aquele seu nervosismo, e precisei me concentrar para não sorrir. Devia ser o dia das recordações, pois a ansiedade dele me fez lembrar meu próprio nervosismo quando fui apresentado pela primeira vez ao pai de Zoia.

— *Mascha, Pascha* — disse Arina indicando o rapaz, como se não o enxergássemos ali, diante de nós, com todo o seu embaraço —, este é Ralph Adler.

— Boa noite, sr. Jachmenev — cumprimentou imediatamente, estendendo a mão e tropeçando na pronúncia de meu sobrenome, embora desse a impressão de ter ensaiado várias vezes a apresentação. — É uma grande honra conhecê-lo. E sra. Jachmenev, quero lhe agradecer muito pela grande honra de ter me convidado à sua casa.

— Ora, você é muito bem-vindo, Ralph — disse ela, sorrindo também. — Estamos encantados em finalmente conhecê-lo. Arina nos falou muito sobre você. Não quer entrar e sentar?

Arina e Ralph ocuparam seus assentos à mesa, e eu sentei na frente de Ralph enquanto Zoia acabava de preparar a comida, o que me deu ocasião para examiná-lo mais detidamente. Era de estatura e compleição média, com os cabelos bem rui-

vos, o que me surpreendeu, mas não era feio, creio eu. Para um rapaz, quero dizer.
— Você é mais velho do que eu imaginava — comentei, logo pensando se Arina seria apenas a mais recente numa série de namoradas anteriores.
Ralph se apressou em informar:
— Tenho vinte e quatro anos. Ainda jovem, espero.
— Claro que sim — disse Zoia. — Você vai ver aos cinquenta e quatro.
— Arina tem apenas dezenove — retorqui.
— Cinco anos de diferença — comentou ele como se nada fosse, cerceando qualquer observação adicional que eu pudesse fazer sobre isso.
Sempre que falava, Ralph olhava para Arina buscando aprovação, e quando ela sorria ele sorria também. Quando ela falava ele a observava e entreabria os lábios. Senti que uma parte dele queria se inclinar para mim e explicar de forma totalmente acadêmica que não conseguia acreditar na sorte de ter alguém como ela interessada em alguém como ele. Reconheci a mescla de paixões em seus olhos: admiração, desejo, fascínio, amor. Fiquei contente por minha filha, mas não surpreso que ela inspirasse tais emoções, embora também me entristecesse um pouco.
Ela era tão nova, pensei. Não estava pronto para perdê-la.
— Arina nos disse que você é músico, Ralph — comentou Zoia enquanto nos servíamos do tipo de jantar que geralmente tínhamos apenas aos domingos. Rosbife e batatas. Dois tipos de legumes. Molho de carne. — O que você toca?
— Clarinete — respondeu de pronto. — Meu pai era um clarinetista maravilhoso. Insistiu que nós três, meu irmão, minha irmã e eu, aprendêssemos desde pequenos. Quando criança, eu detestava, claro, mas as coisas mudam.
— E por que detestava? — indaguei.
— Acho que por causa da professora. Tinha uns cento e

cinquenta anos de idade, e toda vez que eu não tocava direito ela me batia no final da aula. Quando tocava bem, ela cantava de boca fechada acompanhando Mozart, Brahms, Tchaikóvski ou quem fosse.

— Você gosta de Tchaikóvski?

— Ah, sim, gosto muito.

— Entendo.

— Mas depois você deve ter mudado de atitude — disse Zoia. — Isto é, se você toca profissionalmente.

— Bem que gostaria — apartou rápido. — Desculpe, sra. Jachmenev, mas não sou músico profissional. Pelo menos ainda não. Ainda estou estudando. Faço curso na Escola Municipal de Música e Teatro, logo adiante do Embankment.

— Sim, eu conheço — assentiu Zoia.

— Você está meio velho para ainda estar estudando, não acha? — comentei.

— É um curso avançado. Então posso tocar e ensinar, se for preciso. Estou no último ano.

— Ralph também toca numa orquestra fora da escola — acrescentou Arina rapidamente. — Tem se apresentado na missa de Natal na catedral nestes últimos três anos; no ano passado chegou a fazer um solo, não foi, Ralph?

— É mesmo? — perguntou Zoia, parecendo impressionada enquanto o rapaz sorria e corava por ser o centro de tanta atenção. — Então você deve ser muito bom.

— Não sei — e franziu a testa enquanto refletia nisso. — De qualquer forma, estou melhorando, pelo menos é o que espero.

— Devia ter trazido o clarinete — prosseguiu Zoia. — Aí poderia tocar para nós. Eu tocava piano, sabe, quando criança. Muitas vezes quis que tivéssemos espaço para um piano aqui no apartamento.

— A senhora gostava?

— Gostava, sim — respondeu e ia dizer mais alguma coisa, mas então pareceu pensar melhor e ficou quieta.

— Nunca aprendi a tocar nada — falei quebrando o silêncio. — Mas sempre tive vontade. Se tivesse tido oportunidade, aprenderia violino. Sempre achei o instrumento musical mais elegante.

— Bem, nunca é tarde demais para aprender, sr. Jachmenev — falou Ralph, e tão logo disse a frase enrubesceu embaraçado, para o que contribuiu o fato de eu encará-lo diretamente com a expressão mais séria que consegui, como se ele tivesse me atirado um insulto pavoroso.

— Lamento muitíssimo — gaguejou ele. — Não pretendi insinuar que...

— Que sou velho? E daí? Sou mesmo. Estava pensando justamente nisso um pouco antes. Você também vai ficar velho um dia. E aí vai ver como é.

— Só quis dizer que se pode aprender a tocar em qualquer idade.

— Seria um consolo para mim na caduquice, talvez.

— Não, de jeito nenhum. Quero dizer...

— Geórgui, não amole o pobre rapaz — interrompeu Zoia no outro lado da mesa, estendendo a mão e pegando a minha por um instante.

Enlaçamos os dedos e olhei para eles, notando que a pele nas juntas de Zoia começava a se repuxar um pouco pela idade; por um momento imaginei que via o sangue e as falanges sob a epiderme, como se a mão tivesse ficado translúcida com o passar dos anos. Ambos envelhecíamos, e a ideia era deprimente. Apertei-lhe os dedos com força e ela me olhou um tanto surpresa, talvez em dúvida se eu queria reconfortá-la ou feri-la. Na verdade, naquele momento eu queria comentar todo o amor que sentia por ela, dizer que nada mais importava, nem os pesadelos, nem as lembranças, nem mesmo Henry, mas era impossível falar essas palavras. Não porque Ralph e Arina estavam ali. Era impossível, e só.

— Seu pai frequentou a mesma escola? — perguntou

Zoia passado um instante. — Quero dizer, quando estava aprendendo a tocar clarinete.

— Oh, não — Ralph meneou a cabeça. — Não, ele nunca teve nenhuma aula depois que chegou à Inglaterra. Meu avô o ensinou na infância, e depois disso ele simplesmente praticava sozinho.

— Depois que chegou aqui? — perguntei separando aquela passagem. — O que quer dizer? Então ele não é inglês?

— Não, senhor. Meu pai nasceu em Hamburgo.

Arina havia nos falado muito sobre o namorado, mas isso ela não tinha mencionado, e Zoia e eu prontamente erguemos os olhos do prato para fitá-lo, totalmente surpreendidos com a informação. E retomei:

— Hamburgo? Hamburgo, na Alemanha?

— O pai de Ralph veio para a Inglaterra em 1920 — explicou Arina, com um ar que me pareceu levemente nervoso.

— É mesmo? Depois da Primeira Guerra?

— Foi — respondeu Ralph em voz baixa.

— E durante a outra guerra, a que veio depois, ele voltou à pátria?

— Não, senhor. Meu pai era vigorosamente contrário aos nazistas. Nunca voltou à Alemanha, desde o dia em que saiu.

— Mas e o exército? — perguntei. — Eles não...

— Ele ficou internado num campo durante a guerra. Na Ilha de Man. Todos nós ficamos. Meu pai, minha mãe, toda a família.

— Entendo. E sua mãe, ela também é alemã?

— Não, senhor, é irlandesa.

— Irlandesa — repeti rindo e me voltando para Zoia enquanto meneava a cabeça de incredulidade. — Isso está ficando cada vez melhor. Imagino que isso explica o cabelo ruivo.

— É, imagino que sim — ele replicou, mas com uma jovialidade na voz que me deixou admirado.

Zoia e eu sabíamos muito bem como era viver na Inglaterra durante a guerra com um sotaque diferente do dos vizinhos. Tínhamos sofrido insultos e agressões; eu mesmo quase cheguei a ser objeto de violência. Em parte, eu tinha feito meu trabalho durante aqueles anos para mostrar minha solidariedade com os Aliados. Ainda assim éramos russos. Éramos exilados. E se isso já era difícil, eu mal podia imaginar como teria sido, na mesma época, para uma família alemã na Inglaterra. Suspeitei que o jovem Ralph devia ser de uma têmpera mais rija do que sugeria seu nervosismo em relação aos pais da namorada. Imaginei que ele sabia se defender muito bem sozinho.

— Deve ter sido difícil para vocês — falei, ciente de estar atenuando muito o sentido da coisa.

— Foi, sim — disse calmamente.

— Você tem irmãos e irmãs?

— Um de cada.

— E foi penoso para a família?

Ele hesitou, ergueu o olhar e assentiu com a cabeça, seus olhos diretamente fitos em mim.

— Muito. E não só para a minha. Lá havia outras famílias também. E muitas desapareceram, claro. Não gosto de lembrar daquela época.

Desceu um silêncio sobre a mesa. Eu queria saber mais; no entanto, achava que já tinha perguntado bastante. Concluí que o fato de Ralph nos contar tudo isso era uma prova de quanto amava Arina. E concluí que eu gostava desse Ralph Adler, e que lhe daria apoio.

Completei as taças de vinho de todos, ergui a minha para um brinde e disse:

— Bem, agora todos nós, exilados, vivemos juntos aqui. Russos, alemães, irlandeses, não interessa. E todos deixamos pessoas para trás e perdemos pessoas no caminho. Creio que devemos brindar à memória delas.

Tocamos as taças e voltamos à refeição, agora como família não de três, e sim de quatro membros.

Arina me implorou que comprasse um aparelho de tevê, para podermos assistir à coroação da nova rainha em casa, e de início resisti, não porque não estivesse interessado na cerimônia, mas porque não via razão para gastar tanto dinheiro em algo que usaríamos apenas uma vez.

— Mas vamos usar todos os dias — insistiu ela. — Pelo menos eu. Por favor, não podemos ser a única família da rua a não ter televisão. Fico até com vergonha.

— Não exagere — meneei a cabeça. — E afinal o que é que você quer: que a gente sente aqui toda noite, nós três, olhando uma caixa no canto da sala, sem nunca conversar? Aliás, se todos os outros têm televisão, por que você não vai a algum vizinho e assiste lá à cerimônia?

— Porque devemos assistir juntos. Como família. Por favor, *Pacha* — acrescentou Arina, dando-me um daqueles sorrisos suplicantes que nunca deixavam de me dobrar. E naturalmente, na segunda-feira seguinte à tarde, um dia antes da entrada prevista da rainha na Abadia de Westminster, por fim cedi e voltei para casa com um console de televisão Ambassador em formato alongado, que coube direitinho no canto da pequena sala de estar.

— Mas é tão feio — disse Zoia, sentando no sofá enquanto eu tentava montar as antenas corretamente. Na loja, eu ficara instantaneamente seduzido pelos modelos em exposição e escolhera aquele aparelho por causa do console, de madeira parecida com a de nossa mesa de jantar. Era dividido em duas partes, uma pequena tela de doze polegadas apoiada em cima de um alto-falante do mesmo tamanho, o conjunto parecendo um semáforo incompleto. Apesar da relutância inicial, fiquei muito entusiasmado com a compra.

— É maravilhoso — disse Arina, sentando ao lado da

mãe e contemplando o aparelho como se fosse um Picasso ou um Van Gogh.

— É melhor que seja mesmo — murmurei. — É a coisa mais cara que possuímos.

— Quanto foi, Geórgui?

— Setenta e oito libras — respondi, e na mesma hora fiquei perplexo por ter gastado tanto dinheiro em algo que, no fundo, não valia. — Em dez anos, claro.

Zoia quase se engasgou e soltou uma antiga interjeição russa, mas não fez nenhuma crítica; talvez também já estivesse fascinada pelo aparelho. Demorou um pouco até eu entender como funcionava, mas por fim consegui fazer todas as ligações, liguei o botão e nós três vimos aparecer um pequeno círculo branco no meio da tela, e aí, dois ou três minutos depois, ele aumentou e ocupou a tela inteira, com o símbolo da BBC.

— Os programas só começam às sete horas — explicou Arina, que mesmo assim parecia contente em estar ali olhando os sinais da tevê.

O dia seguinte foi feriado nacional, e ao longo das ruas havia tantos enfeites e bandeirolas que a cidade parecia ter se transformado em circo da noite para o dia. Ralph chegou antes da hora do almoço, carregado de queijo, frios e molho *chutney* para fazermos sanduíches e uma quantidade de cervejas maior do que me parecia estritamente necessário.

— Qualquer um pensaria que vocês vão se casar, do jeito que estão — comentei com Arina, que estava de pé desde as seis, borboleteando alvoroçada por aqui e ali, até que finalmente se sentou no chão na frente da tevê, querendo ficar o mais perto possível para acompanhar a transmissão.

— Então é isso que agora vamos ser, uma família de babuínos hipnotizados por uma luz piscando numa caixa de madeira?

— Psss, *Pacha* — cortou ela, assistindo ao repórter no estúdio que repetia a mesma notícia sem parar, apresentando-a como se fosse novidade.

Zoia não mostrava o mesmo interesse dos jovens nos acontecimentos em curso, mantendo a maior distância do aparelho que era possível em nossa saleta, lidando com pequenas tarefas supérfluas. Mas quando a jovem rainha iniciou seu desfile na carruagem dourada que saía do palácio, olhando o povo com um sorriso confiante no rosto e acenando com aquele meneio especialmente majestoso do pulso, Zoia puxou uma cadeira e começou a assistir em silêncio.

— Ela é bonita — comentei quando Elizabeth tomou o assento do trono, e recebi mais um *psss* de Arina, que achava muito natural comentar cada joia, cada tiara, cada assento real e cada peça do esplendor cerimonial que aparecia na tevê, mas não queria que eu interrompesse com uma única palavra.

— Não é maravilhoso? — comentou virando-se para nós, com um ar deliciado pelo que via.

Sorri para ela, sentindo desconforto, e olhei de esguelha para Zoia, que também estava hipnotizada pelas imagens na tela e, pensei eu, não tinha ouvido uma palavra do que nossa filha dissera.

— Ralph e eu vamos ao palácio — anunciou Arina quando a cerimônia terminou.

— E por que cargas-d'água? — perguntei erguendo uma sobrancelha. — Já não viram o suficiente?

— Todo mundo está indo, sr. Jachmenev — disse Ralph, como se fosse a coisa mais evidente do mundo. — Não querem vir e ver a rainha quando sair à sacada?

— Não especialmente — respondi.

— Vão vocês — disse Zoia levantando e se afastando, enchendo a pia com água quente e mergulhando os pratos sujos meio amontoados. — É coisa para jovens, não para nós. Não suportamos multidões.

— Bom, então é melhor a gente ir, Ralph, senão não conseguiremos um bom lugar.

Arina o pegou pela mão e o arrastou antes que ele tivesse tempo de nos agradecer a hospitalidade. Eu podia ouvir mais

gente na rua, também saindo de casa depois de assistir à Coroação, indo da Holborn até a Charing Cross Road e de lá até o Mall, na esperança de chegar o mais perto possível do Memorial da rainha Vitória. Fiquei escutando alguns minutos, levantei e fui até Zoia.
— Você está bem?
— Estou.
— Tem certeza?
— Não.
— Foi a cerimônia?
Ela suspirou, virou-se para mim, ficamos nos olhando por alguns segundos até que desviou o olhar.
— Zoia — disse eu, querendo tomá-la nos braços, segurá-la, reconfortá-la, mas algo me impediu. Essa fenda em nosso casamento. Ela sentiu o mesmo e soltou um suspiro exausto, afastando-se de mim sem uma palavra ou gesto, e foi para o quarto, fechando a porta atrás de si e me deixando sozinho.

Eu sabia que havia algo de errado muito antes que ela me contasse. Aquele homem, Henry, tinha vindo dos Estados Unidos para a Escola Central, onde Zoia trabalhava, para dar um ano de aulas, e logo os dois fizeram amizade. Ele era mais novo do que ela, acho que com menos de quarenta anos, e certamente sentia-se sozinho numa cidade onde não conhecia ninguém e não tinha nenhum amigo. Zoia não era de sentir responsabilidade pelas pessoas dessa maneira — geralmente evitava qualquer forma de interação social com os colegas fora da escola —, mas por alguma razão ela o adotou. Logo estavam almoçando juntos diariamente e voltando atrasados para as aulas, perdendo a hora de tanto que se absorviam nas conversas.

Todas as quintas-feiras, saíam para tomar um drinque depois do expediente. Fui convidado apenas uma vez, e ele me pareceu uma companhia agradável, embora um pouco trivial na conversa e um tanto exibido. Depois disso, nunca mais fui convidado e não fizemos nenhuma referência ao fato. Era como se eu tivesse sido reprovado no teste para me juntar ao clube fechado deles, e não comentassem para não ferir meus sentimentos. Não me incomodei muito; agradava-me que Zoia tivesse um amigo pessoal, pois nunca foi muito disso, mas mesmo assim a rejeição me doeu.

Quando ela voltava para casa, contava tudo sobre Henry, as coisas que ele tinha feito naquele dia, as coisas que tinha dito, como era culto, como era engraçado. Era uma encarnação quase perfeita do presidente Truman, disse ela, e fiquei pensando como Zoia sabia como era o presidente, para poder fazer a comparação. Talvez fosse ingenuidade minha, mas aquilo não me incomodava minimamente. Na verdade, eu até achava divertida essa pequena obsessão de Zoia, e comecei a arreliá-la de vez em quando a respeito dele, ao que ela dava risada e dizia que era apenas um rapazinho com quem se dava bem, e só, não valia a pena criar caso por isso.

— Não é propriamente um rapazinho — objetei.

— Bom, você sabe o que quero dizer. É jovem. Não estou interessada nele dessa maneira.

Lembro bem essa conversa. Estávamos na cozinha e ela não parava de arear uma panela que já estava cem por cento limpa fazia alguns minutos. Zoia corou enquanto dialogávamos, e desviou o rosto como se não conseguisse me olhar de frente. Eu só estava amolando Zoia, nada mais, da mesma maneira como ela sempre me arreliava por causa da srta. Simpson, e me surpreendeu que ela ficasse tão encabulada, quase coquete em seu pudor.

— Eu não estava dizendo que você estaria interessada nele — falei tentando rir e ignorar a tensão inesperada que havia surgido entre nós. — Eu estava dizendo que ele estaria interessado em você.

— Ora, Geórgui, não seja ridículo. Que ideia!

E então, um dia, ela simplesmente parou de falar nele.

Ainda voltava para casa no mesmo horário, ainda saía com ele uma vez por semana para tomar alguma coisa, mas, quando eu perguntava se a noite tinha sido agradável, ela dava de ombros como se nem conseguisse lembrar qualquer detalhe e dizia que tinha sido bom, nada de especial. E que nem sabia por que ainda se dava ao trabalho.

— E ele está gostando de Londres?
— Quem?
— Henry, claro.
— Ah. Espero que sim. Ele não fala muito sobre isso.
— Então do que vocês falam?
— Ora, Geórgui, nem sei — disse na defensiva, como se ela nem estivesse presente em suas conversas. — Geralmente sobre o trabalho. Os alunos. Nada muito interessante.
— Se ele não é muito interessante, então por que você passa tanto tempo com ele?
— O que você está dizendo? — perguntou num súbito acesso zangado. — Mal passo qualquer tempo com ele.

A coisa toda começou a me parecer muito estranha, mas, mesmo com uma vozinha dentro de mim dizendo que ali havia mais do que ela me contava, preferi ignorá-la. Afinal de contas, a ideia parecia absolutamente impossível. Zoia estava na casa dos cinquenta. Havíamos passado mais da metade da vida juntos. Tínhamos muito amor um pelo outro. Atravessáramos juntos uma quantidade extraordinária de problemas e dificuldades. Juntos sofremos, perdemos, sobrevivemos. E sempre tínhamos sido nós dois; sempre tínhamos sido GeórguieZoia.

E então o ano terminou e Henry voltou para os Estados Unidos.

No começo Zoia parecia um pouco histérica. Voltava do trabalho e falava a noite inteira, como se tivesse medo de que, se parasse um minuto que fosse, iria pensar em tudo o que tinha perdido e desmoronaria por completo. Preparava pratos elaborados e insistia que, nos fins de semana, passeássemos pelos lugares mais ridículos — o Zoológico de Londres, a Galeria Nacional de Retratos, o Castelo de Windsor —, comportando-se como se fôssemos jovens namorados no começo de uma relação, e não um casal que tinha passado toda a vida adulta juntos. Era como se ela tentasse me conhecer de novo, como se tivesse me perdido de vista em algum lugar do caminho, mas soubesse que eu merecia seu amor, se ao menos conseguisse lembrar por que tivera antes tal sentimento por mim.

A histeria cedeu lugar à depressão. Passou a conversar cada vez menos comigo, rejeitando todas as minhas iniciativas de comentar ou partilhar os detalhes do dia. Ia dormir cedo e nunca queria fazer amor. Ela, que sempre cuidara da aparência, sobretudo depois de obter inesperadamente o cargo na Escola Central e sentir que devia acompanhar os elevados critérios de elegância dos outros docentes e dos alunos, começou a "se desleixar", sem se incomodar se ia dar aulas com a mesma roupa do dia anterior ou com o cabelo menos arrumado do que antes.

Finalmente, não conseguindo mais simular, sentou-se uma noite a meu lado e disse que queria me contar algo.

— É sobre Henry? — perguntei causando-lhe surpresa, pois fazia mais de cinco meses que ele tinha ido embora da Inglaterra, e durante todo esse tempo não mencionamos seu nome uma única vez.

— É. Como você sabia?

— Como não iria saber?

Ela assentiu e me contou tudo. E ouvi, não me zanguei, tentei entender.

Não foi fácil.

E então, algumas semanas depois, ela começou a ter pesadelos. Acordava no meio da noite, coberta de suor, respirando pesado, tremendo de medo. Desperto a seu lado — pois nunca dormimos separados, mesmo em nossas piores noites —, eu me aproximava e ela tinha um sobressalto de medo, sem me reconhecer a princípio, e depois, com as luzes acesas, passado o susto, eu a abraçava enquanto ela segurava as lágrimas e tentava descrever as imagens que lhe vinham na escuridão e solidão dos sonhos.

Por fim, quando nosso casamento estava no ponto mais crítico, minha mulher sem conseguir dormir direito, mal e mal comendo, eu cheio de amor, raiva e mágoa, um dia ela despertou e disse que a situação não podia mais continuar daquela maneira, que algo precisaria mudar. Fiquei paralisado, pensando o pior. Imaginando que ela me deixaria e eu teria de enfrentar a vida sem ela.

— O que você quer dizer? — indaguei, quase engasgando de nervoso, preparando mentalmente um discurso para lhe dizer que perdoava tudo, tudo, se ela voltasse a me amar como antes.

— Preciso procurar ajuda, Geórgui.

O starets *e os patinadores*

Por vários dias tive uma estranha sensação de que me seguiam. Quando saía do palácio no final da tarde, para passear ao longo do Moica, diminuía o passo, parava e me virava, escrutando o rosto das pessoas que passavam rapidamente a meu lado, certo de que alguma delas estava me vigiando. Era uma sensação esquisita e inquietante, que no começo atribuí a uma paranoia resultante das novas condições de vida.

Agora eu estava tão feliz no serviço com a família imperial que nem conseguia pensar no passado sem um certo receio. Quando pensava no lar, sentia uma pontada na consciência, mas ignorava-a e expulsava-a rapidamente do espírito.

E no entanto eu nem estava pensando em Cáchin quando aquela sensação retornou. Estava pensando na grã-duquesa Anastácia, nos momentos em que nos encontrávamos nos corredores escuros, quando a impelia para algum aposento, entre as muitas centenas de salas vazias do palácio, para beijá-la, puxá-la junto de mim, torcer para que ela sugerisse uma intimidade ainda maior para aplacar meu desejo de adolescente. Na noite anterior quase perdi o controle, peguei sua mão quando estávamos abraçados, fiz com que deslizasse devagar por minha túnica, descesse até o cinto, meu coração batendo disparado de desejo e prevendo o momento em que ela retiraria a mão e diria *Não, Geórgui... não podemos... não podemos...*

Meu espírito estava tão ocupado com essas lembranças e uma vontade premente de voltar depressa à solidão de meu quarto que mal vi a jovem envolta em xales espessos, ao lado do Almirantado. Ela disse alguma coisa, uma frase que o vento levou e não pude ouvir, e em meu egoísmo disse-lhe, ríspido e irritado, que não tinha dinheiro para lhe dar, que recorresse a um dos refeitórios de caridade que haviam brotado em redor de São Petersburgo, e lá conseguisse comida e abrigo.

Para minha surpresa, ela correu em meu encalço e me virei no momento em que me pegou pelo braço, pensando se ela realmente achava que ia me roubar o pouco dinheiro que tinha, e mesmo então não a reconheci, até que me chamou pelo nome.

— Geórgui.

— Ássia! — exclamei atônito, de início encantado, contemplando minha irmã como se fosse uma aparição, e não uma pessoa de carne e osso. — Não acredito! É mesmo você?

— Sou eu — assentiu, e em seus olhos começaram a se formar lágrimas de alegria. — Finalmente te encontrei.

— Aqui. Aqui em São Petersburgo!

— Onde eu sempre quis estar.

Dei-lhe um abraço apertado, e então veio um momento vergonhoso — passou-me pela cabeça: *Mas o que ela está fazendo aqui? O que ela quer de mim?*

— Venha para cá — disse puxando-a para o abrigo de uma das arcadas. — Saia do frio, você parece gelada. Há quanto tempo você está aqui?

— Não muito — respondeu sentando a meu lado, num banco baixo de pedra, protegidos do assobiar do vento, onde podíamos nos ouvir melhor. — Faz só alguns dias.

— Alguns dias? — repeti surpreso. — E só agora você vem me encontrar?

— Não sabia como me aproximar, Geórgui. Todas as vezes em que o via, você estava com um grupo de outros soldados e tinha medo de interromper. Eu sabia que, mais cedo ou mais tarde, ia encontrá-lo sozinho.

Anuí, lembrando a sensação de estar sendo vigiado e ficar incomodado com aquilo.

— Entendo. Bom, agora você me encontrou.

— Até que enfim — e abriu um sorriso. — E como você está bem! Tem comido bem, pelo que vejo.

— Mas me exercitado também — respondi rápido, ofendido. — Meu trabalho aqui nunca acaba.

— Está com um ar saudável, foi o que eu quis dizer. A vida no palácio combina com você.

Levantei os ombros e olhei para a praça com a Coluna de Alexandre, que tinha sido uma de minhas primeiras visões deste novo mundo, ciente da aparência extremamente magra e pálida de Ássia.

— Quase desmaiei quando vi pela primeira vez — disse ela acompanhando meu olhar.

— O palácio?

— É tão lindo, Geórgui. Nunca tinha visto nada parecido.

Assenti, mas tentei mostrar indiferença. Eu queria que ela sentisse que era este meu lugar, que meu destino sempre me conduzira até aqui.

— É um lar, como outro qualquer.

— Claro que não!

— Quero dizer que por dentro, estando junto com a família, eles consideram o palácio como lar. A gente logo se acostuma com tanta riqueza — disse mentindo.

— E você já chegou a vê-los?

— Quem?

— Suas Majestades.

Caí na gargalhada.

— Ássia, vejo-os todos os dias. Sou o acompanhante do czaréviche Alexei. Você sabia que foi por isso que me trouxeram para cá.

Ela assentiu, parecendo sem palavras, e tartamudeou:

— É que... eu não acreditava que fosse verdade.

— Pois bem, é, sim — disse irritado. — Em todo caso, o que você está fazendo aqui?

— Geórgui!

— Desculpe — disse logo arrependido do tom. Fiquei perplexo ao perceber como queria que ela fosse embora. Era como se ela estivesse ali para me levar para casa. Mas ela representava uma parte de minha vida que agora estava encerrada, uma época que queria não só deixar para trás, mas esquecer completamente. E retomei:

— Eu queria dizer: a que boa sorte se deve sua presença aqui também?

— A nenhuma. Ainda. Não conseguia mais aguentar lá sem você, foi isso. Cáchin. Não suportei ficar para trás. Então vim para cá. Achei... Achei que talvez você pudesse me ajudar.

— Claro — respondi nervoso. — Mas como? O que posso fazer por você?

— Pensei, talvez... bem, eles devem precisar de criadas no palácio. Quem sabe não haveria um lugar para mim. Se você conversasse com alguém.

— Sim, sim. Tenho certeza que sim. Vou tentar saber.

Refleti, pensando quem eu poderia consultar. Imaginei minha irmã com um uniforme de criada ou a roupa inferior de uma auxiliar de cozinha, e por um instante pareceu uma boa ideia. Encontraria a mesma ambição que eu tinha encontrado. Eu teria uma amiga; não alguém cujo respeito almejava, como Serguei Stassiovitch. Não alguém cujo afeto desejava, como Anastácia.

— De qualquer forma, onde você está hospedada?

— Encontrei um quarto. Não é grande coisa e não tenho como ficar lá muito tempo. Será que você podia ver isso para mim, Geórgui? Aí a gente podia se ver de novo. Aqui mesmo, talvez.

Concordei e senti uma súbita urgência de me livrar dela, de voltar para o mundo irreal do palácio, em vez de estar aqui fora, conversando com o passado. Odiei a mim mesmo pelo egoísmo, mas não conseguia vencê-lo.

— Então uma semana — disse e levantei. — Uma semana a contar de hoje, neste mesmo horário. Volte e lhe dou uma resposta. Gostaria de ficar mais tempo, mas minhas obrigações...

— Claro — respondeu ela com ar entristecido. — Mas hoje mais tarde, talvez? Eu podia voltar e...

— Impossível — abanei a cabeça. — Na semana que vem, prometo. Então voltaremos a nos encontrar.

Ela concordou e me abraçou mais uma vez.

— Obrigada, Geórgui. Eu sabia que você não me deixaria na mão. Se não, vou ter de voltar para casa. Não tenho outro lugar aonde ir. Você vai fazer o possível, não é?

— Claro, claro — atalhei com rispidez. — Agora preciso ir. Até a semana que vem, mana.

E com isso voltei às pressas para a praça, rumo ao palácio, maldizendo Ássia por ter aparecido aqui, trazendo o passado para um lugar onde ele não cabia. Mas quando cheguei a meu dormitório, já tinha me enternecido de novo, e decidi que na manhã seguinte faria o possível para ajudá-la. E, depois de fechar a porta, ela já sumira totalmente de meu espírito e meus pensamentos voltaram à única moça cuja existência me importava.

O czar possuía muitas residências, e dentre as três principais — o Palácio de Inverno em São Petersburgo, a cidadela no alto de um penhasco em Livadia e o Palácio de Alexandre em Czarskoe Selo — minha preferida era o Palácio de Alexandre. Constituía um povoado inteiro da realeza, situado a cerca de vinte e cinco quilômetros ao sul da capital, e a corte ia periodicamente até lá, de trem — devagar, claro, para não provocar nenhum solavanco repentino que pudesse desencadear outro episódio da hemofilia do czaréviche.

Ao contrário de São Petersburgo, onde eu me alojava numa cela estreita, ao longo de um corredor povoado de outros membros da Guarda Imperial, em Czarskoe Selo eu dispunha de um minúsculo alojamento anexo ao dormitório do czaréviche, que por sua vez era dominado por um grande *kiot*, repleto de uma quantidade extraordinária de ícones religiosos ali postos pela imperatriz.

— Bom Deus — disse Serguei Stassiovitch, espiando pela porta numa noite em que passava pelo corredor. — Então, Geórgui Danielovitch, foi aqui que o puseram?

— Por enquanto — respondi, constrangido por me encontrar semiadormecido na cama enquanto os demais ocupantes da casa trabalhavam. O próprio Serguei estava corado e transbordando de energia, e quando perguntei onde passara a noite ele meneou a cabeça e se afastou, passando a examinar as paredes e o forro como se fossem assunto de grande interesse. Respondeu relutante:

— Em lugar nenhum. Dei uma volta pelos arredores, e só. Um passeio até o Palácio de Catarina.

— Você podia ter me dito que iria — comentei decepcionado por não ter me convidado, pois Serguei era a coisa mais próxima de um amigo que eu tinha na época, e em certos momentos eu achava que poderia lhe confiar alguns segredos meus. — Eu teria ido junto. Você foi sozinho?

— Sim. Não. — E pouco depois se corrigiu. — Quer dizer, sim, fui sozinho. E que importância tem isso?

— Nenhuma — respondi surpreso com sua atitude. — Só perguntei...

— Sorte sua ter este quarto — disse ele, mudando de assunto.

— Sorte? Antigamente devia ser um depósito de vassouras, de tão pequeno que é.

— Pequeno? — e deu uma risada. — Não reclame. Estamos em vinte, amontoados num dos dormitórios grandes do segundo andar. Tente dormir enquanto estão todos tossindo, peidando e chamando pelas namoradas durante o sonho.

Sorri e ergui os ombros, contente em não ter sido obrigado a ficar com os outros guardas nessas condições. Neste quartinho mal cabiam o beliche e uma mesa pequena com a jarra e a bacia para as abluções, mas Alexei e eu tínhamos ficado próximos e ele gostava de me ter por perto, de forma que o czar decretou que assim seria, e assim foi.

A czarina Alexandra parecia menos satisfeita com o arranjo. Desde o incidente em Moguilev, quando Alexei caiu da árvore e se machucou, eu não estava nas boas graças da imperatriz. Passava por mim nos corredores sem dizer uma palavra, mesmo quando eu me curvava profundamente e me humilhava diante dela. Quando entrava num aposento onde o filho e eu estávamos juntos, ela me ignorava por completo e se dirigia exclusivamente a ele. Isso, em si, não era incomum — geralmente ela agia como se nem enxergasse as pessoas que não fossem parente de sangue ou membro de uma família ilustre —, mas era a maneira como ela torcia levemente os lábios quando eu estava por perto que me permitia entender a que ponto ia seu desprezo. Por ela, acho, eu teria sido dispensado do serviço da família imperial e mandado de volta para Cáchin — ou talvez, ainda mais, para o exílio na Sibéria —, mas o czar continuava a me defender e por isso pude manter meu cargo. Não fosse a confiança dele em mim, minha vida teria seguido rumos totalmente diversos.

Passaram-se três noites antes de voltar a ter companhia no quarto, mas dessa vez a visita não era tão agradável quanto Serguei Stassiovitch. Eu me preparava para dormir quando bateram à porta, tão de leve que no começo nem ouvi. Quando bateram novamente, franzi o cenho imaginando quem iria me chamar àquela hora da noite. Não podia ser Alexei, pois ele nunca se dava ao trabalho de bater. Talvez... Mal consegui respirar pensando que podia ser Anastácia. Pus-me sentado, engoli em seco, fui até a porta e abri apenas uma fresta, espiando o corredor nas trevas.

De início, achei que meus ouvidos tinham me enganado e não havia ninguém ali fora. Mas, no momento em que ia fechar a porta, um homem saiu das sombras, com sua cabeleira escura e roupas negras fundindo-se com o breu do corredor, de forma que se via apenas o branco de seus olhos.

— Boa noite, Geórgui Danielovitch — disse em voz clara, abrindo a boca e mostrando os dentes amarelos numa imitação de sorriso.

— Padre Grigori — respondi, pois, mesmo que nunca tivesse falado com ele, já o vira em muitas ocasiões, entrando e saindo dos vários aposentos da czarina. A primeira vez tinha sido na primeira noite em que cheguei ao Palácio de Inverno, claro, quando o atrapalhei no momento em que entoava uma bênção sobre a cabeça da imperatriz, tinha me visto e me prendido com seu olhar aterrorizante.

— Espero que não seja muito tarde para uma visita.

— Eu estava deitado — respondi apercebendo-me que tinha aberto a porta vestido apenas com minhas roupas de dormir, uma túnica solta e um calção. — Por acaso isso não poderia esperar até amanhã?

— Não creio que possa — respondeu abrindo ainda mais o sorriso, como se fosse uma enorme piada, e se adiantando, não a ponto de me empurrar fora do caminho, mas simplesmente avançando para dentro do quarto até que não tive outra opção a não ser me pôr de lado. Parou de costas para mim, absolutamente imóvel enquanto observava minha cama, e depois olhou a janela estreita que dava para o pátio, e ali ficou como se tivesse se petrificado. Somente quando fechei a porta e acendi uma vela, ele se virou, mas a luz bruxuleante da chama era tão débil que não me permitia enxergá-lo bem.

— Estou surpreso em vê-lo — disse resolvido a não me mostrar intimidado diante dele, embora achasse sua presença ameaçadora. — É alguma mensagem do czarévich?

— Não, e se fosse você acha que eu traria? — retorquiu olhando-me de cima a baixo lentamente.

Comecei a me sentir constrangido com minhas roupas de baixo e peguei as calças, que vesti mesmo enquanto ele continuava a me observar, sem desviar o olhar um único instante e continuando a falar:

— Temos tanto em comum, você e eu, e mesmo assim

nunca nos falamos. Que coisa mais triste, não acha? Quando poderíamos ser tão amigos.

— Não vejo por quê. Na verdade, padre Grigori, nunca fui um homem espiritual.

— Mas o espírito está dentro de todos nós.

— Não tenho muita certeza.

— Por que não?

— Fui criado sem os benefícios da educação. Tínhamos de trabalhar pesado, minhas irmãs e eu. Não tínhamos tempo para adorar ícones ou rezar orações.

— E no entanto você me chama de padre. Respeita minha posição.

— Claro.

— Você sabe como outros me chamam, não sabe?

— Sei, sim — respondi prontamente, decidido a não demonstrar qualquer emoção, nem medo, nem admiração. — Chamam-no de *starets*.

— Sim — respondeu assentindo e dando um pequeno sorriso. — Um mestre venerado. Alguém que leva uma vida totalmente honrada. O nome lhe parece apropriado, Geórgui Danielovitch?

— Não sei — e engoli nervosamente em seco. — Não o conheço.

— Você gostaria?

Não tive resposta a isso e simplesmente permaneci onde estava, incapaz de me mover, querendo me afastar de sua presença, mas sentindo um grande peso nas pernas, prendendo-me ao chão.

— Eles usam um outro nome — disse ele, depois de um longo silêncio entre nós, e agora sua voz era grave e profunda. — Você conhece esse outro nome também, imagino eu.

— Rasputin — respondi, a palavra rascando na garganta enquanto proferia.

— Isso mesmo. E você sabe o que significa?

— Significa homem sem virtudes — e agora eu lutava

para manter a voz firme, pois aqueles seus olhos negros estavam diretamente cravados nos meus, sem pestanejar, deixando-me absolutamente incomodado. — Um homem que fica íntimo de muitas pessoas.
— Quanta polidez, Geórgui Danielovitch! *Um homem que fica íntimo de muitas pessoas.* Uma frase muito estranha. O que eles querem dizer é que tenho relações com todas as mulheres que encontro.
— Sim, eu sei.
— Meus inimigos dizem que eu violentei metade da população de São Petersburgo, não é verdade?
— Ouvi dizer.
— E não só mulheres, mas meninas também. E meninos. Dizem que busco meus prazeres em qualquer lugar.
Engoli em seco mais uma vez, nervoso, e desviei os olhos. Ele prosseguiu:
— Há os que chegam à temeridade de insinuar que levei a czarina para a cama. E que penetrei todas as grã-duquesas sucessivamente, como um touro no cio. O que você pensa a respeito, Geórgui Danielovitch?
Tornei a olhá-lo, torcendo a boca de desprezo. Senti um impulso de lhe dar um soco, de expulsá-lo do quarto, mas estava impotente sob aquele olhar tenebroso. Um arrepio me percorreu e pensei em correr para a porta, escancará-la e fugir pelo corredor, qualquer coisa para ficar longe daquele homem. Mas não conseguia. Por mais repugnância que sentisse por suas palavras, estava fascinado por ele, como se minhas pernas não me obedecessem mais, mesmo mandando que se pusessem a correr. Houve um minuto de silêncio entre nós, talvez mais, e meu desconforto parecia lhe agradar, pois sorria consigo mesmo e ria baixinho enquanto meneava a cabeça.
— Meus inimigos são uns mentirosos, claro — finalmente disse, estendendo os braços como se fosse me abraçar. — Criam invencionices, todos eles. Uns pagãos. Sou um religioso, apenas isso, mas me pintam como um sujeito afundado na

libertinagem. São uns hipócritas também, pois, como você mesmo disse, uma hora sou um homem honrado, outra hora uma pessoa sem virtudes. Não se pode ser um *starets* e Rasputin ao mesmo tempo, não concorda? Mas não permito que essas pessoas me atinjam, claro. Sabe por quê?

Abanei a cabeça, mas fiquei quieto.

— Porque fui posto no mundo para uma finalidade maior do que a deles. Você nunca sentiu isso, Geórgui Danielovitch? Que foi enviado para cá por uma razão?

— Às vezes — murmurei.

— E que razão você pensa que é?

Refleti e ia responder, quando mudei de ideia e mantive silêncio. Tinha dito *às vezes*, mas na verdade nunca havia pensado no assunto; somente quando ele perguntou é que percebi que sim, que eu acreditava ter sido enviado para cá com uma finalidade que ainda não entendia. Essa percepção bastava para me deixar ainda mais inquieto e, quando olhei para ele, o *starets* estava novamente com aquele sorriso medonho, cujo detalhe mais estranho era que, por mais que me repugnasse, tornava impossível desviar os olhos.

— Eu disse antes que nós dois somos parecidos — retomou ele, suas íris negras girando diante de mim à luz da vela, malévolas e destruidoras como o Neva no auge do inverno.

— Não creio.

— Você é o protetor do menino e eu sou o guardião da mãe. Não vê isso? E por que nos preocupamos tanto com eles? Porque amamos nosso país. Não é verdade? Você não pode permitir que ocorra nenhum dano ao garoto, ou o czar teria de governar sem um herdeiro direto. E nesta época de crise. A guerra é algo terrível, Geórgui Danielovitch, não concorda?

— Não permito que ocorra nenhum dano a Alexei — protestei. — Daria minha vida por ele, se precisasse.

— E quantas semanas ele sofreu em Moguilev? — então perguntou ele. — Quantas semanas todos eles sofreram — o menino, as irmãs, a mãe, o pai? Achavam que ele ia morrer, você bem sabe. Você ficava acordado de noite ouvindo os gritos dele, tal como todos nós. Como lhe pareciam, penosos ou melodiosos? Engoli. Tudo o que ele dizia era verdade. Os dias e semanas subsequentes à queda do czaréviche tinham sido de pesadelo. Nunca tinha visto ninguém sofrer tanto. Quando me autorizaram entrar para falar com ele, não encontrei o menino alegre e cheio de vida com quem tinha estabelecido uma ligação quase fraterna. Pelo contrário, encontrei uma criança esquelética, com os membros torcidos e contorcidos no leito, o rosto amarelado, encharcado de suor que não parava de brotar, por mais que lhe colocassem panos frios nas têmporas. Vi um menino que não conseguia reconhecer ninguém, mas me implorava para ajudá-lo, um inocente que se esticava com as poucas forças que lhe restavam e gritava suplicando que eu fizesse alguma coisa, que terminasse com seu tormento. Nunca tinha visto tanta angústia, nunca sequer imaginara que podia existir tanto sofrimento. Como sobreviveu àquilo, não sei. Dia e noite eu imaginava que ele sucumbiria à dor e se entregaria. Mas nunca se entregou. Possuía uma força totalmente inesperada. Foi a segunda vez que entendi que sim, esse menino podia ser um czar.

E durante esse tempo todo, essas três semanas de tortura, a czarina, aquela boa mulher, praticamente nunca abandonou seu leito. Sentava-se ao lado dele, segurava-lhe a mão, falava com ele, sussurrava-lhe, encorajava-o. Não éramos amigos, ela e eu, mas, por Deus, eu podia reconhecer uma mãe amorosa e devotada, tanto mais por nunca ter tido uma. Quando aquela fase passou e o alívio finalmente a sucedeu, quando Alexei começou a melhorar e a recuperar as forças, ela tinha envelhecido visivelmente. Os cabelos estavam grisalhos, a pele manchada pela tensão sofrida. Aquele episódio, que tinha ocorrido por total responsabilidade minha, havia alterado irreparavelmente a czarina.

— Se pudesse ajudá-lo, eu ajudaria — disse ao *starets*. — Eu não podia fazer nada.

— Claro que não — respondeu estendendo as mãos e sorrindo. — Mas você não deve jamais se culpar pelo que aconteceu. Na verdade, foi por isso que vim visitá-lo agora à noite, Geórgui. Para lhe agradecer.

Franzi a testa e o encarei:

— Para me agradecer?

— Mas claro. Ultimamente, Sua Majestade, a czarina, tem andado muito ocupada com a saúde do filho. Está preocupada por ter talvez parecido... pouco amistosa em relação a você.

— Nunca me ocorreu isso, padre Grigori — disse mentindo. — Ela é a imperatriz. Pode me tratar como quiser.

— Sim, mas nós pensamos que é importante que você entenda que é apreciado.

— Nós?

— A czarina e eu.

Ergui as sobrancelhas, surpreso com a formulação. Confuso com aquelas palavras, sem acreditar absolutamente que a czarina tivesse dito tal coisa ou enviado tal recado por ele, disse por fim:

— Ora, não há o que agradecer. E, por favor, assegure à Sua Majestade que farei tudo o que estiver a meu alcance para garantir que tal incidente jamais se repetirá.

— Você não é apenas um rapazinho bonito, não é mesmo? — e avançou calmamente, até poucos centímetros de mim, enquanto eu me comprimia contra a parede. — É também muito leal.

— Espero que sim — respondi querendo que ele fosse embora.

— Garotos de sua idade nem sempre são tão leais — disse ele, aproximando-se ainda mais, e agora eu sentia seu hálito fétido e seu corpo começando a pressionar o meu.

Meu estômago se revirou; de repente tive a certeza de

que fora enviado para me matar, mas, em vez disso, ele simplesmente inclinou levemente a cabeça e sorriu com um ar de pavorosa perdição, prendendo meu olhar com aqueles olhos terríveis. E, passando o dedo por meu ombro e descendo pelo braço, ronronou:

— Você é leal a toda a família. Aqui, você levou um tiro por um deles — murmurou detendo-se precisamente no ponto que a bala de Colec havia atravessado.

Então, apertando a palma aberta da mão em meu peito, enquanto meu coração batia rápido sob o toque, ele disse:

— E aqui você tomaria um tiro pelo menino. Mas onde você vai estar quando vierem as balas no futuro?

— Padre Grigori, por favor... eu suplico — murmurei, agora desesperado para que me deixasse.

— Onde você vai estar, Geórgui? Quando as portas se abrirem e os homens entrarem com seus revólveres? Você vai tomar os tiros ou estará escondido nas árvores, como um covarde?

— Não sei do que o senhor está falando — exclamei, confuso com aquelas palavras. — Que homens? Que tiros?

— Você se poria na frente de um deles por causa da mocinha, não é?

— Que mocinha?

— Você sabe que mocinha, Geórgui.

Agora sua mão estava espalmada em meu abdome, e aguardei que surgisse a lâmina, que ele a cravasse em minhas entranhas, a revirasse para me matar. Ele sabia; era óbvio. Tinha descoberto a verdade sobre nós, Anastácia e eu, e fora enviado para me matar por causa de minha impertinência. Eu não ia negar. Amava-a e, se isso significava minha ruína, então que fosse. Fechei os olhos, esperando que me trespassasse a carne, que o sangue jorrasse pela perfuração, banhando meus pés descalços com sua tepidez viscosa, mas passaram-se os segundos e os minutos, e não aconteceu nada, nenhuma lâmina me rasgou, e quando reabri os olhos ele havia desaparecido. Era como se tivesse se dissolvido no ar, sem deixar nenhum traço de sua presença.

Transpirando, tremendo de medo, caí no chão e enterrei o rosto nas mãos. O *starets* sabia de tudo, claro que sabia. Mas a quem ia contar? E, quando descobrissem, o que seria de nós?

A dama encarregada de todo o pessoal doméstico no Palácio de Inverno era a duquesa Rajissa Afonovna, e ela tinha sido surpreendentemente amistosa comigo desde a primeira vez em que a vi, no dia seguinte à minha chegada na cidade. De vez em quando nossos caminhos se cruzavam nas alas da família, pois ela era amiga íntima da czarina, e quando nos encontrávamos ela sempre me cumprimentava de maneira cordial e parava para conversar, coisa que muitas pessoas de sua condição jamais se dignariam a fazer. Assim, foi a ela que recorri na manhã seguinte, para perguntar sobre algum serviço para Ássia.

Ela ocupava um escritório relativamente pequeno no primeiro andar do palácio. Bati, esperei e, quando ela respondeu, introduzi a cabeça pela porta e cumprimentei-a.

— Geórgui Danielovitch — disse ela abrindo um largo sorriso e fazendo um gesto para eu entrar. — Que boa surpresa.

— Bom dia, Vossa Eminência — respondi fechando a porta e tomando o assento que ela indicou perto de si, num sofá pequeno. Eu preferiria a poltrona individual alguns passos adiante, mas indicava uma posição de superioridade e não me atreveria. — Espero não estar incomodando.

— Não, não está — disse reunindo alguns papéis à frente e colocando-os cuidadosamente numa mesinha ao lado. — É até uma boa interrupção.

Anuí, mais uma vez surpreendido com sua afabilidade, num grande contraste com sua amiga Alexandra, a czarina, que não tomava conhecimento de mim.

— E como vai você? Está se adaptando bem?

— Muito bem, Eminência. Creio que começo a entender meus deveres.
— E suas responsabilidades também, espero. Pois são muitas. Você ganhou a confiança do czaréviche, pelo que eu soube.
— De fato — respondi abrindo um sorriso afetuoso à menção de Alexei. — Ele me mantém ocupado, se assim posso dizer.
— Sim, sim — disse rindo. — É um menino com muita energia, sem dúvida. Um dia será um grande czar, se tudo correr bem.
Franzi o cenho, surpreso com essas suas palavras, e por um instante pensei ver um leve rubor em seu rosto. Ela se corrigiu:
— Um grande czar, com toda certeza. Mas você deve estranhar aqui, não?
— Estranhar? — repeti, sem entender bem o que ela queria dizer.
— Estar tão longe de casa. Da família. Meu filho, Lev, todos os dias sinto saudades dele.
— Então ele não mora em São Petersburgo?
— Normalmente mora. Mas agora... — ela suspirou e abanou a cabeça. — Ele é um soldado, claro. Está lutando pelo país.
— Entendo.
Fazia sentido. A duquesa já tinha cerca de quarenta anos; fazia sentido que tivesse um filho no exército.
— Na verdade, ele deve ter no máximo uns dois anos a mais do que você. Em alguns aspectos, você me lembra ele.
— Lembro?
— Um pouco. Os dois têm a mesma altura. O mesmo cabelo. O mesmo físico.
E acrescentou com uma pequena risada:
— Na verdade, podiam ser irmãos.
— A senhora deve se sentir preocupada.

— De vez em quando consigo dormir. Mas é raro — disse esboçando um sorriso.

— Lamento — disse ao sentir que ela podia ficar chateada. — Não devia estar falando dessas coisas com a senhora.

— Não há problema. Às vezes sinto medo, às vezes sinto orgulho. E às vezes sinto raiva.

— Raiva? — indaguei surpreso. — Do quê?

Ela hesitou e desviou o olhar. Parecia se controlar para não dizer o que pretendia. Por fim disse em voz baixa, entredentes:

— Dessa loucura toda. De sua absoluta incompetência em matéria militar. Ele vai matar a todos nós antes de parar.

— Seu filho? — perguntei atônito, pois aquelas frases não faziam muito sentido para mim.

— Não, Geórgui, não meu filho. Ele é apenas um peão. Mas já falei demais. Você veio me ver. No que posso ajudá-lo?

Fiquei indeciso, sem saber se devia prosseguir a mesma conversa, mas resolvi ir ao assunto.

— Eu estava pensando sobre os serviços domésticos. Se a senhora precisaria de mais alguém para a criadagem.

— Você não está pensando em trocar a Guarda Imperial por um avental, está?

— Não — falei com uma risadinha. — Não, é minha irmã, Ássia Danielovna. Ela gostaria de conseguir um emprego.

— Mesmo? — indagou a duquesa, demonstrando interesse. — É uma moça de bom caráter, imagino eu.

— Irrepreensível.

— Bem, aqui sempre há vagas para moças de caráter irrepreensível — disse num sorriso. — Ela está aqui em São Petersburgo ou em... desculpe, Geórgui, esqueci de onde você é.

— Cáchin. No Grão-Ducado da Moscóvia. E não, ela não está lá, já está... — interrompi a frase e me corrigi. — Sim, ela ainda está lá. Mas gostaria de sair.

— Bem, suponho que ela poderia chegar aqui em poucos

dias, se lhe mandarmos um recado. Escreva para ela, Geórgui, sem falta. Convide-a para vir até aqui, e me avise quando ela chegar. Certamente terei uma vaga para ela.

— Obrigado — respondi e me levantei, sem saber por que tinha mentido sobre o paradeiro de Ássia. — A senhora é muito bondosa comigo.

— Como lhe disse... — ela sorriu pegando novamente sua papelada —, você me lembra meu filho.

— Acenderei uma vela por ele.

— Obrigada.

Fiz uma vênia profunda e saí do aposento, parando no corredor por alguns instantes. Sentia-me dividido: em parte estava contente por poder levar a notícia à minha irmã, por poder ser novamente um herói para ela; em parte estava com raiva por ela se intrometer neste meu novo mundo, que eu queria exclusivamente para mim.

— Você parece confuso, Geórgui Danielovitch — disse o *starets*, padre Grigori, que surgiu de modo tão repentino, tão inopinado, que soltei um grito de surpresa. — Acalme-se — ordenou em voz baixa, pondo a mão em meu ombro e acariciando-o levemente.

— Estou atrasado para o horário com o conde Charnetski — falei tentando me afastar.

— Homem detestável — disse ele, sorrindo e mostrando os dentes amarelos. — Por que ir? Por que não fica comigo?

E que parte inesperada e incompreensível de mim sentiu o desejo de dizer *Fico, sim*? Mas sacudi o ombro, para remover sua mão, e fui embora sem dizer nada.

— No final você tomará a decisão certa, Geórgui — bradou ele, e sua voz ecoou pelas paredes e reverberou em meus ouvidos. — Você colocará seus prazeres à frente dos desejos dos outros. É o que o faz humano.

Disparei numa carreira, e pouco depois o som de minhas botas no corredor afogou a verdade que eu sabia residir naquelas palavras.

* * *

Durante todo o inverno e o começo da primavera de 1916, fiz questão de garantir que o czaréviche não se entregasse a nenhuma atividade capaz de lhe causar algum dano: tarefa nada fácil com um menino vivaz de onze anos que não entendia por que lhe proibiam as brincadeiras e exercícios de suas irmãs. Em muitas ocasiões, ele perdia a calma com seus guardas, atirando-se na cama e esmurrando os travesseiros, tão furioso ficava com as medidas de precaução. Talvez essa frustração se exacerbasse ainda mais porque tinha apenas irmãs, era ele o czaréviche e mesmo assim só elas podiam fazer as coisas que ele mais desejava.

No final do inverno, a família imperial saiu num passeio para patinar num lago congelado perto de Czarskoe Selo. O czar em pessoa e as quatro filhas, junto com monsieur Gilliard e o dr. Fiodorov, passaram a tarde traçando belos desenhos na grossa camada de gelo, enquanto a czarina e o filho, embrulhados em peles, luvas e gorros, ficavam nas cercanias seguras do lago.

— Não posso ir nem por uns minutinhos? — ele pediu quando a luz começou a diminuir e ficou evidente que logo a brincadeira terminaria.

— Você sabe que não, querido — respondeu a mãe, alisando com a mão a franja na testa do filho. — Se acontece alguma coisa...

— Mas não vai acontecer nada! Prometo, vou ter muito cuidado.

— Não, Alexei — repetiu a czarina num suspiro.

— Mas é tão injusto! — disse ele com rispidez, as faces ardendo de indignação. — Não vejo por que tenho que ficar plantado aqui, deste lado do lago, enquanto minhas irmãs estão lá, se divertindo, e podem fazer tudo o que querem. Veja Tatiana. Está quase azul de frio. E ninguém fica insistindo para ela sair dali e vir se aquecer, não é? Veja Anastácia. Ela fica olhando para cá o tempo todo. É evidente que ela quer que eu vá me juntar a elas.

Eu estava de pé atrás deles e, quando Alexei disse isso, sorri levemente para mim mesmo, pois sabia que Anastácia não estava olhando para o irmão, e sim para mim. Eu considerava assombroso que conseguíssemos manter o sigilo sobre nosso caso de amor fazia quase um ano. Na verdade, era tudo muito inocente. Combinávamos encontros secretos, trocávamos bilhetes escritos num código que tínhamos inventado e, quando conseguíamos nos encontrar a sós, ficávamos de mãos dadas, dávamos beijos, declarávamos amor eterno. Estávamos totalmente envolvidos e ficávamos apavorados que alguém pudesse descobrir nosso romance, pois a descoberta significaria separação certa.

— Você faz todos esses pedidos — disse a czarina com um suspiro cansado, enquanto enchia uma caneca de estanho com chocolate quente de um cantil. — Mas certamente não preciso lembrar as agonias que você sofre quando leva um de seus tombos.

— Mas *não* vou levar um de meus tombos — insistiu rilhando os dentes. — E vou ser tratado assim pelo resto da vida? Vou ficar sempre protegido e nunca vou poder ser feliz?

— Não, Alexei, claro que não. E quando for adulto, vai poder fazer como quiser, mas por enquanto quem decide sou eu, e o faço pensando no que é melhor para você. Acredite nisso.

— Papai — disse Alexei, agora recorrendo ao czar, que tinha vindo com Anastácia, patinando, até a beira do lago, onde foi obrigado a entreouvir a discussão entre mãe e filho. Os dois estavam com as faces rosadas de frio, mas tinham se divertido, dado risadas, apesar da temperatura gelada. Anastácia sorriu para mim e eu sorri levemente de volta, cuidando para que não percebessem. — Papai, por favor, me deixe patinar um pouquinho.

— Alexei — respondeu meneando a cabeça pesaroso —, já falamos disso.

— Mas e se eu não for sozinho? — sugeriu o menino. — E se eu for patinar com alguém do lado? Alguém que me segure as mãos e me mantenha em segurança?

O czar ponderou o pedido. Ao contrário da esposa, ele tinha consciência das outras pessoas que compunham nosso círculo — os criados, os parentes, os príncipes de outras famílias da nobreza — e, nesses momentos, ele sempre ficava preocupado que o filho não parecesse um fracote, incapaz de enfrentar as atividades mais normais. Afinal, era o czarévitche. Se pretendiam manter sua posição a salvo, era importante que ele fosse visto como garoto forte e viril. Notando a indecisão do pai, o menino agarrou imediatamente o ponto fraco.

— E fico lá só dez minutos — prosseguiu advogando sua causa. — Quinze no máximo. Talvez vinte. E vou bem, bem devagarinho. Como se estivesse andando, se o senhor quiser.

— Não pode, Alexei — retomou a czarina, e logo o marido a interrompeu.

— Você promete solenemente que não irá mais rápido do que se estivesse andando? E que vai de mãos dadas com os acompanhantes?

— Prometo, papai! — gritou Alexei encantado, pulando da cadeira e — para o susto de todos — quase tropeçando nos próprios pés enquanto ia pegar os patins. Dei um salto para segurá-lo antes que caísse no chão, mas ele se recompôs a tempo e ficou ali, parecendo um pouco constrangido com o tropeção.

— Nicky, não! — gritou imediatamente a czarina, erguendo-se também e olhando zangada para o marido. — Você não pode deixar.

— Ele precisa de uma certa liberdade de espírito — replicou o czar, desviando os olhos para não enfrentar a mirada da esposa. Eu bem sabia que ele detestava essas cenas na frente de outras pessoas. — Afinal, Florzinha, você não pode esperar que ele fique aqui sentado a tarde toda e não se sinta ludibriado.

— E se ele cair? — ela indagou com a voz quase se partindo em lágrimas.

— Não vou cair, mamãe — disse Alexei depondo-lhe um beijo na face. — Prometo.

— Pois se você quase caiu ao levantar da cadeira! — exclamou a mãe.

— Foi um acidente. Não vai acontecer mais.

— Nicky — apelou para o marido, mas o czar moveu a cabeça numa negativa. Notei que ele queria ver o filho no lago. E, qualquer que fosse a consequência, ele queria que nós também o víssemos patinar. Marido e mulher se encararam, disputando forças numa luta de poder. No palácio corria o boato de que o casamento deles, mais de vinte anos antes, tinha sido por amor — uniram-se contra as preferências tanto do pai do czar, Alexandre III, quanto da mãe, a imperatriz-mãe Maria Fiodorovna, que não gostava da ascendência anglo-germânica da czarina. Durante todos os anos da união, ele sempre a tratou com adoração, mesmo quando uma filha se sucedia à outra, e um filho parecia uma possibilidade remota. Apenas em data mais recente, depois que foi diagnosticada a hemofilia de Alexei, a relação entre ambos havia começado a se deteriorar.

Evidentemente, o outro boato, repetido em todo o país, era que o czar fora substituído no coração e na cama de Alexandra pelo *starets*, o padre Grigori, mas eu não sabia se era verdade ou calúnia.

— Eu o levo, papai — disse uma voz meiga, e olhei para Anastácia, que estava com aquele sorriso inocente e suave próprio dela. — E ficarei segurando a mão dele o tempo inteiro.

— Aí está, viu? — disse Alexei à mãe. — Todos sabem que Anastácia é a melhor patinadora entre nós.

— Mas só você não — replicou a czarina, sentindo-se derrotada, mas querendo garantir uma parcela sua na decisão.

— Geórgui Danielovitch — disse, e fiquei espantado quando ela se virou, sabendo exatamente onde eu estava —, você também vai acompanhar meus filhos. Alexei, você fique entre os dois e segure as mãos deles, entendido?

— Entendido, mamãe — disse ele feliz da vida.

— E se eu vir você se soltar nem que seja uma única vez, vou chamá-lo de volta e você não vai me desobedecer.

O czaréviche concordou com os termos da mãe e acabou de amarrar os patins, enquanto eu ia até a borda do lago e trocava minhas pesadas botas de neve pelas lâminas mais leves dos patins. Capturei o olhar de Anastácia e ela deu um sorriso faceiro; que plano perfeito tinha organizado! Íamos deslizar pelo lago juntos à vista de todos, sem levantar suspeitas em ninguém.

— Vossa Alteza é uma excelente patinadora — declarei enquanto nós três patinávamos lentamente até o centro do lago, onde os outros patinadores e as grã-duquesas cederam lugar a nós.

— Ora, obrigada, Geórgui — respondeu de modo altivo, como se eu não passasse de um criado para ela. — Já você parece espantosamente inseguro no gelo.

— Pareço? — perguntei num sorriso.

— Sim. Você nunca patinou antes?

— Já, muitas vezes.

— Mesmo? — indagou surpresa enquanto nós três fazíamos a circunferência juntos, zunindo à esquerda e à direita, mantendo o ritmo entre nós, aumentando a rapidez tantas vezes até que os gritos da czarina na beira do lago nos obrigaram a diminuir a velocidade. — Não sabia que você tinha tanto tempo de folga para deixar o palácio para tamanha frivolidade. Talvez suas obrigações não sejam tão pesadas quanto eu pensava.

— Não aqui, Alteza — respondi depressa. — Não, eu dizia em Cáchin, minha aldeia natal. Patinávamos no inverno, quando os lagos congelavam. Não de patins, claro. Não tínhamos dinheiro para tais luxos.

— Entendo — disse ela, divertindo-se com o flerte. — Você patinava sozinho, imagino.

— Nem sempre.

— Com seus amigos, então? Os meninos broncos e obtusos com quem você cresceu?

— De maneira nenhuma, Alteza — rangi os dentes. — As famílias de Cáchin, como em qualquer outro lugar do mundo, são abençoadas com filhos e filhas. Eu patinava com as meninas da aldeia.

— Parem de brigar, vocês dois — exclamou Alexei, que estava concentrado em se manter de pé, pois na verdade estava longe de patinar bem. E também era novo demais para perceber que aquilo não era uma discussão, e sim um flerte ininterrupto.

— Entendo — retomou Anastácia alguns momentos depois. — Ora, devia lhe cair muito bem ficar deslizando pelos lagos de lá com aquelas campônias grandalhonas. Já eu sou ótima patinadora faz muitos anos.

— Estou vendo.

— Pois é, você conhece o príncipe Evguéni Iliavitch Simonov?

— Vi algumas vezes — respondi, lembrando o belo jovem filho de uma das famílias mais ricas de São Petersburgo, rapaz abençoado com uma tez dourada, bastos cabelos louros e os dentes mais alvos que eu já tinha visto em qualquer ser vivo. Era de conhecimento geral que metade das jovens da sociedade estavam apaixonadas por ele.

— Ele me ensinou tudo o que sei — disse Anastácia com um sorriso terno.

— Tudo?

— Quase tudo — admitiu ela um pouco depois, fazendo biquinho enquanto me olhava, a coisa mais próxima de um beijo em público a que podíamos chegar.

— Vamos experimentar em círculo — falei olhando Alexei.
— Em círculo?
— É, podemos girar em roda. Alteza — prossegui, olhando Anastácia —, pegue minha mão também, e assim fazemos uma ciranda.

Ela seguiu a instrução e logo estávamos de mãos dadas, patinando num pequeno círculo de três, uma dança muito agradável que só foi interrompida quando a czarina começou a acenar com os braços, aflita, na beirada do lago, insistindo que voltássemos à segurança. Suspirando, desejando que aquele momento fosse eterno, sugeri que devíamos voltar, mas, no momento em que Alexei estava são e salvo de volta aos braços maternos, Anastácia agarrou minha mão e, agora mais depressa, voou comigo no gelo enquanto eu lutava para acompanhar sua velocidade e manter o equilíbrio.

— Anastácia! — gritou a czarina, absolutamente ciente da falta de decoro de estarmos patinando juntos daquela maneira, mas a gargalhada do czar ao me ver quase cair bastou para me convencer que aquela travessura seria permitida, ao menos por alguns instantes.

E assim patinamos. E a patinação se transformou em dança. Ficamos alinhados, unindo os movimentos e as distâncias. Durou poucos minutos, mas parecia uma eternidade. Quando relembro Czarskoe Selo e o inverno de 1916, é essa cena que lembro com maior vividez.

A grã-duquesa Anastácia e eu, sozinhos sobre o gelo, de mãos dadas, dançando em nossos ritmos próprios, enquanto o sol rubro se punha e as sombras desciam, seus pais e irmãos nos observando de longe, sem saber de nossa paixão, desconhecendo nosso romance. Dançando juntos, o par em harmonia perfeita, desejando que aquele momento nunca se acabasse.

E agora preciso narrar o grande momento de vergonha em minha vida. Convivo com sua lembrança dizendo a mim mesmo que era jovem, estava apaixonado, não só por Anastácia, mas por toda a família imperial, pelo Palácio de Inverno, por São Petersburgo, por toda a nova vida à qual eu fora lançado de maneira tão imprevista. Digo a mim mesmo que estava embriagado de soberba e egoísmo, que não queria que ninguém viesse partilhar minha nova existência, que queria apenas recomeçar. Digo-me todas essas coisas, mas não é suficiente. Foi um pecado.

Ássia estava me esperando à hora combinada; desconfiei que havia passado boa parte da tarde ali no local.

— Lamento — disse a ela, fitando-a diretamente nos olhos enquanto praticava minha traição. — Não há nada para você aqui. Perguntei, mas não há nada que se possa fazer.

Ela assentiu e aceitou minhas palavras sem se queixar. Enquanto sumia na noite, disse a mim mesmo que ela estaria melhor em Cáchin, onde tinha amigos, família, lar. E então afastei-a do espírito, como se não fosse nada além de uma conhecida distante, e não uma irmã que me amava.

Nunca mais vi ou tive notícias de Ássia. Devo viver com essa lembrança, com essa desonra.

1941

Não percebi o cavalheiro nas três primeiras vezes em que ele apareceu na biblioteca, mas na quarta vez, a srta. Simpson, que estava encantada com ele, puxou-me de lado com ar de entusiasmo no rosto.

— Ele está aqui de novo — sussurrou, tomando-me o braço, olhando para o centro da biblioteca e então me fitando ansiosa; eu nunca a vira tão empolgada. Tinha a animação febril de uma criança no dia de Natal.

— Quem está aqui de novo?

— *Ele* — respondeu, como se já tivéssemos conversado sobre a pessoa e eu me mostrasse deliberadamente obtuso por não admitir. — O sr. Tweed, como digo eu. O senhor o notou, não é?

Encarei a srta. Simpson, em dúvida se teria endoidecido; a guerra, afinal, estava transtornando a cabeça de todos. As ameaças de bombardeio, a frequência de bombardeios, as consequências dos bombardeios... isso bastava para enlouquecer o mais racional dos espíritos.

— Srta. Simpson, não faço a menor ideia do que a senhorita está falando. Há alguém aqui que a senhorita já viu antes, é isso? Algum encrenqueiro? Não entendo.

Ela me agarrou, puxando-me da escrivaninha onde eu trabalhava, e logo depois estávamos escondidos atrás de uma prateleira de livros, espiando um homem sentado numa das mesas de leitura, com a atenção totalmente concentrada num grosso volume de referências. Não havia nada de especialmente notável nele, afora seu luxuoso terno de tweed, daí o nome que lhe dera a srta. Simpson. Suponho que também era um sujeito bonitão, com os cabelos escuros brilhantinados e penteados para trás, deixando-lhe a testa descoberta. A pele bronzeada sugeria que não era da Inglaterra ou que havia passado muito tempo no exterior. Claro, o mais invulgar naquilo tudo era que um homem de sua idade — no final dos vinte — estivesse na biblioteca do Museu Britânico às duas da tarde de uma quinta-feira. Afinal, deveria estar no exército.

— E o que tem ele? — perguntei enervado com o entusiasmo de minha jovem colega. — O que ele fez?

— Ele tem vindo todos os dias nesta semana — respondeu acenando vigorosamente a cabeça. — O senhor não reparou?

— Não. Não tenho o costume de reparar em jovens cavalheiros que querem fazer consultas na biblioteca.

— Acho que deve estar caidinho por mim — disse ela num risinho e olhando de novo para ele com um sorriso compreensivo. — Como estou, sr. Jachmenev? Meu batom está bom? Faz meses que não uso, mas hoje de manhã encontrei um tubinho velho no fundo da penteadeira e pensei: *Que sorte*, e passei para ficar mais bonita. E o cabelo? Tenho uma escova na bolsa. O que o senhor acha, é melhor dar uma escovadinha rápida?

Cravei os olhos nela, sentindo minha irritação crescer. Não que eu fosse imune à frivolidade a que os mais jovens se entregavam de vez em quando; afinal, o cotidiano nos últimos anos tinha se tornado mais difícil e ameaçador para todos nós. A última coisa que eu pretendia era negar a quem quer que fosse um momento de alegria, nas raras ocasiões que surgiam. Mas havia um limite de brincadeiras que eu conseguia suportar. Para falar francamente, aquilo era enervante.

— Sua aparência está ótima — disse e me afastei tentando voltar ao trabalho. — E estaria ainda melhor se a senhorita voltasse ao serviço e parasse de perder tempo com essa bobagem. Não tem nada para fazer?

— Claro que tenho. Mas, puxa vida, sr. Jachmenev, hoje em dia são tão raros os homens em Londres, e dê uma olhada neste, ele é lindo! Se está vindo aqui todos os dias para me ver, ora, não vou dizer não a ele, certo? Talvez seja tímido demais para puxar conversa. É fácil contornar isso, claro.

— Srta. Simpson, quer fazer o favor de...

Mas era tarde demais. Ela pegou um livro na prateleira e se encaminhou até o rapaz. Apesar de meus impulsos em contrário, fiquei ali assistindo, com uma vontade mórbida de ver o que aconteceria em seguida; sempre havia uma certa emoção voyeurista em assistir ao comportamento da srta. Simpson, e de vez em quando eu me permitia. Ela avançou com pose afetada, requebrando os quadris com toda a segurança de uma artista de cinema e, chegando até ele, deixou cair o livro de propósito no chão, a capa dura batendo no pavimento de mármore com um enorme estrondo que ressoou pelo salão, ao que rolei os olhos e soltei um suspiro. Enquanto se inclinava para recolher o volume, ela ofereceu a todos os que estavam por perto uma visão muito clara de seu traseiro e do alto das meias. Era quase indecente, mas era uma moça bonita e seria necessário ter mais forças do que eu para desviar os olhos.

O sr. Tweed apanhou o livro, enquanto ela ria e lhe dizia alguma coisa, os dedos acariciando o ombro de seu paletó por uns instantes, mas ele logo fez um gesto para afastá-la, murmurou uma breve resposta e lhe devolveu o volume. Seguiu-se mais uma pergunta; dessa vez, ele simplesmente virou a capa do livro que estava lendo para mostrar o título e ela se inclinou para enxergar, proporcionando-lhe um nítido panorama de seus seios fartos. Mas ele não pareceu se abalar pelo espetáculo e desviou os olhos de uma maneira muito cavalheiresca. De onde eu estava, pude ver que estava estudando *Declínio e queda do Império Romano*, de Gibbon, e refleti se seria algum tipo de professor ou acadêmico. Talvez tivesse alguma doença que o impedia de se alistar. Havia inúmeras razões para estar ali.

Não era de admirar que a srta. Simpson estivesse tão interessada nele. Poucos anos antes, muitos rapazes passavam pela biblioteca ou pelo museu durante a semana, mas a vida tinha mudado bastante desde o início da guerra e a presença de um jovem disponível numa de nossas mesas de leitura, quando tantos deles tinham deixado as cidades como que arrastados por um flautista de Hamelin militar, sem dúvida era digna de nota. Nossa vida era comandada pelo racionamento, pelos toques de recolher e pelo som dos alarmes antiaéreos todas as noites. Quando andávamos nas ruas, encontrávamos duas ou três moças juntas, agora todas elas enfermeiras, deslocando-se rápido de um a outro hospital improvisado e suas escavações, com o rosto pálido, os olhos fundos e com olheiras por falta de dormir e pelo contato constante com os corpos quebrados e estraçalhados dos conterrâneos.

Por dois anos estive à espera de que a biblioteca fosse fechada por tempo indeterminado, mas ela era um daqueles símbolos da vida britânica que Churchill fazia questão obstinada de manter em funcionamento, e assim continuamos abertos ao público, amiúde como santuário de pequenos funcionários do Departamento de Guerra, que se sentavam em recantos sossegados da sala de leitura, consultando mapas e obras de referência, na tentativa de impressionar os superiores com estratégias de vitória historicamente comprovadas. Funcionávamos com uma equipe muito menor do que antes, embora o sr. Trevors continuasse, claro, pois era velho demais para se alistar. A srta. Simpson começou a trabalhar conosco no início das hostilidades; era filha de algum empresário bem relacionado, e tinha conseguido a vaga porque não "conseguia suportar a vista de sangue". Havia mais dois auxiliares, sem idade para combater, e eu. O russo. O exilado. O homem que morava em Londres fazia quase vinte anos e de repente era visto com desconfiança por quase todos, e por uma única razão.

Minha voz.

— Bem, ele não é de mostrar as cartas, quanto a isso não

há dúvida — disse a srta. Simpson ao voltar à escrivaninha onde eu estava de novo, depois de me cansar de assistir a seu flerte.

— É mesmo? — comentei, em tom de desinteresse.

— A única coisa que fiz foi perguntar o nome dele — continuou sem se importar com meu tom —, e ele retrucou se eu não estava sendo meio abusada, ao que eu respondi *Bem, eu o chamo de sr. Tweed por causa desse belo paletó de tweed que o senhor usa todos os dias.* E perguntei se tinha sido presente da esposa ou da namorada. E aí ele me responde *Temo que seria revelar demais,* agora todo afetado, e falei *Espero que não me julgue curiosa,* explicando que não é sempre que recebemos pessoas como ele aqui à tarde. E aí ele perguntou *Pessoas como eu? O que a senhorita quer dizer com isso?* E falei que não queria ofender, era só que ele parecia um sujeito fino, só isso, alguém com boa conversa, talvez, e que aliás eu estaria livre mais tarde e...

— Srta. Simpson, por favor! — atalhei ríspido, fechando os olhos e esfregando os polegares nas têmporas para me acalmar, pois aquele falatório incessante tinha me dado dor de cabeça. — Aqui é uma biblioteca. Um lugar de estudo e erudição. E a senhorita está aqui para trabalhar. Não é um espaço para fofocas, flertes ou conversas bobas. Se for minimamente possível, a senhorita poderia fazer a gentileza de reservar...

— Está bem, então me desculpe e não me leve a mal — cortou ela, empertigando-se com as mãos na cintura como se eu acabasse de xingá-la com o pior dos insultos. — Ouça o que está dizendo, sr. Jachmenev. Qualquer um iria achar que eu estava querendo entregar segredos de Estado aos alemães, da maneira como o sr. levou a coisa.

— Desculpe se fui abrupto — e suspirei. — Mas de fato isso já passou da conta. Há dois carrinhos de livros ali que estão esperando para ser espanados desde hoje cedo. Há livros nas mesas que ainda não foram devolvidos às prateleiras.

É realmente pedir demais que a senhorita simplesmente faça seu serviço?

Ela me fuzilou com o olhar e fez um muxoxo, fincando a língua por dentro de uma das bochechas, abanou a cabeça, deu meia-volta e saiu pisando duro, com toda a dignidade e ar de ofendida que pôde reunir. Observei-a por um momento, e me senti ligeiramente culpado. Eu gostava da srta. Simpson, ela não fazia mal a ninguém e, de modo geral, era uma companhia agradável. Mas estremeci à ideia de Arina algum dia vir a se tornar uma moça assim.

— É uma figura e tanto — disse uma voz calma poucos instantes depois.

Levantei a vista para o sr. Tweed, ali à minha frente. Baixei o olhar para pegar seu livro, mas não havia livro algum. E prosseguiu:

— Um pouco demais, imagino.

— É uma boa pessoa — repliquei, sentindo coleguismo suficiente para rebater críticas de desconhecidos. — Imagino que a maioria dos jovens, hoje em dia, não tem quase nada com que se entreter. Mas realmente peço desculpas se ela o incomodou — acrescentei. — Ela se empolga fácil, apenas isso. Se o senhor me permite dizer, creio que se sente lisonjeada por seu interesse nela.

— Meu interesse nela? — e surpreso ergueu o sobrolho.

— O fato de vir diariamente para vê-la.

— Não é por isso que tenho vindo — respondeu num tom que me fez olhá-lo outra vez. Ele tinha um jeito curioso, o qual sugeria que talvez não fosse o acadêmico que eu havia pensado.

— Não estou entendendo. Há algo que eu possa...

— Não é ela que tenho vindo ver, sr. Jachmenev.

Encarei-o e meu sangue gelou. A primeira coisa que tentei decifrar foi se ele tinha sotaque ou não. Se também era um exilado. Se era um dos nossos.

— Como o senhor sabe meu nome? — perguntei calmamente.

— É sr. Jachmenev, não é? Sr. Geórgui Danielovitch Jachmenev?

Engoli em seco e indaguei:

— O que o senhor quer?

— Eu?

Ele aparentou uma certa surpresa, mas então meneou a cabeça, olhou para o outro lado e, inclinando-se, aproximou-se um pouco mais.

— Não quero nada. Não sou eu quem quer sua ajuda. Quem *precisa* de sua ajuda.

— Quem é, então? — perguntei, mas ele não disse nada, apenas sorriu, o tipo de sorriso que — não tivesse a srta. Simpson finalmente se entregado a suas tarefas na parte separada da sala de leitura — poderia ser sua perdição.

A guerra-relâmpago em Londres se estendia por meses e tinha se intensificado a tal ponto que achei que todos enlouqueceríamos. Todas as noites esperávamos aterrorizados o início dos alarmes antiaéreos — a expectativa era quase pior do que o fato em si, pois ninguém se sentia a salvo no silêncio desperto enquanto não começassem inevitavelmente, e por fim, a soar. E quando soavam, Zoia, Arina e eu descíamos correndo para o abrigo subterrâneo em Chancery Lane, os dois longos túneis paralelos de segurança que rapidamente se enchiam de moradores das ruas próximas, até encontrar um lugarzinho para nós.

Havia apenas oito abrigos desse gênero na cidade, totalmente insuficientes para o número de pessoas que precisavam de refúgio, e eram locais escuros, passagens subterrâneas desagradáveis, fétidas, barulhentas que, ironicamente, faziam que nos sentíssemos ainda menos seguros do que em casa. Apesar das regras estritas sobre o abrigo a que deveriam se dirigir os moradores de cada área, desde o anoitecer começavam a chegar nas estações inúmeras pessoas das áreas mais afastadas de Londres, que ficavam esperando do lado de fora para garantir seus lugares, e frequentemente havia uma tremenda correria para entrar quando se abriam as portas. Ao contrário da lenda popular que se formou ao longo do tempo, alimentada pelas chamas do patriotismo e pela tranquilidade das recordações a salvo, não me lembro de nenhum momento alegre naqueles abrigos, e raras eram as noites em que surgia algum tipo de solidariedade entre nós, pobres camundongos empurrados para debaixo do solo pelos bombardeios lá fora. Pouco falávamos, não ríamos, nunca cantávamos. Pelo contrário, ficávamos reunidos em pequenos grupos de famílias, trêmulos, ansiosos, abespinhados, com ocasionais explosões de violência espicaçando a atmosfera irascível. Havia uma sensação medonha constante de que os tetos cairiam a qualquer momento e ficaríamos enterrados em túmulos cobertos de entulhos sob as ruas da cidade demolida.

Nos meados de 1941, a frequência dos bombardeios havia diminuído um pouco em comparação aos seis meses anteriores, mas nunca ninguém sabia em que noite, ou a que hora da noite, as sirenes iriam disparar, situação que nos deixava num estado contínuo de esgotamento. Todos detestavam o som das bombas explodindo, destroçando as casas vizinhas, criando crateras nas ruas e matando aquelas pobres almas que não tinham conseguido alcançar os abrigos a tempo, mas para Zoia era um som especialmente excruciante. Qualquer leve sugestão de tiroteio ou matança bastava para deprimi-la terrivelmente.

— Até quando isso vai durar? — perguntou uma noite quando estávamos em Chancery Lane, contando os minutos para podermos sair daquela tumba a salvo e examinar os estragos do bombardeio noturno.

Arina estava adormecida, semiabrigada em meu sobretudo, com sete anos de idade, uma criança que achava que a guerra era simplesmente parte normal da vida, pois mal lembraria alguma época em que a guerra não ocupasse um lugar central em seu mundo.

— Difícil dizer — respondi, querendo lhe transmitir alguma esperança, mas sem criar um falso otimismo. — Não muito mais tempo, creio eu.

— Mas você não ouviu dizer nada? Ninguém falou com você e disse quando poderíamos...?

— Zoia, não podemos falar disso aqui — respondi depressa, interrompendo-a e olhando em torno para me certificar de que ninguém ouvia, mas o local era barulhento demais para que alguém pudesse ter escutado qualquer coisa que ela dissesse.

— Mas não aguento mais — disse ela, os olhos cheios de lágrimas. — Toda noite a mesma coisa. Todo dia fico preocupada se vamos sobreviver até a manhã seguinte. Agora você tem amigos, Geórgui. Você é importante para eles. Se pudesse perguntar...

— Zoia, quieta — sibilei, estreitando os olhos e relanceando rápido ao redor. — Já disse. Não sei de nada. Não tenho a quem perguntar. Por favor... Sei que é difícil, mas não podemos falar dessas coisas. Não aqui.

Arina se agitou em meu colo e me fitou com ar sonolento, os olhos semicerrados, a boca se movendo devagar enquanto passava a língua pelos lábios, mudando a expressão ao verificar que nós dois, mãe e pai, ainda estávamos ali para protegê-la. Zoia se estendeu para lhe beijar a testa, passando-lhe a mão pelos cabelos até Arina adormecer novamente.

— Você acha que viemos para o lugar errado, Geórgui? — perguntou ela agora em tom calmo e resignado. — Quando saímos de Paris, podíamos ter ido para qualquer lugar.

— Mas em todo lugar é assim, meu amor. O mundo inteiro está nesta situação. Não podíamos ter escapado para nenhum outro lugar.

Durante aquelas longas noites no abrigo, frequentemente

meu espírito vagueava de volta à Rússia. Tentava imaginar como estaria São Petersburgo ou Cáchin depois de vinte anos fora de lá, e não podia deixar de pensar como estavam sobrevivendo à guerra, como os habitantes estavam enfrentando essa tortura. Nunca pensava em São Petersburgo como Leningrado, claro, embora os jornais se referissem a ela como a cidade dos bolcheviques. E tampouco jamais tinha me acostumado com Petrogrado, o nome que o czar lhe impingira um ano antes da minha chegada, durante a Primeira Guerra, por temer que o nome original fosse teutônico demais para uma metrópole russa, tanto mais porque travávamos uma guerra de fronteiras com seu primo alemão. Tentava imaginar aquele homem Stálin, sobre o qual lia com tanta frequência e cujo rosto me inspirava desconfiança. Nunca o conheci, claro, mas em meu último ano no palácio tinha ouvido seu nome vir à baila — junto com o de Lênin e Trótski — e parecia curioso que tivesse sido ele a sobreviver e governar. O reinado dos Romanov chegara ao fim em meio a uma profusa rejeição da autocracia czarista, mas me parecia que esse novo governo soviético, a não ser no nome, pouco se diferenciava do velho império russo.

Embora raramente pensasse em minhas irmãs, eu me perguntava como estariam enfrentando a guerra, se ainda estariam vivas para enfrentá-la. Ássia agora devia ter cerca de quarenta e cinco anos, Lisca e Talia no começo dos quarenta. Certamente tinham idade para ter filhos — meus sobrinhos, que talvez estivessem combatendo nas frentes russas, entregando a vida em campos de batalha europeus. Por muito tempo desejei um filho, e feria-me pensar que nunca iria conhecer esses meninos, que nunca se sentariam para contar suas experiências ao tio, mas tal era o preço que pagava por minhas ações em 1918: banido da família, exilado para sempre da terra natal. Era plenamente possível que nem estivessem vivos, que tivessem envelhecido sem filhos ou que tivessem sido assassinados durante a Revolução. Quem saberia o tipo de retaliação que poderia ter recaído sobre eles em Cáchin, se a notícia de meus atos tivesse chegado àquele pequeno vilarejo perdido.

Três bombardeios em particular tiveram um grande efeito em minha família. O primeiro foi a destruição parcial do Museu Britânico, local que era uma espécie de lar para mim. A biblioteca ficou praticamente incólume, mas algumas partes do edifício principal foram destruídas e depois fechadas até posterior reforma, em alguma data incerta no futuro, e pesava-me ver um edifício tão magnífico reduzido a tal condição.

O segundo foi a destruição do Holborn Empire, o cinema que Zoia e eu costumávamos frequentar antes da guerra, o local que eu associava quase por inteiro à minha obsessão por Greta Garbo e à noite que minha mulher e eu passamos duas horas devaneando com imagens e lembranças de nossa pátria durante *Anna Kariênina*.

O terceiro foi o mais devastador. Nossa vizinha Rachel Anderson, que morava no apartamento vizinho ao nosso fazia seis anos, amiga e confidente de Zoia e uma espécie de avó para Arina, foi morta numa casa em Brixton, onde estava de visita a uma amiga, e as duas não conseguiram se refugiar a tempo num abrigo antiaéreo. Seu corpo foi localizado mais de uma semana depois, e nesse meio-tempo sua ausência já nos fazia temer o pior. Sofremos muito com sua morte, mas especialmente Arina, que via Rachel diariamente e até então não sabia o que era o luto.

Ao contrário de seus pais, que sabiam até demais.

Primeiro foi uma série de cartas, sem nenhuma informação que se pudesse considerar importante, mas que mesmo assim traduzi, buscando significados ocultos entre as duas línguas. Eram datadas de mais de um ano antes e traziam detalhes sobre atividades de tropas que, na época em que verti o alfabeto russo para o inglês, já teriam terminado muito tempo antes; os soldados cujos movimentos haviam sido comandados por tais cartas estavam, na maioria, mortos. Eu trabalhava cuidadosamente, lendo cada mensagem do começo ao fim, para captar com clareza o sentido delas, antes de decidir como decifrá-las. Escrevia em letra nítida e regular num velino branco fornecido pelo Departamento de Guerra, usando uma caneta-tinteiro preta de excelente qualidade que já estava na mesa quando cheguei, e, ao terminar, quase no exato momento em que soltei a caneta, a porta se abriu e ele entrou.

— O espelho — disse eu acenando para o vidro que ocupava toda a extensão de uma das paredes. — O senhor esteve me observando por ele, imagino eu.

— De fato, sr. Jachmenev — respondeu sorrindo. — Gostamos de observar. Espero que não se importe.

— Se me importasse, não estaria aqui, sr. Jones. E o senhor, de qualquer forma, nem tentou disfarçar muito. Eu podia ouvir as conversas. Realmente não é muito seguro. Espero que o senhor não o utilize para pessoas mais importantes do que eu.

Ele assentiu, levantou os ombros numa espécie de pedido de desculpas, sentou-se no canto da sala e começou a ler atentamente minhas páginas. Usava um paletó diferente do que estava vestindo no dia em que se apresentou a mim na biblioteca, mas da mesma qualidade, e fiquei pensando como ele conseguia adquiri-los numa época de racionamento tão rigoroso. *Sr. Tweed*, foi como a srta. Simpson o chamou naquela primeira tarde. *Sr. Jones*, foi como ele se apresentou pouco depois, sem o primeiro nome, apresentação muito estranha que dava a entender que não era mais autêntico do que o apelido mais fantasioso aplicado pela srta. Simpson. Não que isso importasse. Sua identidade não fazia a menor diferença para mim. Afinal, não era a primeira pessoa em minha vida fingindo ser outrem.

— Seu paletó — falei observando-o enquanto decompunha minhas frases e de vez em quando sua expressão se alternava entre aprovação e surpresa.

— Meu paletó? — perguntou erguendo os olhos.

— Sim, estava a admirá-lo.

Ele cravou seu olhar em mim, erguendo um pouco os cantos da boca, parecendo não saber como interpretar a observação.

— Obrigado — respondeu, com uma nota de desconfiança na voz.

— Pergunto-me como um jovem pode obter um paletó desses. Quero dizer, nesta época difícil.

— Tenho renda própria — replicou imediatamente, e sua pressa em responder sugeria que não estava disposto a discutir o assunto.

Adiantando-se e tomando assento a meu lado na mesa, ele prosseguiu:

— Está muito bom. Realmente muito bom. O senhor evitou os erros da maioria de nossos tradutores.

— E quais são?

— Traduzir cada palavra e cada frase exatamente como estão no original. Ignorar as diferenças idiomáticas entre uma língua e outra. Na verdade, o senhor nem traduziu, não é mesmo? O senhor escreveu o que está dito em cada carta. Há uma grande diferença.

— Fico contente que o senhor tenha gostado. Mas posso lhe perguntar uma coisa?

— Claro.

— O senhor domina visivelmente o russo tão bem quanto eu.

— Na verdade, sr. Jachmeñev, melhor — retorquiu sorrindo.

Fitei-o, achando graça em sua arrogância, pois ele era uns quinze anos mais novo do que eu e ostentava um sotaque indicando que havia feito seus estudos em Eton ou Harrow, ou

em alguma das escolas exclusivas que transformavam os filhos de pais ricos em jovens cavalheiros.
— O senhor é da Rússia? — perguntei em tom incrédulo.
— Parece tão... inglês.
— É porque sou inglês. Estive apenas algumas vezes na Rússia. Moscou. Leningrado, claro. Stalingrado.
— São Petersburgo — corrigi-o rapidamente. — E Tsarítsin.
— Como preferir. A leste cheguei até o Planalto Central Siberiano. Ao sul fui até Irkutsk. Mas foi exclusivamente a passeio. Uma vez cheguei inclusive a Ecaterimburgo.

Enquanto ele falava, eu tinha voltado a olhar as cartas, gostando de ver os caracteres russos, mas, à menção daquela palavra, a mais terrível das palavras, ergui a cabeça de chofre e o encarei, examinando suas feições em busca de algo que pudesse trair seus segredos.

— Por quê?
— Fui enviado até lá.
— Por que Ecaterimburgo?
— Fui enviado até lá.

Enquanto o fitava, sentia uma mistura de empolgação e ansiedade percorrendo minhas veias. Não lembrava a última vez em que tinha encontrado alguém com um controle tão absoluto das próprias emoções; um jovem que nunca transpirava, nunca perdia o aprumo e nunca dizia nada que não tivesse plena certeza de que queria dizer.

— O senhor só esteve na Rússia em visita — retomei por fim, pois pelo visto ele não falaria nada enquanto eu não falasse.

— Exato.
— Nunca morou lá?
— Não.
— Mas crê que seu russo é melhor do que o meu?
— Sim.

Não pude conter uma risadinha diante de seu tom categórico.

— Posso perguntar a razão?

— Porque é meu trabalho ter um russo melhor do que o seu.

— Seu trabalho?

— Sim.

— E qual é exatamente seu trabalho, sr. Jones?

— Ter um russo melhor do que o seu.

Suspirei e desviei o olhar. A conversa era totalmente despropositada, claro que era. Ele não me diria nada que não quisesse dizer. Seria mais simples esperar que ele falasse. Diria exatamente as mesmas coisas.

— Mas, dito isso — acrescentou espalhando as cartas na mesa —, seu russo é excelente. Parabéns. Pois o senhor não teve com quem praticar nesses últimos vinte anos, certo?

— Não?

— Teria sua esposa, claro — e deu de ombros. — Mas vocês não falam russo em casa. E nunca falam russo perto da filha.

— E como o senhor sabe o que falo em casa? — perguntei começando a me alterar um pouco; detestava que ele, pelo visto, soubesse tanto a meu respeito. Eu tinha passado vinte anos tentando proteger a privacidade da família e agora esse moleque sentado perto de mim falando coisas que jamais deveria saber. E queria saber como ele sabia. Queria saber o que mais ele sabia.

— Estou errado? — indagou, talvez percebendo minha irritação e abrandando o tom.

— O senhor sabe que não.

— E por que isso, sr. Jachmenev? Por que vocês não falam a própria língua perto de Arina? Não querem que ela conheça sua herança?

— Diga-me o senhor, já que parece saber tudo a meu respeito.

Agora foi sua vez de sorrir. Continuamos sentados ali por um tempo que pareceu longuíssimo, mas ele não respondeu nada, simplesmente abanou a cabeça em sinal de concordância.

— Realmente muito bom — repetiu batendo o indicador sobre o maço de cartas. — Eu sabia que encontraria o homem certo. Creio que, na próxima vez, poderíamos lhe oferecer algo um pouco mais difícil, não acha?

Ser russo em Londres entre 1939 e 1945 não era fácil. Várias vezes, à noite, Zoia me contava que, ao comprar comida na mercearia ou carne no açougue onde era freguesa de muitos anos, as pessoas a encaravam com desconfiança na hora em que fazia o pedido e mostrava o sotaque; que as postas de carne racionada que lhe entregavam no balcão eram sempre um pouco menores do que as entregues às inglesas na frente e atrás dela na fila; a garrafa de leite estava sempre meio emporcalhada por fora, o pão sempre um pouco mais murcho e amassado. Qualquer simpatia e proximidade que tivéssemos desenvolvido com os vizinhos por mais de vinte anos, e por mais que pensássemos que havíamos nos integrado ao país, pareceu se dissipar quase da noite para o dia. Pouco lhes importava que não fôssemos alemães. Não éramos ingleses, e só isso contava. Falávamos de maneira diferente, portanto devíamos ser agentes do inimigo, infiltrados no coração da capital para descobrir seus segredos, delatar suas famílias, assassinar seus filhos. Sobre nós pairava o cheiro da suspeita.

Sempre que eu parava para ler um dos cartazes de propaganda prodigamente espalhados pelos muros da cidade — FALAR À TOA É PERIGOSO; AS PAREDES TÊM OUVIDOS; EM BOCA FECHADA NÃO ENTRA MOSCA —, entendia por que as pessoas paravam de conversar sempre que me ouviam falar, por que se viravam para me olhar, arregalando os olhos como se eu fosse uma ameaça à segurança delas. Passei a detestar falar qualquer coisa nas lojas ou lanchonetes, preferindo apontar o que queria e torcendo para ser atendido sem precisar abrir a boca. E quando não estávamos nos escondendo das bombas nos abrigos antiaéreos, Zoia e eu passávamos a noite juntos em casa, onde podíamos conversar à vontade, sem ter de suportar os olhares intimidadores de desconhecidos.

Lá pelo final de 1941, eu estava voltando para casa ao anoitecer, especialmente desanimado depois de um dia longo e difícil. A esposa, a filha e a sogra do sr. Trevors, meu chefe, tinham morrido na noite anterior, quando a casa da família da sra. Trevors fora atingida por uma bomba, lançada por uma aeronave da Luftwaffe que havia se desviado muito do curso. Foi o pior azar que se podia imaginar — foi a única casa atingida em toda a rua —, e o sr. Trevors ficou ensandecido com a tragédia. Ele entrou na biblioteca no final da tarde, sem que percebêssemos, e logo depois ouvi os gritos em seu escritório. Quando entrei, o pobre homem estava sentado à escrivaninha com um ar totalmente devastado, alternando lágrimas e uivos de dor enquanto eu tentava reconfortá-lo. A srta. Simpson entrou alguns instantes depois e me surpreendeu ao tomar controle da situação, encontrando uísque não sei onde para acalmar a tremedeira do sr. Trevors, levando-o para casa e oferecendo-lhe o pouco amparo que lhe poderia servir num momento tão terrível.

Ainda abalado por esses acontecimentos, fiz algo que contrariava totalmente meus hábitos ao ir para casa, e entrei num bar sentindo uma tremenda necessidade de tomar um trago. O local estava mais ou menos cheio, principalmente com homens mais velhos, que não podiam se alistar, mulheres de todas as idades e alguns soldados de uniforme, em licença. Mal reparei em qualquer pessoa e fui diretamente até o balcão, inclinando-me sobre ele, contente com aquele pequeno apoio.

— Uma caneca de *ale*, por favor — disse ao atendente,

que eu não conhecia, embora fosse o bar mais próximo de casa, mas Zoia e eu raramente pisávamos ali.

— Como é que é? — ele indagou num tom agressivo, estreitando os olhos e me fitando com um desprezo indisfarçado. Não havia como não notar seus braços musculosos, pois ele estava com as mangas da camisa enroladas até os bíceps, deixando entrever uma tatuagem.

— Falei que quero uma caneca de *ale* — repeti, e desta vez ele me encarou por uns dez, talvez vinte segundos, como se ponderasse se iria me atirar porta afora, mas finalmente assentiu e se encaminhou devagar até um dos tonéis, tirando a cerveja numa longa bombeada, com um grande colarinho, e pôs a caneca no balcão, diante de mim.

— Mas esta aqui não é uma *bitter*? — perguntei, sabendo muito bem que mais valeria sair dali e ir para casa. Zoia costumava guardar algumas garrafas racionadas de *ale*, escondidas num armário em algum lugar, para momentos de emergência como agora.

— Uma caneca de *bitter* — disse o atendente, estendendo a mão. — Conforme foi pedido. São seis pence, faz favor.

Agora foi minha vez de hesitar. Olhei a caneca, as gotas transpirando convidativamente, e decidi que não era o caso de protestar. O zumbido das conversas no salão já tinha diminuído, como se os outros clientes estivessem torcendo que eu fizesse alguma coisa, qualquer coisa, que iniciasse uma briga.

— Certo — disse eu, tirando o dinheiro do bolso e colocando o valor exato em cima do balcão. — E obrigado.

Peguei minha cerveja e fui sentar a uma mesa vazia, apanhando um jornal que um freguês anterior havia deixado ali e me pus a ler as manchetes.

Na maioria eram artigos de guerra, claro. Uma série de citações de um discurso que Churchill tinha feito na tarde anterior, em Birmingham. De um outro que Attlee tinha feito em defesa do governo. Notícias de bombardeios e os nomes de algumas vítimas, idades, profissões, mas nada sobre a família do sr. Trevors; perguntei-me por um instante se apareceriam nas matérias do dia seguinte ou se a quantidade de mortos era grande demais para arrolar todos os nomes. De qualquer forma, publicar todos os dias uma lista com os nomes dos mortos provavelmente deixaria o público num estado de espírito muito abatido. Eu ia começar a ler uma reportagem sobre um evento esportivo que nem me interessava muito, quando notei dois homens vindo do outro lado do bar, os quais se sentaram na mesa ao lado da minha. Olhei-os de relance — estavam com as bebidas pela metade e imaginei que estavam ali fazia algum tempo —, e voltei imediatamente ao jornal, sem a menor vontade de entabular conversa.

— 'noite — disse um deles, acenando com a cabeça, um sujeito mais ou menos de minha idade, macilento e de dentes apodrecidos.

— Boa noite — respondi, num tom que esperava desencorajar a continuação do diálogo.

— Te ouvi no bar, pedindo a cerveja. Não é daqui, né?

Ergui os olhos para ele, suspirei pensando se não seria melhor simplesmente levantar e ir embora, mas resolvi que não ia me deixar intimidar por eles.

— Na verdade sou — respondi. — Moro a poucas quadras daqui.

— 'cê pode *morar* a poucas quadras daqui — replicou abanando a cabeça —, mas não é *daqui*, né?

Encarei o sujeito e depois o colega dele, um pouco mais novo, de ar bastante simplório, e assenti devagar, respondendo com toda a calma:

— Sou, sim. Moro aqui faz quase vinte anos.

— Mas você deve ter mais ou menos minha idade. Onde estava vinte anos antes, hein?

— Isso realmente lhe interessa?

— Se me interessa? — repetiu numa risada. — Claro que me interessa, meu chapa, ou eu não estaria perguntando, né?

Se me interessa, ouçam esta! — acrescentou abanando a cabeça e olhando em torno como se o bar inteiro fosse a sua plateia.

— Parece uma pergunta um tanto descabida, apenas isso.

— Escute aqui, meu chapa — disse o homem agora em tom mais enérgico. — Só estou tentando conversar, só isso. Ser boa-praça, vamos dizer. É assim que a gente é aqui na Inglaterra, sabe? Boa-praça. Mas vai ver que você não conhece nosso jeito, né?

— Olhe — disse eu, pondo a caneca na mesa e encarando-o diretamente nos olhos. —, se não se importar, eu preferiria ficar em paz. Quero apenas tomar minha cerveja e ler o jornal.

— Paz? — bradou o sujeito, cruzando os braços no peito e olhando o amigo, como se nunca tivesse ouvido nada tão extraordinário em toda a sua vida. — Ouviu isso, Frankie? O cavalheiro aqui diz que quer ficar em paz. Acho que todos nós queremos ficar em paz, não é?

— Isso aí — disse Frankie, movendo a cabeça para cima e para baixo como um burro zurrando. — Eu quero.

— Só que a gente não tem mais paz nenhuma, né? Com toda a encrenca que tua turma criou.

— Minha turma? — e franzi o cenho. — E que turma seria essa, exatamente?

— Diga você. Só sei que você não é inglês. Me parece meio alemão.

Agora foi minha vez de rir.

— Acha mesmo que, se eu fosse alemão, estaria sentado aqui, num estabelecimento público no meio de Londres? Não lhe parece que teriam me levado para um campo de internamento muito tempo atrás?

— Sei lá — respondeu o homem dando de ombros. — Podem não ter visto. É uma turma esperta, vocês alemães.

— Não sou alemão.

— Bom, teu sotaque me diz outra coisa. Você não cresceu aqui em Holborn, disso tenho certeza.

— Não mesmo — admiti.

— Então pra que esse segredo todo, hein? Fez alguma coisa de dar vergonha, foi isso? Está com medo que te peguem?

Olhei em torno e hesitei antes de responder; havia um zum-zum no salão, mas certamente muitos ouvidos estavam atentos à nossa conversa. Por fim respondi:

— Não estou com medo de nada. E prefiro encerrar esta discussão, se concordar.

— Então responda o que perguntei — respondeu em tom mais impaciente, mais agressivo. — Vamos lá, digníssimo, se não é nenhum grande segredo, então por que não diz de onde vem esse sotaque?

— Rússia. Nasci na Rússia. Está satisfeito?

Ele se reclinou por um momento, parecendo até um pouco impressionado.

— Rússia — repetiu baixinho. — Em que pé a gente está com os russos, Frankie?

— Perseguindo eles — disse o sujeito mais novo, inclinando-se para a frente e tentando assumir um ar ameaçador, o que era bastante difícil, pois ele tinha uma expressão inocente e infantil, mais parecendo um carneirinho recém-nascido tentando se erguer; tive a impressão de que, quando não era chamado a falar, perdia-se em devaneios num mundo todo seu.

— Senhores, creio que é hora de ir-me embora — disse levantando e me afastando deles.

Eles me chamaram, dizendo que estavam sendo apenas simpáticos, que só queriam se distrair um pouco comigo, mas ignorei-os e saí do bar, ciente de que vários pares de olhos me seguiam. Continuei olhando em frente e virei na rua que levava à minha casa. Alguns momentos depois, ouvi passos atrás de mim e senti um aperto no coração. Por vinte, trinta segundos fiz um esforço desesperado para não me virar, mas os passos se aproximavam cada vez mais. Por fim, incapaz de me conter, olhei para trás, bem no instante em que os dois sujeitos do bar me alcançaram.

— Aonde você pensa que vai? — perguntou o mais velho, empurrando-me contra a parede e me mantendo ali, com a mão em minha garganta. — Passar segredinhos para os amigos russos, é?

— Solte-me — sibilei, livrando-me dele por um momento. — Vocês andaram bebendo. Meu conselho é que voltem para lá e me deixem.

— Conselho, hein? — arremedou rindo e olhando para o colega, depois armando um soco, pronto para me agredir. — Vou eu te dar um conselho.

Aquele punho nunca chegou a encostar em mim. Com a esquerda agarrei seu braço direito e, num velho hábito, quebrei-o instantaneamente, enquanto recuava meu punho direito, tomando impulso e arremetendo num soco à mandíbula do sujeito, que caiu de costas estatelado na calçada, soltando uma praga enquanto apalpava o braço quebrado, que ainda não doía, mas começava a se entorpecer e a prenunciar uma tremenda dor.

— O cara quebrou meu braço, Frankie — gritou, as palavras pingando no queixo como cerveja derramada. — Frankie, o cara se soltou e me quebrou o braço. Pegue ele, Frankie. Acabe com ele.

O homem mais novo me olhava assombrado — não esperava tanta violência; nem eu — e o encarei friamente, sustentando seu olhar, até que abanei a cabeça, como que avisando-o que não seria uma boa ideia esboçar qualquer gesto. Ele engoliu nervoso, dei meia-volta e fui embora, mantendo o passo constante enquanto virava a esquina, tentando ignorar os sons e ameaças atrás de mim.

Fazia muitos anos desde a última vez que tive de me defender dessa maneira, mas tinha sido bem treinado pelo conde Charnetski, e meus reflexos tinham voltado rápido.

Mas, apesar de tudo, senti uma certa vergonha por minhas atitudes e, quando cheguei em casa, não falei nada a Zoia sobre o acontecido, contando-lhe apenas sobre a tragédia do sr. Trevors e a solidariedade da srta. Simpson naquele momento de necessidade.

Meu expediente continuou o mesmo. Chegava à biblioteca às oito da manhã e saía às seis em ponto. Passava boa parte do tempo atrás da escrivaninha principal, registrando os títulos no sistema de catalogação, como sempre tinha feito. Quando as mesas ficavam muito desordenadas, ajudava a srta. Simpson a esvaziá-las. Quando os leitores precisavam consultar alguma obra de referência difícil de localizar, eu encontrava e lhes entregava com toda a eficiência possível.

Mas agora isso era apenas um disfarce para minhas verdadeiras responsabilidades, que eram outras.

Se iriam me entregar apenas um envelope, colocavam um bilhete no bolso de meu paletó quando ia para o serviço, sem que eu sequer notasse, com uma frase rabiscada. Uma frase que não queria dizer nada. *Não esqueça de comprar leite, beijo Zoia*, numa letra que evidentemente não era a dela.

Na biblioteca, depois de me certificar que não havia ninguém observando, eu pegava lápis e papel, e relia as palavras.

N é 13, que dá 4. E é 5. D, mais um 4. C, 3. L é 11, que dá 2. B, outro 2. E finalmente o Z, 23, 5.

N E D C L B Z.
4543225.
454-3225.

Referência do livro. Ache o livro, ache a carta.

Leia a carta.

Traduza a carta.

Destrua a carta.

Transmita o teor.

Se fosse mais do que um simples envelope, se fosse um conjunto de documentos que precisavam ser examinados, um homem passaria por mim na hora em que eu estivesse saindo de casa, de manhã, a cada vez um homem diferente, esbarraria em mim, pediria desculpas e diria que precisava prestar mais atenção ao andar. Depois disso, eu devia parar e comprar um jornal e alguma fruta numa loja de esquina perto do museu. Enquanto escolhia a fruta, procurando uma maçã menos batida, eu deixaria a pasta no chão, a meu lado. Quando fosse pegá-la, estaria um pouco mais pesada do que antes. Então eu compraria a fruta e sairia.

De vez em quando, o telefone tocava no museu exatamente às quatro horas e vinte e dois minutos, e eu atendia.

— É o sr. Samuels? — diria a voz no aparelho.

— Não há nenhum sr. Samuels aqui, lamento — eu responderia exatamente com essas palavras. Sem nenhuma divergência. — Aqui é a biblioteca do Museu Britânico. Quem o senhor está procurando?

— Desculpe — seria a resposta. — Creio que disquei o número errado. Queria ligar para o Museu de História Natural.

— Não há do que se desculpar — eu diria, desligaria e depois, ao sair do serviço mais tarde, em vez de ir diretamente para casa, para minha esposa e minha filha, eu pegaria um ônibus até Clapham, e haveria um carro me esperando na esquina da Lavender Hill com Altenburg Gardens, que me levaria até o sr. Jones.

— Hoje temos um problemão danado, sr. Jachmenev — às vezes dizia quando eu chegava. — Acha que pode dar conta?

— Posso tentar — eu respondia com um sorriso, e ele me levaria até uma sala silenciosa e colocaria uma série de documentos ou fotografias à minha frente. Ou podia me levar a uma sala cheia de indivíduos austeros, que não me diriam seus nomes, mas me crivariam de perguntas desde o minuto em que eu cruzasse a porta, e eu me empenharia ao máximo para responder com clareza e segurança.

Certa vez, passei uma noite inteira lendo mais de trezentas páginas de telegramas e cartas. Ao transmitir ao sr. Jones tudo o que tinha entendido, ele demonstrou surpresa com meu raciocínio e me pediu que expusesse mais uma vez a lógica de minha tradução. Expus, ele refletiu mais alguns momentos, e então chamou um carro. Em menos de uma hora, eu estava diante de Churchill, que mascava seu charuto enquanto eu lhe repetia o que tinha dito antes ao sr. Jones. Ele manteve um ar de absoluto desagrado durante todo o meu discurso, como se os rumos inteiros da guerra estivessem se alterando exclusivamente por culpa minha.

— E o senhor tem certeza disso? — perguntou ele, martelando as palavras e mantendo uma carranca fechada.

— Sim, senhor. Absoluta.

— Bem, é muito interessante — replicou ele, durante alguns momentos tamborilou os dedos rechonchudos na mesa a que estava sentado e se levantou. — Muito interessante e muito surpreendente.

— Deveras, senhor — respondi.

— Muito bem, sr. Jones — disse então para meu portador, consultando seu relógio de bolso. — Mas agora tenho de ir. Continue assim, é um bom sujeito. Camarada firme você tem aqui, também. Como ele se chama mesmo?

— Jachmenev. Geórgui Danielovitch Jachmenev.

Ele se virou para me encarar, como se eu tivesse sido de um extremo atrevimento ao lhe responder quando a pergunta fora dirigida a outra pessoa, mas por fim assentiu e foi embora.

— Um carro vai levá-lo de volta a Clapham — disse então o sr. Jones. — Lamento, mas dali o senhor terá de ir para casa por conta própria.

E foi o que fiz. Voltando para casa após uma jornada

exaustiva, senti-me aflito por ter passado a noite longe de minha mulher e de minha filha. Zoia sorriu quando entrei no apartamento e preparou o desjejum, acompanhado de um grande bule de chá. Não perguntou uma única vez onde eu tinha estado.

As Noites Brancas

A guerra não ia bem para nosso lado.
Quando as desordens nas ruas se transformaram em saques aos armazéns de cereais e aos depósitos municipais, o clima em torno da família imperial e seu círculo começou a mudar, passando da confiança e arrogância para a frustração e a preocupação. No entanto, o czar e a czarina continuavam a dividir o tempo entre os palácios em São Petersburgo, Livadia e Czarskoe Selo, além dos passeios a bordo do *Standart*, como se o mundo ainda fosse o mesmo, e nós, pobres acompanhantes, fazíamos nossas malas e os seguíamos aonde fossem.
Às vezes parecia que não tinham a menor percepção do estado de espírito do povo que governavam, mas quando chegaram novas notícias do fronte, com o número das baixas entre as fileiras russas, o czar decidiu abandonar de vez o Palácio de Inverno e substituir seu primo, o grão-duque Nicolau Nicolaievitch, como comandante das Forças Armadas. Para minha surpresa, a czarina não levantou grandes objeções a essa decisão, mas dessa feita ele não estava pensando em levar o filho em sua companhia.
— É absolutamente necessário? — indagou ela com a família reunida para a refeição lauta como de costume; eu estava entre os mordomos e criados enfileirados em linha discreta junto às paredes da sala de jantar, sem nem respirarmos muito audivelmente para não perturbar a digestão imperial. Como seria de se esperar, eu tinha me colocado na parede em frente de Anastácia, para poder contemplá-la enquanto comia; às vezes ela se atrevia a me lançar um olhar de soslaio e dava um sorriso meigo que me fazia esquecer o cansaço nas pernas.
— Você não pode se arriscar, Nicky. Afinal, você tem res-

ponsabilidades demais para se permitir isso — prosseguiu a czarina.

— Entendo, mas é importante fazer algumas mudanças — respondeu o czar, alcançando um elegante samovar que havia na mesa e completando lentamente sua xícara, estreitando os olhos enquanto observava o chá a verter, como se este o pudesse hipnotizar e transportar a um lugar mais feliz.

Logo a seguir, pôs-se a massagear as têmporas com as pontas dos dedos, num gesto fatigado. Notei que ele havia emagrecido muito nos últimos meses, e seus bastos cabelos negros estavam embranquecendo rapidamente. Parecia angustiado sob uma tremenda carga, uma carga terrível com a qual não conseguiria arcar por muito mais tempo. Retomou em tom cansado:

— A Inglaterra receia que retiremos as tropas de ação. Primo Georgie comentou isso numa carta. E a França...

— Claro que você lhe disse que não faríamos tal coisa, não é? — interrompeu a czarina, parecendo aterrada à simples ideia.

— Claro que sim, Florzinha — respondeu em tom irritadiço. — Mas está ficando difícil apresentar um argumento convincente. A maioria dos territórios russo-poloneses agora está sob controle do primo Gui e seus matadores alemães, para nem mencionar as regiões bálticas.

Revirei mentalmente os olhos ao ouvir isso; achava extraordinário que os dirigentes desses países mantivessem uma relação familiar tão íntima entre eles. Era como se toda a questão não passasse de uma brincadeira infantil: Gui, Georgie e Nicky correndo num jardim, montando seus fortes e soldadinhos de brinquedo, desfrutando uma tarde bem movimentada até que algum deles passasse dos limites e um adulto responsável viesse separá-los.

— Não, já me decidi — disse ele com firmeza. — Se eu assumir o comando do exército, será uma mensagem avisando a aliados e inimigos sobre a seriedade de minhas intenções.

E será bom também para o moral das tropas. É importante que me vejam como um czar combativo, um dirigente que luta ao lado deles.

— Então você deve ir — respondeu a esposa com um alçar de ombros enquanto desprendia um pedaço de lagosta da casca e examinava para ver se tinha alguma imperfeição, só então lhe concedendo a honra de ser consumida. — Mas enquanto você estiver fora...

— Evidentemente você estará no comando de nossos deveres constitucionais — aparteou ele, adivinhando o resto da frase. — Como manda a tradição.

— Obrigada, Nicky — sorriu e estendeu a mão, pousando-a sobre a dele por um momento. — Agrada-me que você tenha tanta confiança em mim.

— Mas é claro que tenho — respondeu ele, não parecendo entusiasticamente convencido quanto à sabedoria daquela decisão, mas sabendo que seria impossível colocar qualquer outra pessoa em posição superior à da esposa. A única outra pessoa adequada tinha onze anos de idade e ainda não estava preparada para tal responsabilidade.

— E de qualquer forma — disse a czarina brandamente, desviando os olhos do marido — terei meus conselheiros por perto durante todo o tempo. Prometo ouvir atentamente seus ministros — mesmo Stürmer, que desprezo.

— Ele é um bom primeiro-ministro, minha querida.

— É um janota e um frouxo — ela retrucou com aspereza.

— Mas foi escolha sua e ele será tratado com toda a cortesia condizente com o cargo. E sempre terei padre Grigori a meu lado, claro. Seus conselhos serão inestimáveis.

Percebi que o czar se imobilizou como que petrificado à menção do nome do *starets*, e uma contração em seu maxilar indicava sua aversão à ideia de qualquer influência daquela criatura malévola, mas se havia alguma preocupação ou objeção que quisesse levantar, ele guardou para si e simplesmente assentiu resignado.

— Então você estará bem atendida — comentou calmamente após uma pausa considerável, e não se falou mais sobre o assunto.

— Não que eu seja capaz de passar o tempo todo com questões constitucionais — retomou a czarina após alguns instantes, agora com uma voz que traía uma leve ansiedade, e me peguei virando levemente a cabeça para olhá-la, o que também fez o marido, o qual pousou a xícara e franziu o cenho.

— Ah, sim? E a que vem isso?

— Tive uma ideia. E espero que você concorde com ela.

— Bem, não posso saber enquanto você não me disser qual é, não é verdade? — disse ele sorrindo, embora num tom que sugeria certa impaciência, como se receasse o que viria pela frente.

— Pensei que também poderia fazer algo para ajudar o povo. Como você sabe, visitei aquele hospital na frente da catedral de Santo Isaac na semana passada, lembra?

— Lembro, você comentou.

— Pois bem, era horrível, Nicky, absolutamente horrível. Eles não têm médicos nem enfermeiras para atender aos pacientes, e chegam centenas e centenas por dia. E não só lá, mas em toda a cidade. Disseram-me que hoje em dia são mais de oitenta hospitais espalhados por São Petersburgo.

O czar franziu a testa e desviou o olhar da esposa; não gostava que lhe apresentassem as realidades da guerra em que estava engajado. A imagem dos jovens combatentes chegando em macas não era de suas preferidas. Por fim declarou:

— Florzinha, tenho certeza de que se está fazendo tudo o que pode ser feito por eles.

— Mas é exatamente isso! — respondeu ela, inclinando-se para a frente, com o rosto afogueado de entusiasmo. — Sempre há mais coisas que podem ser feitas. E pensei que poderia ser eu a fazer. Poderia ajudar como enfermeira.

Pela primeira vez, que eu me lembrasse, fez-se um silêncio absoluto na sala de jantar imperial. Todos os membros da família pareciam ter se petrificado instantaneamente, os garfos e facas suspensos no ar, fitando a czarina como se não pudessem acreditar no que tinham acabado de ouvir.

— Ora, por que vocês todos estão me olhando dessa maneira? — perguntou ela, passando de um rosto a outro. — É tão extraordinário assim que eu queira ajudar esses rapazes que sofrem?

— Não, claro que não, minha querida — disse o czar, recobrando a voz. — É só que... bem, você não tem formação de enfermeira, apenas isso. Talvez até acabasse atrapalhando o trabalho que está sendo feito.

— Mas é exatamente isso, Nicky — repetiu ela. — Falei com um dos médicos e ele me disse que bastavam alguns dias para treinar uma leiga como eu, para ajudar nas tarefas básicas de atendimento. Ora, não iríamos fazer cirurgias ou coisas do gênero. Estaríamos ali para ajudar. Limpar os ferimentos, mudar os lençóis, até cuidar um pouco da limpeza. Eu sinto... veja, este país tem sido muito bondoso comigo desde que você me trouxe para cá, tantos anos atrás. E para cada patife que calunia meu nome, há mil russos leais que amam sua imperatriz e que dariam a vida por ela. Esta é minha forma de lhes provar quem sou. Diga que posso, Nicky, por favor.

O czar tamborilou com os dedos na toalha da mesa enquanto avaliava seu pedido, certamente tão surpreendido quanto nós com aquele súbito acesso de filantropia da esposa. No entanto ela parecia sincera, e por fim, alçando os ombros, ele deu um sorriso nervoso, fez sinal de concordância e disse:

— Penso que é uma ideia maravilhosa, Florzinha. É claro que você tem minha permissão. Só lhe peço que tenha cuidado. Será preciso tomar algumas medidas de segurança, mas, se é o que você quer, quem sou eu para me opor? As pessoas verão como nós dois nos dedicamos ao bem-estar delas e ao sucesso do esforço de guerra. Só uma dúvida: você disse "nós", não "eu". A quem você se referia?

— Bem, não gostaria de ficar lá sozinha — respondeu ela,

agora se voltando para o restante da família. — Pensei que Olga e Tatiana poderiam ir junto. Afinal já são maiores de idade. E podem ser úteis.

Virei-me para olhar as duas filhas mais velhas da imperatriz, que haviam empalidecido de leve à menção de seus nomes. A princípio não disseram nada, olharam a mãe, depois o pai e então uma para a outra, com um ar desalentado.

— Papai — começou Tatiana, mas ele já acenava freneticamente a cabeça em concordância, e se mostrou muito decidido na resposta.

— É uma ideia magnífica, Florzinha! E, filhas, nem sei como expressar meu orgulho por vocês, por quererem ajudar dessa maneira.

Olga, que parecia apavorada com a ideia, tentou retrucar:
— Mas, papai, é a primeira vez que ouvimos falar em...
— Você me dá muito orgulho, minha querida — disse o czar em tom ameno, estendendo a mão para pegar a da esposa. — Todos vocês. Que bela família a minha! E se isso não fizer os mujiques pararem de degradar nossos nomes, então não sei o que faria. São gestos como esses que ganham guerras, não o combate. Nunca o combate. Vocês entendem, não é, minhas filhas?

— E eu, papai? — perguntou Anastácia de chofre. — Posso ajudar também?

— Não, não, *Shvipsik* — respondeu rindo e abanando a cabeça. — Creio que você ainda é muito novinha para ver essas coisas.

— Tenho quinze anos!

— E quando tiver dezoito, como Tatiana, pensaremos de novo no assunto. Se, Deus não o permita, a guerra ainda não tiver acabado. Mas não se preocupe, encontraremos outras maneiras para você e Maria ajudarem. Todos nós ajudaremos. A família inteira.

Soltei um suspiro de alívio quando Anastácia não foi autorizada a ir com a mãe e as irmãs, pois tudo aquilo me parecia uma asneira, embora com boa intenção. Um grupo de enfermeiras inexperientes reunidas num mesmo hospital, cercadas de guarda-costas, mais parecia um método de atrapalhar do que ajudar no serviço. Talvez eu tenha suspirado alto demais, porém, pois a czarina se virou e me encarou — coisa que geralmente odiava fazer — alargando os olhos em sinal de irritação.

— E você, Geórgui Danielovitch, tem algo a dizer sobre o assunto?

— Peço-lhe que me perdoe, Majestade — respondi enrubescendo violentamente. — Apenas uma coceira na garganta.

Ela ergueu uma das sobrancelhas em sinal de desagrado e voltou à refeição, enquanto eu interceptava o olhar de Anastácia, que me fitava e sorria como sempre.

— É tudo tão horrível — disse a grã-duquesa Tatiana várias semanas depois, sentada com Maria, Anastácia e Alexei em sua sala íntima ao final de um dia especialmente puxado. Parecia pálida e tinha emagrecido desde que começara a trabalhar como enfermeira; as bolsas escuras sob os olhos atestavam suas poucas horas de sono, e o desconforto na cadeira indicava que suas costas começavam a doer por passar muitas horas inclinada sobre os leitos dos soldados feridos. Como o czarévich estava junto com as irmãs, eu também estava ali presente, e Serguei Stassiovitch completava o grupo, não de pé, em posição de sentido, como seria o adequado, mas apoiado no braço de um dos sofás perto da grã-duquesa Maria, enrolando um cigarro em atitude descontraída como se fosse não um criado e sim um amigo íntimo da família imperial.

— Os hospitais estão lotados — prosseguiu Tatiana —, e os homens estão horrivelmente feridos, alguns cegos ou mutilados. Há sangue por toda parte. Gemidos e lamentos constantes. Os médicos correm de um lado para outro e gritam suas ordens sem consideração pela patente, e a linguagem deles beira o profano. Às vezes, quando levanto, tenho vontade de eu mesma adoecer para não precisar ir.

— Tatiana — exclamou Maria ofendida, pois ela tinha o mesmo senso de dever do pai em relação aos soldados e invejava as responsabilidades das irmãs mais velhas. Tinha suplicado à mãe permissão para ir junto aos hospitais, mas, tal como acontecera com Anastácia, não fora autorizada. — Você não devia falar essas coisas. Pense nos sofrimentos de nossos soldados.

— Maria Nicolaievna tem razão — disse Serguei, somando-se à conversa e fitando Tatiana com ar de absoluto desagrado, expressão que provavelmente ela nunca tinha visto no rosto de ninguém. — Sua aversão à vista de sangue não é nada em comparação ao que esses homens sofrem. E o que é um pouco de sangue, afinal de contas? Nosso corpo é cheio de sangue, tanto faz a cor dele.

Virei-me para ele, surpreso. Pois uma coisa era estarmos presentes a conversas como essas e até fazer um ou outro comentário de apoio, mas criticar abertamente uma das grã-duquesas era uma impertinência que não poderia passar em branco.

— Não estou dizendo que sofro mais do que eles, Serguei Stassiovitch — replicou Tatiana, enrubescendo visivelmente enquanto sua raiva crescia. — Nunca sugeriria uma coisa dessas. Disse apenas que ninguém deveria ter de presenciar tais cenas.

— Claro que não, Tatiana — disse Maria. — Isso é óbvio. Mas você não entende? É muito cômodo para nós debater esses assuntos, agasalhadas e protegidas aqui no Palácio de Inverno, mas pense nos jovens que estão morrendo para garantir a continuidade de nosso modo de vida. Pense neles e me diga que não se compadece deles.

— Mas, mana, claro que me compadeço — protestou Tatiana, erguendo a voz agora em tom de frustração. — E cuido dos ferimentos deles, leio para eles, sussurro em seus ouvidos, faço tudo o que posso para amenizar a dor deles. E quanto a você, Serguei Stassiovitch — acrescentou encarando-o com ar enfurecido —, talvez não falasse com tanta arrogância se estivesse no fronte em vez de estar aqui.

— Tatiana! — exclamou Maria, apavorada.

— Ora, é verdade — replicou ela, empinando o queixo de uma forma que fazia lembrar a mãe. — E, de qualquer forma, quem é ele para se dirigir a mim dessa maneira? O que sabe da guerra, afinal, se passa os dias acompanhando-nos para cima e para baixo e praticando seus passos de valsa e esgrima?

— Sei um pouco, sim — respondeu Serguei estreitando os olhos enquanto a fitava. — Afinal, tenho seis irmãos lutando pela continuidade de sua dinastia. Ou tinha, pelo menos. Três foram mortos, um desapareceu em combate e dos outros dois não tenho notícias há quase dois meses.

Tatiana, a bem da verdade, corou levemente ao ouvir a resposta e talvez tenha se envergonhado um pouco. Notei que quando Serguei mencionou os irmãos mortos, a grã-duquesa Maria se adiantou na poltrona, como se quisesse levantar e ir consolá-lo. Lágrimas brotaram suavemente em seus olhos — mostrava grande beleza naquele instante, as sombras projetadas pelo fogo na lareira tremulando em sua tez pálida. Serguei também notou as lágrimas e os cantos de seus lábios se recurvaram ligeiramente num sorriso reconhecido. Surpreendeu-me ver a intimidade entre ambos, e fiquei comovido.

— Não estou dizendo que arranjaria uma maneira de *não* ir — repisou Tatiana, olhando para todos nós, um por vez, para garantir que entendíamos bem suas palavras. — Gostaria apenas que a guerra terminasse logo. Certamente todos nós gostaríamos. Então as coisas poderiam voltar a ser o que eram.

— Mas as coisas nunca voltarão a ser o que eram — peguei-me dizendo, e agora foi minha vez de receber seu olhar gélido.

— E por que você diz isso, Geórgui Danielovitch?

— Quis apenas dizer, Alteza, que certos tempos e estilos de vida acabaram para sempre. Quando a guerra terminar, quando voltar a paz, o povo vai exigir mais de seus governantes do que fazia no passado. Isso é evidente. Praticamente não existirá uma única família no país que não tenha perdido um filho em combate. Não julga que vão querer alguma compensação por suas perdas?

— Compensação de quem? — perguntou com frieza.

— Ora, de seu pai, claro — respondi.

Ela ia replicar, mas aparentemente estava chocada demais com a impertinência do que eu havia dito para encontrar as palavras para me rebater. Porém o silêncio não durou muito, e ela ergueu as mãos num gesto de desistência.

— Minha irmã quer apenas que tudo volte a ser o que era — disse então Maria, assumindo o papel de conciliadora. — E não há nada de terrível nisso. Crescemos num país maravilhoso. Todas as noites havia bailes e festas magníficas no palácio. Todos nós gostaríamos que as coisas continuassem assim para sempre.

Não falei nada, mas lancei um olhar divertido a Serguei, na intenção de troçar da inocência e ingenuidade de Maria. Para minha surpresa, porém, ele não só não me devolveu o sorriso, mas me encarou como se se sentisse insultado por eu ter ousado incluí-lo em algum motejo contra a grã-duquesa Maria.

— Você devia se sentir afortunada, Tatiana — disse Anastácia, falando pela primeira vez. — É uma grande honra ajudar os soldados dessa maneira. Você está salvando vidas.

— Ah, mas sou péssima nisso — suspirou ela, abanando a cabeça. — E a visão de todos aqueles membros mutilados. Você não faz ideia, *Shvipsik*, não há como entender sem ver. Sabe que ontem nossa mãe ajudou numa operação para amputar as duas pernas de um garoto de dezessete anos? Ficou ali, assistiu a tudo, ajudando de todas as maneiras que podia.

Mas os gritos do garoto... Juro que vou lembrar até na hora de morrer.

— Só queria ser um ou dois anos mais velha para poder ajudar também — falou Anastácia em tom melancólico, erguendo-se, indo até a janela e contemplando o pátio lá embaixo.

Eu podia ouvir o som da água subindo e caindo na fonte, e imaginei que ela estaria fitando as colunatas próximas, onde caíra em meus braços pela primeira vez e trocamos um longo beijo. Queria que ela se virasse e seu olhar cruzasse o meu, mas Anastácia se manteve em silêncio, imóvel à janela, olhando para além dos muros do palácio.

— Bem, você pode pegar meu lugar a hora que quiser — disse Tatiana, erguendo-se e alisando a frente da saia. — Estou me sentindo um trapo e quero um longo banho. Boa noite.

Com isso, ela saiu de rompante da sala, como se tivesse sido vítima de um grande insulto, seguida por Maria, a qual olhou para trás como se quisesse fazer um último comentário, mas, mudando de ideia, saiu do aposento sem dizer palavra.

Logo depois, Serguei também saiu, alegando uma tarefa a fazer, e a noite se aproximou do fim. Enquanto Anastácia levava Alexei para o quarto, continuei mais alguns minutos na sala, apagando algumas luzes, deixando apenas algumas velas acesas, antegozando o momento em que ela voltaria, fecharia silenciosamente as portas atrás de si e viria se aninhar em meus braços.

Eu nunca tinha visto as Noites Brancas, e foi ideia de Anastácia que as visse pela primeira vez em companhia dela. Na verdade, nunca tinha ouvido falar do fenômeno e achei que estava ficando louco quando, inquieto e despertando no meio da noite, abri os olhos e vi a luz brilhante do dia iluminando o quarto. Certo de que tinha perdido a hora normal de acordar, lavei-me, vesti-me às pressas e saí correndo para a sala de brincar, onde Alexei costumava estar àquela hora, lendo um de seus livros militares ou entretendo-se com algum brinquedo novo.

A sala, porém, estava vazia e, enquanto eu percorria as salas oficiais e as áreas de recepção, encontrando todas desertas, comecei a entrar em pânico e a pensar se havia ocorrido uma enorme calamidade à noite, enquanto eu dormia. Mas não estava longe do quarto do czaréviche e, quando entrei correndo, senti um alívio ao encontrá-lo ferrado no sono, de atravessado nas cobertas, uma perna a nu estendida para fora.

Sentei ao lado dele e sacudi delicadamente seu ombro.

— Alexei, Alexei, meu amigo. Acorde, você já devia estar de pé.

Ele grunhiu, resmungou algo ininteligível e rolou na cama. Eu mal podia conceber o que sua mãe diria se viesse lhe dar um beijo de despedida antes de ir para o hospital e ele ainda estivesse dormindo, de forma que lhe dei mais uma sacudida, para não se afundar novamente nos sonhos.

— Alexei, acorde — repeti. — Já é tarde.

Ele abriu lentamente os olhos e me fitou como se não soubesse quem era ou onde estava, até que relanceou a vista para a janela, onde a claridade se filtrava pelas cortinas.

— Ainda é de noite, Geórgui — gemeu o menino, estalando os lábios e soltando um enorme bocejo, esticando os braços de cansaço. — Não preciso levantar já.

Respondi:

— Não é não. Veja como está claro. Devem ser umas... — e olhei para o relógio na parede do quarto, ficando espantado ao ver que eram quatro horas. Mas como não havia a menor possibilidade de termos dormido a manhã toda até a metade da tarde, a única explicação era que ainda devia ser madrugada.

— Volte para a cama, Geórgui — murmurou ele, virando para o outro lado e ferrando imediatamente no sono, com a facilidade de quem tem a consciência tranquila.

Desorientado, voltei para meu quarto e me deitei outra vez, mas não consegui dormir de tão confuso que me sentia.

Mas na manhã seguinte, sozinho de novo com Anastácia enquanto ela terminava seu desjejum, tive dela uma explicação do fenômeno.

— Chamamos de Noites Brancas. Nunca ouviu falar?

— Não.

— Creio que deve ser próprio de São Petersburgo. Tem algo a ver com a localização da cidade, tão ao norte. Monsieur Gilliard nos explicou recentemente. Durante alguns dias, nesta época do ano, o sol não desce inteiramente abaixo do horizonte. E assim o céu não chega a escurecer. Dá a impressão de que o dia dura vinte e quatro horas, mas acho que é mais uma sensação do lusco-fusco no final da madrugada.

— Que coisa extraordinária! Eu tinha certeza de ter perdido a hora.

— Ora, não deixariam que você perdesse a hora — replicou alçando os ombros. — Sem dúvida alguém apareceria para chamá-lo.

Assenti, levemente irritado com esse comentário, sensação que só diminuiu quando ela se acercou de mim e, conferindo que não havia ninguém a nos observar, depôs um beijo leve em minha boca. E disse com um sorriso faceiro:

— Sabe, é uma tradição que os namorados passeiem juntos pelas margens do Neva durante as Noites Brancas.

— Mesmo? — indaguei, começando a abrir um sorriso.

— É, sim. Inclusive, nesta época, há quem faça planos de se casar. Um fenômeno tão curioso quanto as próprias Noites Brancas.

— Bom, então acho melhor eu ir embora — disse soltando-me dela de brincadeira, como se a ideia de tal compromisso me parecesse um anátema.

— Geórgui! — ela exclamou numa risada.

— Estou só brincando — disse eu, abraçando-a de novo, embora nervoso. De nós dois, era sempre eu que sentia mais medo de ser flagrado, talvez porque soubesse que, se fosse descoberto, meu castigo seria muito maior do que o dela. — Mas creio que é um pouco cedo para um compromisso, não acha? Nem consigo imaginar o que seu pai diria.

— Ou minha mãe.

— Ou ela — concordei com uma careta, pois, embora a simples ideia de me permitirem algum dia desposar uma filha do czar fosse uma asneira, havia uma pequena parte dentro de mim que acreditava que o czar, pessoalmente, veria uma união por amor com olhos mais favoráveis do que a czarina. Mas tal hipótese não existia, claro. Jamais poderia se realizar uma união tão imprópria. Fato sobre o qual não gostávamos, Anastácia e eu, de nos deter.

— Mesmo assim — disse ela, contornando rapidamente o momento de embaraço — você não pode estar em São Petersburgo e não conhecer as Noites Brancas. Nós poderíamos ir hoje.

— Nós? Você está dizendo que nós poderíamos ir?

— Sim, por que não? Afinal, vai estar claro lá fora, mas ainda vai ser noite. Todos estarão dormindo. Podíamos escapar, bem disfarçados, e ninguém iria saber.

Franzi a testa e perguntei:

— Mas não é um pouco arriscado? E se nos virem?

— Ninguém vai ver. Isto é, se não chamarmos a atenção.

Eu estava em dúvida sobre a prudência do plano, mas fui vencido pelo entusiasmo de Anastácia e pela ideia de nós dois andando de mãos dadas pela margem do Neva, como qualquer outro casal de namorados passeando à noite. Seríamos pessoas normais, pelo menos desta vez. Não uma grã-duquesa e um membro da Guarda Imperial. Não uma ungida e um mujique. Apenas duas pessoas.

Geórgui e Anastácia.

Normalmente a família imperial se recolhia cedo, sobretudo agora que o czar estava aquartelado em Stavka e a czarina e as duas filhas mais velhas se levantavam às sete da manhã, para chegar ao hospital às oito. E assim decidimos nos encontrar na Coluna de Alexandre, na praça do Palácio, às três da madrugada, quando sabíamos que não haveria ninguém acordado que pudesse nos ver. Fui deitar à meia-noite, como sempre, mas não dormi. Fiquei lendo alguns capítulos de um livro que havia pegado de empréstimo na biblioteca, um volume de poemas de Púchkin que começara a ler recentemente, na tentativa de me instruir; não entendia grande coisa, mas me concentrava ao máximo. Chegada a hora de sair, vesti minhas calças, uma camisa e um pulôver — em vez de meu uniforme habitual —, desci sorrateiramente as escadas e saí para a singular noite iluminada.

A praça estava mais tranquila do que nunca, mas ainda havia alguns transeuntes, animados com a claridade noturna. Por ali vagueavam grupos ruidosos de soldados que voltavam de alguma aventura. Duas prostitutas jovens, com ruge nas faces, lançaram-me olhares de soslaio, oferecendo-me aqueles prazeres sensuais que eu ainda desconhecia, mas desejava ardorosamente. Bêbados retornando de seus excessos tartamudeavam, cantavam em voz desafinada canções antigas, esqueciam parte das letras. Não falei com ninguém, ignorando todas as abordagens, e aguardei em silêncio no local combinado, até que minha amada saiu de trás de uma das colunatas e me acenou a mão enluvada. Estava vestida da mais estranha maneira. Um vestido simples, com um *dusegrej* por cima, o colete sem mangas com as bainhas de pele que as pessoas comuns usam por baixo do *letnik*. Um par de sapatos baratos. Um lenço de cabeça. Nunca tinha visto Anastácia tão despojada de joias e adornos.

— Meu bom Deus — disse eu indo até ela e abanando a cabeça, enquanto tentava reprimir o riso. — Onde você encontrou essas coisas?

— Roubei de um dos guarda-roupas de minha criada — disse numa risadinha. — Vou devolver de manhã, ela nem vai perceber.

— Mas por quê? Essas roupas não são próprias para...
— Para mim? — completou ela, surpresa. — Ora, Geórgui, você não me conhece se acha que eu penso dessa forma.
— Não, não quis dizer isso. É só que...
— Pode ser que alguém me reconheça — disse ela, olhando em torno e puxando mais o lenço na cabeça. — É pouco provável, mas é melhor não arriscar. Estas roupas vão ajudar a me misturar na multidão.

Tomei-lhe a mão e beijei-lhe a boca, meu corpo se colando no dela, meu desejo querendo ansiosamente se mostrar.

— Você nunca conseguiria se misturar em nenhuma multidão. Não sabe disso?

Ela sorriu e mordiscou o lábio daquele seu jeito engraçado, movendo a cabeça como se eu fosse um tolo, mas eu sabia que se sentia lisonjeada.

Poucos minutos depois percorríamos a lateral do palácio até a calçada que acompanhava as margens do rio. A noite estava mais tépida do que o habitual; podíamos respirar sem que nuvens de vapor se dissipassem no ar e minhas calças não grudavam nas pernas com aquela sensação de umidade que caracterizava tantas noites de São Petersburgo. O primeiro panorama que nos recebeu foi a vista da ponte do Palácio, ainda inacabada, cujas obras já estavam em andamento antes de minha chegada à cidade, mas que haviam sido interrompidas pela guerra, e ali permaneciam como um inflexível lembrete dos obstáculos que retardavam nosso progresso nos últimos anos. Estendendo-se desde a frente do Ermitage e indo até a ilha Vassiliévski, os enormes pilares de tijolo e aço estavam assentados em ambos os lados do Neva, mas não havia nenhum sinal de que iriam se juntar algum dia; pelo contrário, estendiam-se um para o outro, como um casal separado por uma vasta extensão de água. Vi que Anastácia olhava naquela direção, com um ar levemente desalentado, e senti um desejo ardente por ela.

— Você está olhando a ponte?

Ela anuiu, mas manteve o silêncio, imaginando o que podia ter sido, e por fim disse:

— Estou. Você acha que algum dia vão terminá-la?

— Claro — respondi disfarçando minhas dúvidas com um tom de convicção. — Algum dia sim. Não pode ficar desse jeito para sempre.

— Quando começaram as obras, eu tinha uns onze ou doze anos — relembrou com um pequeno sorriso. — A idade de Alexei. A lei regulamentando a construção determinou que não poderiam trabalhar na obra entre as nove da noite e as sete da manhã, horário que talvez fosse considerado o mais adequado para executar um projeto desses.

— É mesmo? — indaguei surpreso por estar a par de tais coisas.

— É, sim. E sabe por que fizeram isso?

— Não, não sei.

— Porque não me deixaria dormir. Isto é, minhas irmãs e eu. E meu irmão.

Fitei-a e caí na risada, certo de que era alguma brincadeira, mas, por sua expressão, vi que era verdade e só pude continuar a rir, assombrado com a vida extraordinária que ela levava. E falei:

— Bem, agora você pode dormir o quanto quiser. Não haverá operários, aliás nem aço, enquanto a guerra não terminar.

— Não vejo a hora que termine — comentou enquanto retomávamos o passeio.

— Está com saudade de seu pai?

— Sim, muita. Mas não é só isso. E não é também pelas mesmas razões de minha irmã. Não me interesso minimamente por bailes, vestidos finos, danças ou qualquer trivialidade dessas que a sociedade de São Petersburgo valoriza acima de qualquer outra coisa.

— Não se interessa? — indaguei surpreendido. — Pensei que você gostasse dessas diversões.

— Não. Não é que *desgoste* delas, Geórgui, não é tão simples assim. Às vezes podem ser agradáveis. Mas você não faz ideia como era a vida aqui, antes da guerra. Meus pais iam a festas todas as noites. Olga tinha acabado de debutar. Logo encontrariam um marido para ela. Muito provavelmente algum príncipe inglês. E vão encontrar, terminando a guerra, isso é certeza. Sempre se falou que ela estaria destinada ao primo David, o príncipe de Gales.

— Verdade? — perguntei surpreso, pois não havia me ocorrido que Olga já estava comprometida com alguém. — Há quanto tempo se apaixonaram?

— Apaixonaram? — ela se virou para mim, erguendo uma das sobrancelhas. — Não seja ridículo, Geórgui, eles não estão apaixonados.

— Então como...

— Não seja ingênuo. Certamente você sabe como essas coisas funcionam. Olga é uma bela moça, não concorda?

— Sim, claro. Mas a irmã dela é mais bonita.

Anastácia sorriu e apertou a cabeça em meu braço enquanto continuávamos o passeio. A estátua do Cavaleiro de Bronze estava à minha esquerda, fitando o mundo à sua frente como se estivesse prestes a arrancar e galopar até a orla do rio.

— Então ela precisará de um marido — Anastacia prosseguiu. — É a primogênita do czar russo, no final das contas. Não pode se casar com qualquer um.

— De fato. Entendo.

— E sempre disseram que ela e o primo David formariam um casal perfeito. Ele algum dia será rei, claro. Quando o primo Georgie morrer. Ainda pode demorar muito, evidente, mas o trono será dele. E Olga será a rainha da Inglaterra. Como nossa bisavó, a rainha Vitória.

Meneei a cabeça, confuso com as ligações entre todas as famílias reais da Europa.

— Há alguém com quem você não seja aparentada?

— Creio que não — respondeu com toda a seriedade. —

Pelo menos os importantes. Primo Georgie é rei na Inglaterra. Primo Alfonso é rei na Espanha. Primo Cristiano é rei na Dinamarca. E, claro, tem o primo Gui, o imperador na Alemanha, mas avisaram-nos que não devemos mais chamá-lo de primo. Não agora, quando estamos em guerra. Mas ele era neto da rainha Vitória, tal como mamãe também. Talvez tudo isso seja um pouco estranho. Você acha esquisito, Geórgui?

— Não sei bem o que pensar. Não consigo guardar todos esses nomes e os países que eles governam. Eu achava que o príncipe de Gales era o príncipe Eduardo.

— É a mesma pessoa. David é o nome de batismo, Eduardo é o nome de corte.

— Ah, entendi — disse embora sem ter entendido de forma alguma. — E se Olga deve se casar com o príncipe de Gales e se tornar rainha da Inglaterra, Tatiana e Maria vão sofrer um destino parecido?

— Claro — respondeu ela, apertando mais o sobretudo junto ao corpo, pois agora a noite havia esfriado, mesmo que o sol ainda consentisse em nos enviar luz. — Vão encontrar algum príncipe bobo para elas, tenho certeza. Talvez não um tão ilustre como o primo David. Tatiana poderia se casar com o primo Beto, imagino. Mamãe sugeriu essa ideia no ano passado, e papai aprovou. Então as duas estariam na corte inglesa, o que seria muito conveniente.

— E você? — perguntei em voz serena, agora parando e puxando-lhe o braço para ficar de frente para mim. A maré do rio estava subindo, e, quando ela se virou, o vento lhe soprou os cabelos da testa, obrigando-a a cerrar levemente os olhos contra a lufada, enquanto com uma das mãos apertava melhor o nó do lenço sob o queixo.

— Eu, Geórgui?

— É, você. Com quem vai se casar? Vou perdê-la para algum príncipe inglês? Ou grego? Dinamarquês? Italiano? Pelo menos me diga a nacionalidade de meu rival.

— Oh, Geórgui — disse ela em tom queixoso, tentando se

afastar, mas eu não estava disposto a deixá-la ir com tanta facilidade.
— Diga — insisti, puxando-a para mais perto. — Diga já, para eu me preparar para a desilusão.
— Mas é com você, Geórgui — respondeu com os olhos marejados de lágrimas, enquanto se esticava para me beijar.
— É com você que pretendo me casar. Mais ninguém.
— E o que posso lhe oferecer? — perguntei desesperado de amor e de desejo. — Entenda, não lhe trago nenhum reino. Nenhum principado. Nenhum território para governar. Venho sem título nem origem, sem dinheiro nem perspectivas. Sou simplesmente eu. Sou apenas Geórgui. Não sou absolutamente ninguém.
Ela hesitou e fitou no fundo de meus olhos. Pude ver a mágoa. A angústia. Eu sabia que ela não se importava com minha falta de perspectiva na vida, que eu não precisava ter sangue azul para me amar. Mas, ainda assim, essa questão se punha entre nós, dividia-nos como a correnteza do Neva, separando as duas partes inacabadas da ponte do Palácio. A guerra terminaria, chegaria o dia e o czar decidiria. Um outro rapaz chegaria a São Petersburgo. Seria apresentado a Anastácia e dançariam uma mazurca no Palácio Mariinski diante dos olhos de toda a sociedade, e ela não teria muita escolha, a não ser obedecer. E seria assunto encerrado. Noivaria com outro. E eu estaria perdido.
— Existe uma possibilidade — começou a dizer, mas logo fomos interrompidos e levamos um susto. Estávamos tão absorvidos na conversa que nem enxergávamos ninguém ao redor, e a voz de um homem perto de mim nos devolveu de supetão ao mundo real.
— Com licença — disse o jovem, um rapaz mais ou menos de minha idade, com uma roupa parecida com a minha.
— Teria um fósforo, por gentileza?
Dei uma olhada no cigarro apagado que ele estendia em minha direção e bati nos bolsos do casaco procurando fogo. A

esse gesto, Anastácia se soltou de mim e recuou um pouco na calçada, envolvendo o corpo com os braços para se proteger do frio enquanto contemplava o rio. Encontrei uma caixinha de fósforos no bolso e, quando o rapaz pegou um deles, notei sua companheira, uma jovem camponesa, com os olhos fitos em Anastácia. Tinha por volta da mesma idade de minha querida, não mais de dezesseis anos, com traços bonitos, apenas prejudicados por uma cicatriz visível na face esquerda, com cerca de cinco centímetros, que saía do olho e ia até um pouco abaixo da maçã do rosto. O rapaz, que era bem-apessoado, com cabelos louros fartos e sorriso simpático, acendeu o cigarro, sorriu e agradeceu.

— Amanhã todos nós vamos querer dormir até de tarde — disse ele relanceando o horizonte luminoso.

— Provavelmente — respondi. — Fico pensando que já devia estar cansado e não estou. Essa luz me engana.

— No ano passado fiquei acordado os três dias inteiros — comentou ele, dando uma longa tragada no cigarro. — Devia voltar ao regimento logo a seguir, mas dormi demais. Quase fui fuzilado por causa disso.

— Então você é soldado?

— Era. Levei um tiro no ombro e perdi o uso deste braço — e apontou o esquerdo com a cabeça. — Então me liberaram.

— Sorte sua — disse eu num sorriso.

— Nem tanta. Eu devia estar lá, não aqui. Quero combater. E você? — indagou olhando-me de cima a baixo para se certificar de minha saúde. — Está no exército?

— De licença — menti. — Tenho de voltar no final da semana.

Ele assentiu e adotou um ar pesaroso.

— Então tudo de bom para você — disse, olhando Anastácia de lado e sorrindo. — Para vocês dois.

— Para você também — retribuí.

— Aproveitem a noite — acrescentou, e se virou para pegar a mão da namorada, mas a jovem estava fitando Anastácia com um ar de absoluto pasmo no rosto, como se a própria Virgem Maria tivesse descido dos céus para caminhar entre nós. Ela sabia quem era Anastácia, claro, estava evidente. E como a maioria dos mujiques, ela considerava que Anastácia tinha sido indicada por Deus para sua posição. Prendi a respiração, esperando para ver se ela gritaria e nos trairia, mas sua dignidade prevaleceu. Ela agitou a cabeça para afastar o assombro, e simplesmente se estendeu e pegou a mão direita de Anastácia, arrojando-se de joelhos sobre as pedras molhadas do calçamento e apertando-a levemente por um instante. Contemplei essa bela jovem, com a face terrivelmente marcada sabe-se lá como, enquanto ela pressionava os lábios na mão pálida e imaculada da moça que eu amava, e senti um súbito assomo de admiração por constatar a que ponto eu chegara. Ela ergueu os olhos e logo curvou a cabeça.

— Posso ter sua bênção? — pediu, e os olhos de Anastácia se arregalaram de surpresa.

— Minha...?

— Por favor, Alteza.

Anastácia hesitou, mas não se moveu.

— Você a tem — disse com um sorriso gentil enquanto se inclinava e abraçava a jovem. — E por menos que valha, espero que lhe traga paz.

A moça sorriu e assentiu, pegou a mão do soldado ferido e retomaram o caminho sem mais palavras. Anastácia se virou para mim, sorrindo, com os olhos repletos de lágrimas.

— Está esfriando, Geórgui.

— Está sim.

— É hora de voltarmos.

Concordei, peguei sua mão e retornamos ao palácio em silêncio, sem comentar mais nada a respeito da conversa anterior sobre as perspectivas matrimoniais de Anastácia. Tínhamos nascido para vidas diferentes, e a questão se resumia a isso. Querer alterar nossas identidades era como querer mudar a cor de nossos olhos.

Quando chegamos à praça do Palácio, trocamos um último beijo, melancólico, de despedida, e me encaminhei para as portas que levavam à escada até meu dormitório. Olhando para as janelas escuras e apagadas, percebi uma silhueta negra observando-me do terceiro andar, mas, ao estreitar os olhos e piscar, tentando discernir quem estava ali, o cansaço finalmente tomou conta de mim e a aparição pareceu se dissolver e desaparecer como se não passasse de uma ilusão. Não pensei mais naquilo e retomei o caminho até o quarto e os sonhos.

1935

Um momento de grande felicidade. Zoia e eu estamos sentados na cama, no quarto do sótão de uma simpática pensão em Brighton, aproveitando uma semana de férias, e ela acaba de me dar uma bela camisa, de corte fino, como presente de aniversário. É raro fazermos uma viagem dessas; passamos os dias, semanas e meses assoberbados de trabalho, responsabilidades, preocupações com dinheiro, de forma que férias assim são uma extravagância além de nosso alcance. Mas Zoia propôs que saíssemos de Londres e aproveitássemos uma pequena folga, em algum lugar onde pudéssemos nos demorar num longo e preguiçoso almoço em restaurantes com mesas ao ar livre, sem ter de ficar consultando o relógio, em algum lugar onde pudéssemos passear pela praia de mãos dadas, com crianças rindo e brincando na areia, e concordei sem hesitação. *Vamos*, vamos sim. *Vamos*, quando podemos ir?

Nossa viagem coincidiu com a data de meu aniversário de trinta e seis anos, e nesse dia acordei com a percepção de que agora fazia mais tempo que eu vivia longe de minha família em Cáchin do que os anos que havíamos passado juntos, e essa percepção toldou minha alegria com sentimentos de pesar e vergonha. Raramente eu permitia que as imagens de meus pais e irmãs me reaflorassem na lembrança — não tinha sido um bom filho, quanto a isso não havia dúvida, e fui um irmão ainda pior —, mas naquela manhã estavam ali comigo, clamando em algum recanto escuro e distante de minha memória, amargurados por eu ter encontrado tanta felicidade inesperada, enquanto eles... bem, eu não sabia o que havia acontecido com eles, afora a certeza de terem morrido.

— Comprei na Harrods — disse Zoia, mordiscando o lábio com ar de expectativa enquanto eu desembrulhava o pacote e examinava o presente; era uma camisa de qualidade excepcional, o tipo de luxo que eu jamais me permitiria comprar, mas que adorava ganhar. — Gostou dela, Geórgui?
— Claro! — respondi com um beijo. — É linda. Mas é um presente excessivo.

Ela abanou a cabeça, aflita para que eu não estragasse seu prazer pondo-me a arrolar todas as razões pelas quais ela não devia me mimar, e disse:

— Ora... Eu nunca tinha pisado na Harrods. Foi uma experiência e tanto, para ser sincera.

Ri a suas palavras, sabendo o quanto ela devia ter se programado semanas antes, escolhido o dia certo em que poderia ir até Knightsbridge, escolher o presente, trazer para casa, inspecionar, embrulhar e esconder antes que eu voltasse do serviço. Eu também nunca havia entrado naquela grande loja de departamentos, embora passasse várias vezes em frente. Sempre me sentia um pouco apreensivo, pois achava que, se tentasse entrar, algum porteiro muito cioso me impediria, visto que meu terno barato e o sotaque estrangeiro mostravam que eu não teria nada a fazer lá dentro. Zoia, por outro lado, não se intimidava com o esplendor; se evitava tais lojas, era por simples bom-senso, pois nunca perderia tempo querendo coisas que não podia ter.

— Agora o meu, o meu! — gritou Arina, vindo com passos incertos e os bracinhos estendidos, um pacotinho nas mãos, também embrulhado num lindo papel.

Estava imensamente risonha, mas com as pernas ainda inseguras, pois fazia pouco tempo que se acostumara a ficar de pé e andar sozinha, deliciada com sua independência recém-descoberta. Ela detestava quando chegávamos perto demais, preferindo a liberdade de correr para onde quisesse, sem se preocupar com os riscos. Nossa filha não queria redes de proteção.

— Outro presente! — exclamei, arrebatando-a nos braços e erguendo-a do solo, suas perninhas balançando no ar enquanto me empurrava e procurava se desvencilhar do abraço, exigindo voltar imediatamente ao chão. — Quanta sorte eu tenho! E o que será isso?

Desembrulhei o pacote devagarinho, retirei o presente do papel macio, fitando-o por um momento sem entender o que era, até reconhecer e soltar uma exclamação de surpresa, realmente atônito com o que tinha nas mãos. Olhei para Zoia e ela sorriu com um leve nervosismo, ao que me parecia, como se não soubesse bem como eu reagiria a essa lembrança do passado. Sem palavras, preocupado em trair minhas emoções com alguma frase mal escolhida, não disse nada e avancei até a janela, desviando o rosto de minha mulher e filha, para que o sol iluminasse aquela preciosidade.

Minha filha tinha me dado um globo de neve, cuja base não era maior do que a palma de minha mão, um domo de plástico branco com um hemisfério de vidro por cima. No centro ficava uma miniatura canhestra do Palácio de Inverno em São Petersburgo, a fachada que devia ser verde-clara num tom azul-escuro, sem as estátuas no topo, sem a Coluna de Alexandre na praça defronte; apesar dessas falhas, o edifício era inconfundível para mim. Na verdade, seria inconfundível para qualquer pessoa que tivesse habitado ou trabalhado entre suas paredes douradas. Sustive a respiração enquanto o admirava, como se receasse que qualquer sopro pudesse derrubá-lo, e estreitei os olhos para examinar os pequenos entalhes brancos que representavam as janelas dos três andares do palácio.

E as lembranças voltaram numa avalanche.

Revi o czaréviche Alexei saindo em disparada das colunatas, correndo pelo perímetro quadrangular com um membro da Guarda Imperial em seu encalço, apavorado que o menino pudesse cair e se machucar.

Revi seu pai no gabinete do primeiro andar, consultando-se com os generais e o primeiro-ministro, a barba estriada de fios grisalhos, os olhos congestionados a mostrar sua ansiedade com as notícias desanimadoras que chegavam do fronte.

Num aposento acima, imaginei a czarina ajoelhada no genuflexório, o *starets* em sua frente, salmodiando baixinho algum sortilégio sombrio enquanto ela se prostrava diante dele não como uma imperatriz, mas como uma mujique qualquer.

E então, saindo por uma porta do pátio interno, um rapaz, um camponês de Cáchin, acendendo um cigarro ao ar livre, no frio, recusando a companhia de um colega de guarda, pois queria ficar sozinho com seus botões, para pensar como conseguiria sufocar o amor irresistível que sentia por alguém totalmente fora de seu alcance, uma relação que ele sabia ser absolutamente impossível.

Sacudi o globo e o montinho de flocos de neve pousado pacificamente na base se levantou, subindo flutuante até o telhado do palácio e então descendo lentamente, e as figuras em minha memória saíram de seus esconderijos, olharam os céus, as mãos estendidas, trocando sorrisos, novamente juntas, desejando que aqueles instantes perdurassem para sempre e não existisse futuro.

Voltei-me para Zoia, comovido com o presente que, claro, fora comprado por ela, e não por nossa filhinha de um ano de idade.

— Mal dá para acreditar — falei com a voz embargada de emoção.

— Encontrei numa loja no Strand — disse ela, avançando para a janela e pousando delicadamente a cabeça em meu ombro, enquanto eu segurava o globo entre nós. A neve continuava a cair; o palácio continuava de pé; a família continuava a respirar.

— Havia uma prateleira inteira cheia deles. Vários lugares do mundo, claro. O Coliseu. A Torre de Londres. A Torre Eiffel — disse ela e hesitou antes de me fitar novamente. —

Mas não fui eu que escolhi, Geórgui, juro. Deixei que Arina olhasse todos eles e ela pegou o que mais lhe agradava. Ela pegou São Petersburgo.
Olhei-a surpreendido, e só pude sorrir.
— É tão inesperado! Faz... — pensei um pouco e fiz as contas mentalmente. — Faz quase vinte anos, acredita? Eu era tão jovem naquela época. Um menino.
— Mas você ainda é jovem, Geórgui — disse ela rindo, passando a mão em meus cabelos.
Era um enorme prazer vê-la tão feliz. Eram anos alegres, com nossa pequena Arina, o presente mais inesperado de todos. E prosseguiu:
— De qualquer forma, estou envelhecendo junto com você. Logo vou ter rugas. Ficar velha. O que você vai achar de mim?
— O que sempre achei — respondi beijando-a, envolvendo-a nos braços enquanto segurava o globo com cuidado, até sermos separados por nossa menina, que abria espaço entre nós, decidida a fazer parte de nosso grupo feliz.
— Papai — disse ela agora em tom muito sério, como sempre fazia quando tinha uma pergunta que considerava da mais alta importância. — Gosta?
— Gosto igual dos dois — respondi, negando-me a escolher um ou outro. — E também amo vocês duas igual — acrescentei erguendo-a e lhe dando um beijo, segurando-a firme, apertando-a num abraço, não a deixando se soltar.

Logo que chegamos a Londres, alugamos um pequeno apartamento em Holborn, onde tivemos o azar de ter como vizinho um funcionário público enjoado, de meia-idade, que olhava Zoia de soslaio sempre que passava por ela na rua, mas que me fitava com ar de profundo desdém. Nas raras vezes em que tentei puxar conversa, ele foi brusco, como se meu sotaque bastasse para convencê-lo de que eu era indigno de sua atenção.

— Não pode fazer alguma coisa quanto ao berreiro dela? — gritou comigo um dia de manhã, na hora em que eu saía, bloqueando o caminho no momento em que ia subir os degraus até a rua.

— Bom dia, sr. Nevin — respondi resolvido a manter boas maneiras diante de sua grosseria.

— Sim, sim — disse rápido. — Aquela filha de vocês. Não me deixa dormir de noite. É ridículo. Quando vocês vão fazer alguma coisa a respeito?

— Lamento — falei sem querer aumentar sua hostilidade, pois ele estava rubro de raiva e com olheiras fundas por causa da insônia. — Mas ela ainda tem poucas semanas. E afinal — acrescentei num risinho, esperando apelar à sua humanidade — somos novatos nisso. Estamos dando o máximo.

— Bem, o máximo de vocês é pouco, sr. Jackson — retorquiu ríspido, apontando-me um dedo nodoso que, para a sorte dele, não chegou a encostar em meu peito; eu também estava cansado e talvez minha paciência se esgotasse caso ele tocasse em mim. — As pessoas precisam dormir. Moro aqui faz...

— É Jachmenev — corrigi em tom calmo, agora sentindo eu a raiva começar a brotar.

— O que é isso?

— Meu sobrenome. Não é sr. Jackson, é sr. Jachmenev. Mas pode me chamar de Geórgui Danielovitch, se preferir. Afinal somos vizinhos.

Ele ficou quieto por um instante, fitando-me como se estivesse na dúvida se eu estava a provocá-lo deliberadamente ou não, mas jogou os braços ao ar e saiu pisando duro, soltando atrás de si alguns comentários chauvinistas para marcar posição.

Era um aborrecimento, claro — o sujeito era um grosseirão, mas Zoia e eu não tínhamos nenhuma vontade de criar atrito com os vizinhos. A situação acabou por se resolver alguns meses depois, quando ele se mudou num acesso de raiva e o apartamento foi alugado pela sra. Rachel Anderson, uma viúva na casa dos quarenta anos. Ao invés de se incomodar com nossa filha, ela se mostrou absolutamente encantada, reação que naturalmente lhe valeu a estima dos pais envaidecidos, e logo ficamos amigos.

Ela se oferecia constantemente para cuidar de Arina e, conforme a amizade crescia, aumentava também nossa confiança nela, o que nos levava a aceitar sua oferta. Era uma mulher sozinha e solitária, coisa fácil de se ver, e gostava de desempenhar o papel de avó de Arina, talvez uma substituta dos filhos e netos que ela não pôde ter.

— Que sorte a nossa que Rachel goste de crianças — disse eu a Zoia uma noite em que íamos ao Holborn Empire, aproveitando a ocasião romântica de estarmos nós dois a sós, pelo menos algumas horas. — Não consigo imaginar Arina aos cuidados do vizinho anterior, e você?

— De jeito nenhum — comentou Zoia, cuja relutância inicial em passar um serão inteiro fora de casa tinha se dissipado rapidamente ao sairmos do prédio. — Mas você quer mesmo ir ao cinema, não é?

— Podemos ir a outro lugar, se você preferir — respondi, pois a única coisa que me importava era passarmos algum tempo juntos.

Quando vi o que estava passando no Empire, eu tinha sugerido o filme sem pensar demais a respeito, logo percebi que seria a melhor — ou pior — ideia de minha vida. Zoia respondeu:

— Não, não, vamos ao cinema. Estou doida para assistir. Acho. E você?

— Eu também — disse ansioso.

Vou confessar uma coisa: até aquela noite, eu só tinha ido ao cinema três vezes, mas sempre para ver Greta Garbo. A primeira vez tinha sido cinco anos antes, quando vagueava e entrei sozinho no Empire, sem saber o que passava, e assisti à atriz no papel de Anna Christie, ex-prostituta tentando melhorar de vida. Vi-a de novo dois anos depois, no papel de Grusinskaia, a bailarina decadente de *Grande Hotel*, que não me encantou tanto. Mas ela me conquistou de novo no ano seguinte como Cristina, a rainha da Suécia, e agora eu voltava para uma quarta visita, junto com Zoia, para vê-la num papel que me era muito querido, Anna Kariênina.

Essas duas simples palavras bastavam para me transportar ao passado, vinte anos antes. Ao vê-las impressas em grandes letras negras na frente do cinema, voltei a sentir a dor no corpo resultante das intermináveis sessões de treinamento do conde Charnetski e minha desorientação ao tentar encontrar o caminho de volta para meu dormitório, num palácio que ainda não me era familiar.

Ele é aquele que levou um tiro no ombro, não é?, tinha perguntado Tatiana, acolhendo de bom grado aquela breve interrupção na aula.

Não, ouvi dizer que quem salvou a vida do primo Nicolau foi um rapaz extremamente bonito, respondera Maria, meneando a cabeça.

É ele, Anastácia tinha dito baixinho, e nossos olhos haviam se cruzado.

O cinema estava lotado naquela noite, a atmosfera já carregada de fumaça de cigarros, a plateia ruidosa com as conversas dos casais de namorados e dos românticos solteiros, mas encontramos dois lugares juntos no balcão e nos acomodamos satisfeitos enquanto as luzes se apagavam e o bulício diminuía. Primeiro passou o cinejornal, e vimos as imagens de um furacão que atingira o litoral da Flórida, destruindo tudo o que havia pelo caminho. Um indivíduo de nome Howard Hughes, dizia o narrador, havia acabado de estabelecer um novo recorde aéreo com a velocidade de 566 quilômetros por hora, enquanto o presidente americano Roosevelt aparecia no Black Canyon, entre o Arizona e o Nevada, preparando-se para inaugurar a represa Hoover. O noticiário terminava com cinco minutos de um documentário do chanceler alemão Herr Hitler, desfilando pelas ruas de Nurembergue, inspecionando o exército e discursando em comícios com dezenas de milhares de cidadãos alemães. O público se assombrou com a devastação causada pelo furacão, aplaudiu o jeito engraçado de Hughes, comentou alto a fala de Roosevelt, mas calou num silêncio extasiado enquanto o chanceler discursava para as massas, gritando, berrando, suplicando, rogando, insistindo, exigindo, como se soubesse perfeitamente que seria ouvido a oitocentos quilômetros de distância, no Holborn Empire, e quisesse hipnotizar todos os espectadores com seus ferozes gritos de batalha, muito embora não entendessem uma única palavra do que ele dizia.

Mas Zoia e eu entendíamos alemão o suficiente para captar a essência do que dizia Hitler. E nos aproximamos mais um do outro em nossos assentos, enquanto ele trovejava, mas não dissemos nada.

Quando ele finalmente deixou a tela, o filme começou e o trem que levava Ana e a condessa Vronskaia entrou na estação de Moscou, soltando enormes nuvens de fumaça que se dissolveram gradualmente para mostrar Garbo — Anna Kariênina —, seus olhos grandes e claros bem no centro da tela, a pele escura de arminho no gorro e no casaco em forte contraste com seus cabelos soltos flutuantes.

— A maneira como ela olhava! — comentei entusiasmado com Zoia, cativado pelo desempenho dela, quando voltávamos para casa. — Que paixão no olhar! Aliás, no olhar de Vronski também. Não precisavam dizer uma palavra, só se olhavam e estavam dominados pela paixão.

— Você achou que era amor? — perguntou ela com brandura. — Vi algo mais.

— O quê?

— Medo.

— Medo? — repeti, fitando-a surpreso. — Mas eles não

têm nenhum medo entre si. São destinados um ao outro. Sabem disso desde o primeiro instante em que se encontram.

— Mas as expressões deles, Geórgui — disse ela alteando um pouco a voz, decepcionada com minha visão simples do mundo. — Ora, são apenas atores, sei disso, mas você não notou? Para mim, eles pareciam se fitar com absoluto horror, como se soubessem que não poderiam controlar a sucessão de acontecimentos que se desencadearia a partir daquele encontro tão simples e inevitável. A vida que viviam até então tinha chegado ao fim. E não importava o que acontecesse a seguir, os destinos deles já estavam selados.

— Você tem uma maneira muito sombria de ver as coisas, Zoia — disse eu não muito contente com aquela sua interpretação da cena.

— O que foi mesmo que Vronski disse depois para Anna? — perguntou ignorando meu comentário. — *Você e eu estamos fadados... fadados a um desespero inimaginável. Ou à felicidade... uma felicidade inimaginável.*

— Não me lembro dessa passagem no romance.

— Não? É, talvez nem tenha mesmo. Faz tantos anos que li. Mesmo assim, sinto que conheço essa mulher.

— Mas vocês não têm nada de parecido — repliquei rindo.

— Não mesmo?

— Anna não ama Kariênin — observei. — Mas você me ama.

— Claro que sim — respondeu rápido. — Não foi isso que eu quis dizer.

— E você nunca cometeria uma infidelidade, como Anna.

— Não — concordou abanando a cabeça. — Mas a tristeza dela, Geórgui. Sua percepção, na hora em que sai do trem, de que sua vida já se acabou, que é apenas uma questão de suportar o tempo pela frente até chegar ao fim... isso não lhe parece familiar?

Parei na rua, virei para ela com o cenho franzido a me

toldar o rosto. Não sabia como responder a isso. Precisava de tempo para avaliar o que ela tinha dito; tempo para entender o que ela tentava me dizer.

— De qualquer forma, não tem importância — disse ela por fim, virando-se de novo e sorrindo. — Veja, Geórgui, chegamos.

Ao entrar em casa, soubemos que Arina já estava dormindo, e Rachel nos assegurou que nossa filha era simplesmente a criança mais maravilhosa que ela tinha tido a sorte de atender, coisa que já sabíamos, mas que adoramos ouvir.

— Faz anos que não vou ao cinema — disse ela enquanto vestia o casaco para a curta caminhada até a porta vizinha. — Meu Alberto sempre me levava quando estávamos namorando. Víamos de tudo, tudo mesmo. Mas Charlie Chaplin era meu favorito. Vocês gostam dos filmes dele, meus queridos?

— Nunca assistimos — admiti. — Conhecemos de nome, claro, mas...

— Nunca assistiram a um Charlie Chaplin?! — perguntou assombrada. — Fiquem de olho quando passar o próximo. Fico cuidando de Arina com muito gosto. Ele é o máximo, é o bom e velho Charlie. Sabem, eu o conheci bastante quando era menino. Cresceu em Walworth, não foi? Virando a esquina de casa. Vocês acreditam nisso? Costumava vê-lo correndo por ali quando pirralho, de calças curtas e cheio dos truques, nunca dando um minuto de paz a ninguém. Eu morava na Sandford Row e meu Alberto, ele era de Faraday Gardens. Naqueles tempos todo mundo se conhecia e o Charlie, bom, já quando moleque era famoso por seus absurdos. Mas deu certo na vida, não foi? Vejam ele agora. Um milionário nos Estados Unidos com toda aquela grã-finagem em volta. Difícil de acreditar, juro. Então quem era no filme que vocês viram hoje? Nunca assistiram a um Chaplin? Nunca vi isso!

— Greta Garbo — respondeu Zoia num sorriso. — Geórgui é meio apaixonado por ela, a senhora não sabia?

— Pela Greta Garbo? — perguntou Rachel fazendo uma

careta de quem acabava de sentir um cheiro desagradável. — Não consigo imaginar. Ela tem um jeito muito masculino, sempre achei.

— Ora, não sou "meio apaixonado por ela" — repliquei corando com o comentário. — Realmente, Zoia, por que você diz uma coisa dessas?

— Olhe para ele, sra. Anderson — disse Zoia, rindo a bandeiras despregadas. — Ele ficou sem graça.

— Ficou mais vermelho que tomate maduro — disse a vizinha, rindo também, e lá fiquei parado, olhando longe, carrancudo em minha humilhação.

— Que monte de asneiras — falei indo para minha poltrona e sentando, e fingi ler o jornal.

— Bom, mas como era o filme? — perguntou Rachel para minha mulher. — Esse filme da Greta Garbo. Prestava?

— Me fez lembrar de casa — disse Zoia em voz baixa, num tom que me chamou a atenção e fitei seu rosto com ar melancólico.

— E isso é uma boa coisa, não é? — indagou Rachel.

Zoia sorriu, assentiu e deixou escapar um grande suspiro.

— Ah, sim, sra. Anderson. É uma boa coisa. Na verdade, ótima coisa.

Antes de Arina nascer, houve alguns comentários na fábrica onde Zoia trabalhava como costureira de que ela seria promovida a supervisora. O horário não melhoraria, claro — longas jornadas de trabalho das oito da manhã até seis e meia da tarde, com apenas meia hora de intervalo para almoço —, mas haveria um bom aumento de salário e, em vez de ficar sentada à sua máquina de costura o dia inteiro, ela poderia andar pela fábrica.

Mas a possibilidade se fechou quando ela ficou grávida. Não contamos a novidade a ninguém por quase quatro meses — àquela altura da vida, já tínhamos sofrido perdas demais para acreditar que algum dia teríamos filhos —, mas por fim sua barriga começou a aparecer e o médico garantiu que sim, desta vez a gravidez tinha engatado e não havia motivo para temer mais um aborto espontâneo. Logo a seguir Zoia decidiu que não voltaria ao serviço na fábrica depois do parto, mas se dedicaria a criar nossa filha, questão aliás ociosa, visto que seus patrões só permitiam que as mães retornassem ao trabalho depois que os filhos estivessem em idade de ir para a escola. E, embora isso significasse apertar ainda mais nosso orçamento, que agora se resumia a meu salário, havíamos poupado meticulosamente nos poucos anos anteriores e, em vista de minhas novas responsabilidades, o sr. Trevors me concedeu um pequeno aumento logo após o nascimento de Arina.

Assim, foi uma surpresa quando uma noite voltei para casa e vi uma grande máquina de costura no canto de nossa sala de estar, o brilho de sua pesada caixa metálica desafiando minha atenção na hora em que entrei, e minha mulher abrindo um espaço à direita dela para uma mesinha de apoio para os tecidos, as agulhas e os alfinetes. Arina observava atentamente de sua cadeirinha, com os olhos arregalados, fascinada por essa atividade fora do comum, mas, ao me ver, bateu palmas de alegria e apontou para a máquina, soltando gritinhos de prazer.

— Olá — cumprimentei tirando o chapéu e o casaco, enquanto Zoia se virava para me receber com um sorriso. — O que se passa por aqui?

— Você não vai acreditar — respondeu com um beijo em minha bochecha e parecendo empolgada com o que havia acontecido durante o dia, fosse lá o que fosse, numa voz que traía certa ansiedade se eu iria compartilhar de sua felicidade. — Eu estava preparando a papinha de Arina hoje de manhã e ouvi baterem à porta. Quando olhei pela janela, não acreditei. Era a sra. Stevens.

Zoia costumava ficar nervosa quando batiam inesperadamente à porta de entrada. Não tínhamos muitos amigos e era raro que algum deles aparecesse sem avisar, de modo que qualquer alteração em nossa rotina diária causava aflição em minha mulher, como se fosse o prenúncio de algo terrível. Em vez de abrir imediatamente a porta, ela sempre ia até a janela e puxava um pouco a cortina de tela para ver quem estava batendo, pois daquela posição ela podia ver as costas da visita sem que a pessoa percebesse que era observada. Era um hábito que Zoia nunca abandonou. Ela nunca se sentiu segura, esse era o problema. Sempre acreditava que algum dia, de alguma maneira, alguém iria encontrá-la. Que iriam encontrar todos nós.

— A sra. Stevens — ergui o sobrolho. — Da Newsom's?

— Ela mesma, e me pegou totalmente de surpresa. Achei que talvez fosse alguma diferença em meu último pagamento e que ela tivesse vindo acertar a diferença, mas não, não era disso. No começo ela falou que quis dar uma paradinha para ver como eu estava indo e para ver Arina, coisa em que, claro, não acreditei nem por um minuto. E então, depois de tomar uma xícara de chá e me fazer sentir pouco à vontade em minha própria casa, finalmente disse que justo agora estão com falta de costureiras na fábrica, não têm pessoal suficiente para atender todos os pedidos e queriam saber se me interessaria trabalhar em casa.

— Entendi — assenti enquanto olhava a máquina de costura, já sabendo como aquela conversa ia terminar. — E você aceitou, claro.

— Bom, não vi motivo para recusar. Estão oferecendo um pagamento muito bom. E um homem da Newsom's virá me entregar uma vez por semana tudo o que for necessário e pegar o serviço pronto, e assim não preciso nem chegar perto da fábrica. Vai ser bom ter mais dinheiro entrando, não acha?

— Claro — respondi avaliando a pergunta. — Se bem que eu gostaria de crer que posso sustentar nós três.

— Ah, mas eu sei que você pode, Geórgui. Só quis...

— A sra. Stevens devia ter muita certeza do que você ia responder, se já trouxe a máquina junto com ela.

Zoia me fitou desconcertada por um instante e então caiu na risada, abanando a cabeça.

— Ah, Geórgui, não me diga que você acha que ela teria carregado a máquina da fábrica até aqui! Imagine, eu mal consegui arrastá-la pelo chão. Não, foi um dos operários que trouxe à tarde, depois de eu aceitar. Ele saiu agora há pouco.

Talvez fosse errado de minha parte, mas não fiquei muito feliz com aquele arranjo. Para mim, nossa casa era nossa casa, não um lugar que ia virar oficina, e não gostei que combinassem esse novo acerto sem nem me consultar. Mas, ao mesmo tempo, eu via que Zoia estava muito contente, que o trabalho quebraria a rotina de cuidar de Arina o dia todo, e que seria mesquinho de minha parte me opor a isso.

— Está bem, não é, Geórgui? — ela indagou, percebendo que eu me sentia dividido sobre o assunto. — Você não se importa?

— Não, não — respondi depressa. — Se te faz feliz...

— Ah, faz, sim — respondeu enfaticamente. — Fico envaidecida por terem pensado em mim. Além disso gosto de ganhar meu próprio dinheiro. E prometo: nada de trabalho à noite. Você não vai precisar aguentar o barulho da máquina quando chegar em casa, voltando da biblioteca. E se eu mesma comprar alguns tecidos, também vou poder fazer roupas para Arina, o que é uma vantagem e tanto.

Sorri e disse que me parecia uma ótima ideia, e então, para minha surpresa, Zoia passou o resto da noite lidando com a máquina, examinando os vários moldes que tinham vindo junto, para começar antes que o homem da Newsom's voltasse na próxima semana. Fiquei observando enquanto ela se concentrava na tarefa, os olhos se estreitando um pouco enquanto seguia a linha de costura numa peça de algodão fino e claro, cortava a ponta do fio e erguia o braço da máquina antes de dar o nó. Em casa, seria considerado um serviço humilde, tarefa para mujiques, mas aqui em Londres, a mais de três mil quilômetros e a vinte anos de distância de São Petersburgo, era um serviço que agradava à minha mulher. E, quando menos por isso, eu me sentia agradecido.

 Quando de fato tínhamos uma visita à noite, geralmente era Rachel Anderson, que vinha nos ver uma ou duas vezes por semana e passava uma hora em nossa companhia para diminuir a solidão. Gostávamos de suas visitas, pois era uma pessoa bondosa e que também vinha brincar com Arina — que a adorava —, fato que inevitavelmente fazia aumentar nossa estima por ela.

 Naquele ano, aproximando-se o Natal, estávamos todos sentados em nossa saleta ouvindo um concerto no rádio. Arina dormia no meu colo, a boquinha entreaberta, as pálpebras vibrando de leve em sonhos, e senti uma sensação quase esmagadora de bem-estar com essa vida doméstica feliz que me fora concedida. Zoia estava a meu lado, a cabeça apoiada numa almofada enquanto ouvíamos a Quarta Sinfonia de Tchaikóvski. Nossos dedos se entrelaçavam e eu podia ver que ela estava enlevada com a música e perdida nas lembranças que lhe trazia. Lançando um olhar a Rachel, vi que fitava a luz da vela e, embora sorrindo àquela pequena reunião familiar, tinha uma expressão de pesar quase insuportável.

 — Rachel, você está bem?
 — Estou, sim — afirmou assentindo com a cabeça e esboçando um sorriso. — Estou ótima.
 — Não parece. Está com um ar de quem vai romper em lágrimas.
 — Estou? — perguntou erguendo os olhos como que para conter um súbito desafogo. — Bom, talvez esteja mesmo um pouco emotiva.
 — Tchaikóvski pode despertar sensações intensas — comentei, esperando não ter lhe causado nenhum embaraço. —

Quando ouço este movimento, sou inundado de lembranças de velhas canções folclóricas da Rússia. Não consigo deixar de sentir saudades.

— Não é a música — respondeu ela em voz baixa. — São vocês três.

— Como assim?

Ela riu e desviou o olhar.

— Pareço manteiga derretida. É que vocês parecem tão felizes, sentados assim, tão juntinhos, tão aconchegados. Me faz lembrar meu Albert. Me faz pensar como podia ter sido. — Hesitou e ergueu os ombros em ar de justificativa. — Hoje seria aniversário dele. Quarenta anos. Decerto hoje a gente estaria num bom arrasta-pé, se as coisas tivessem sido diferentes.

— Rachel, você devia ter dito — falou Zoia, levantando e indo sentar ao lado dela, abraçando-a pelo ombro e dando-lhe um beijo no rosto.

Sua grande solidariedade sempre se mostrava em momentos assim, quando via outra alma sofredora; era uma das coisas que eu amava em Zoia. E continuou:

— Imagino que você pense muito nele.

— Todos os dias — admitiu. — Embora tenha morrido mais de vinte anos atrás. Contei para vocês que ele foi enterrado na França? Achava ainda pior, pois não podia ir visitar o túmulo e levar flores, como qualquer pessoa. Tinha dias em que minha vontade era encher uma garrafinha de chá, ir e sentar perto de onde ele estivesse, mas não posso. Não aqui. Não em Londres.

— Você nunca foi até lá? — perguntei. — Não é tão longe de Dover.

— Estive oito vezes, meu bem — respondeu com um sorriso. — Talvez possa ir daqui a um ano, se tiver como pagar a passagem. Ele está enterrado em Ypres, num cemitério chamado Prowse Point. Filas e filas de lápides brancas, todas alinhadas, todas sobre os corpos dos rapazes. Mantêm o lugar imaculado. Quase como se quisessem aparentar algo, não sei, digamos, algo de limpo na morte deles. Quando não é o caso. A pureza daquele lugar é uma mentira. É por isso que eu sempre quis que ele estivesse aqui, em algum cemitério com árvores e sebes enormes e uns ratinhos-do-mato correndo por ali. Algum lugar mais honesto.

— Ele era da infantaria? Oficial? — perguntei.

— Oh, não! — disse ela, abanando a cabeça. — Não, Geórgui, ele não era tão importante para ser oficial. E nem iria querer. Estava na Infantaria Ligeira de Somerset. Apenas um dos pracinhas — nada de especial, imagino. Exceto para mim. Ele morreu no final de 1914, bem no começo. Praticamente nem chegou a entrar em ação. Às vezes penso que foi uma bênção — acrescentou, refletindo. — Sempre tive pena desses pobres garotos que morreram em 1917 ou 1918. Que passaram os últimos anos de uma vida tão curta combatendo, sofrendo, testemunhando sabe Deus quantos horrores. Pelo menos meu Albert... pelo menos não teve de passar por nada disso. Logo teve sua recompensa.

— Mas você ainda sente falta dele — disse Zoia baixinho, pegando a mão de Rachel entre as suas, a qual assentiu e deu um grande suspiro, tentando segurar as lágrimas.

— Sinto, sim, meu bem. Todos os dias. Penso no que poderíamos ter sido, sabe... Tudo o que podíamos ter feito. Às vezes me dá uma tristeza enorme, outras vezes me dá uma raiva tão grande do mundo que tenho vontade de gritar. Aqueles políticos desgraçados. E Deus. E os responsáveis pela guerra — Asquith, o kaiser, o czar, todos eles uns velhacos.

Zoia se arrepiou um pouco àquela referência, mas não comentou nada. Rachel prosseguiu:

— Odeio todos eles por terem me tirado Albert, entendem? Um rapaz como ele. Um rapazinho. Com toda a vida pela frente. Mas, afinal, para quem estou dizendo tudo isso? Vocês também devem ter sofrido durante a guerra. Tiveram de sair da terra natal. Não consigo nem imaginar como deve ter sido.

— Não foi uma época fácil para ninguém — respondi hesitante, em dúvida se era um bom tema de conversa.

— Perdi minha família inteira na guerra — disse Zoia, surpreendendo-me que falasse de seu passado. — Todos eles.

— Oh, meu bem — exclamou Rachel admirada, inclinando-se e agora acariciando suas mãos. — Não sabia disso. Sempre pensei que vocês talvez tivessem simplesmente deixado os parentes na Rússia. Quero dizer, vocês nunca comentam. E aqui estou eu, fazendo vocês reviverem todas essas lembranças tristes.

— É isso que fazem as guerras — falei, ansioso em mudar de assunto. — Tiram nossos entes queridos, separam famílias, criam uma imensa desgraça. E para quê? Não dá para entender.

— Está voltando, sabem... — disse Rachel então, com uma seriedade que me surpreendeu.

— Voltando?

— A guerra. Vocês não sentem? Eu sinto. Quase percebo o cheiro dela.

Abanei a cabeça.

— Não creio. A Europa está... agitada, isso é verdade. Há problemas e animosidades, mas não acredito que virá outra guerra. Não pelo prazo de nossa vida. Ninguém quer passar pelo que todos nós passamos na última vez.

— Vocês não acham que é uma ironia — replicou ela, avaliando minhas palavras — que todos aqueles garotos concebidos num grande transbordamento de amor e desejo, quando a Grande Guerra terminou, estarão na idade certa de combater quando começar a próxima? É quase como se Deus só tivesse feito essas criaturas para lutar e morrer. Para ficar na frente dos rifles e tomar os tiros que voam até eles. É realmente uma piada.

— Mas não vai ter guerra — insistiu Zoia, interrompendo Rachel. — Como diz Geórgui...

— Que desperdício — suspirou Rachel, pondo-se de pé e pegando o casaco. — Que tremendo desperdício. E não quero contradizer você, Geórgui, não em sua própria casa, mas receio que você esteja enganado. Está se aproximando com toda certeza. Não vai demorar muito. Só espere. Você vai ver.

O Neva

Passaram o envelope sob a porta de meu quarto e ele deslizou tanto pelo chão que quase sumiu debaixo da cama. Trazia apenas meu nome — *Geórgui Danielovitch* —, numa bela caligrafia em cirílico. Era raro receber mensagens dessa maneira; geralmente, quando havia mudança na programação da Guarda Imperial, o conde Charnetski avisava aos chefes de divisão, que por sua vez informavam os homens sob seu comando. Fiquei curioso em abri-lo, mas me admirou encontrar apenas um endereço e um horário impressos no cartão em seu interior. Nenhuma instrução, nenhuma indicação sobre o remetente. Nenhum detalhe sobre o motivo de requisitarem minha presença. A coisa toda era um mistério que, a princípio, atribuí a Anastácia, mas então lembrei que naquela noite ela deveria comparecer com a família a um jantar na casa do príncipe Rogueski, de forma que dificilmente poderia ter organizado um encontro secreto. Mesmo assim, aquilo espicaçou meu interesse; estava com a noite livre e de boa disposição, de maneira que fui ao banheiro, tomei um bom banho, vesti minhas melhores roupas de paisano, saí do palácio e me dirigi ao endereço indicado.

A noite estava escura e gelada, as ruas com uma camada de neve tão grossa e tão alta que era preciso levantar bastante as botas por sobre os montículos ao avançar com dificuldade entre eles. Durante a caminhada, com as mãos afundadas nos bolsos, era impossível ignorar os cartazes de propaganda colados nos muros e postes do centro da cidade. Imagens de Nicolau e Alexandra, imagens infames, chamando-os de saqueadores, tiranos, déspotas. Retratos da czarina como prostituta e mulher demoníaca, em alguns aparecendo cercada por um harém de rapazes lúbricos, em outros reclinada e exposta aos olhos negros lascivos do *starets*. Os cartazes tinham se tornado uma atração constante da cidade, sendo arrancados diariamente pelas autoridades apenas para ressurgir com a mesma rapidez com que eram removidos. Quem fosse descoberto com algum deles corria o risco de ser executado. Eu me perguntava como o czar e a esposa, ao passar pelas ruas, conseguiam suportar aquelas imagens em que apareciam de maneira tão obscena. Ele, que tinha passado meses e sacrificara a saúde comandando o exército na tentativa de proteger as fronteiras. Ela, que estava diariamente no hospital, atendendo aos doentes e moribundos. A czarina não era nenhuma Maria Antonieta, e o marido nenhum Luís XVI, mas os mujiques pareciam ver o Palácio de Inverno como uma segunda Versalhes, e meu coração se apertava quando eu pensava no que poderia resultar de toda essa discórdia.

O endereço do cartão me levou a uma parte da cidade que raramente visitava, uma daquelas áreas curiosas que não possuíam palácios principescos nem choças rústicas. Ruas indefiníveis, lojinhas, tabernas, nada que sugerisse abrigar algo de extraordinário que demandasse meu comparecimento. Ponderei se, de fato, a mensagem se destinava a mim. Talvez a pessoa tivesse a intenção de passá-la sob a porta de um colega envolvido numa das inúmeras sociedades secretas que infestavam a cidade. Alguém metido em política. Talvez eu estivesse sendo levado para uma reunião clandestina para fomentar uma revolta contra os Romanov, e seria tido como traidor por todos eles. Quase resolvi desistir e voltar para o Palácio de Inverno, mas antes de tomar a decisão, a casa que eu procurava finalmente apareceu. Observei cautelosamente a porta escura e discreta, atrás da qual havia alguém que desejava me ver.

Hesitei, surpreso por estar tão ansioso, e bati rapidamente no caixilho de madeira. Tinha sido convidado, falei comigo mesmo. A nota fora dirigida a mim. Mas não houve resposta, e então tirei a luva direita para bater de novo, um pouco mais forte. Porém, naquele exato momento, a porta se escancarou e me vi diante de uma figura com roupas escuras, que me fitou tentando identificar meu rosto na escuridão da noite, antes de abrir um pavoroso sorriso de prazer.

— Você veio! — rugiu ele, estendendo os braços e pondo as mãos em meus ombros. — Eu sabia que você viria! É tão fácil manobrar os jovens, não concorda? Eu poderia ter lhe dito para se atirar no fundo do Moica e você estaria lá agora, afogado no rio.

Debati-me sob o peso daquelas manoplas e tentei me desvencilhar, mas sem êxito; ele pressionava com tanta decisão que parecia um teste entre sua força e minha capacidade de resistência.

— Padre Grigori — disse, pois fora ele que abrira a porta, o monge, o ministro de Deus, o mujique que tinha transformado a imperatriz russa numa prostituta. — Não sabia que era o senhor que tinha me convidado para vir aqui.

— E daí? Você teria vindo mais rápido? — replicou, arreganhando os dentes. — Ou quem sabe nem teria vindo? Qual dos dois, Geórgui Danielovitch? Não o segundo, com certeza. Não acredito nem por um minuto.

— É que é uma surpresa — falei sinceramente, pois, por mais incomodado que me sentisse perto dele, por mais que ele me repugnasse, era impossível não sentir fascínio ao mesmo tempo, pois sua presença era constantemente embriagadora. Sempre que o via, sentia-me quase paralisado. Não era o único. Todos o detestavam, mas ninguém conseguia afastar os olhos dele.

— Você veio e é isso que importa — disse então, fazendo-me entrar. — Venha, venha, está frio aí fora e não podemos deixar que você adoeça, certo? Quero apresentá-lo a meus amigos.

— Mas o que estou fazendo aqui? — perguntei ao segui-lo por um corredor escuro até os fundos da casa, onde se podia vislumbrar um aposento totalmente iluminado por velas vermelhas. — Por que fui convidado?

— Porque aprecio a companhia de pessoas interessantes, Geórgui Danielovitch — trovejou ele, aparentemente encantado pelo som da própria voz. — E o considero uma pessoa muito interessante.

— Não sei por quê.

— Não? Pois devia saber.

Ele se deteve e virou para mim, num sorriso que revelava duas fileiras de dentes amarelos.

— Gosto de todos os que têm algo a esconder, e *você*, meu jovem encanto, é cheio de segredos, não é?

Encarei aqueles olhos azuis em tom escuro, e engoli em seco.

— Não tenho segredos. Nenhum.

— Claro que tem. Só um bronco não tem segredos, e não creio que você seja um deles, certo? E, de qualquer forma, todos nós estamos escondendo alguma coisa. Todos, sem exceção. Nossos superiores, nossos iguais. Os que não tiveram nossas oportunidades. Ninguém gosta de revelar seu verdadeiro ser; nós nos atiraríamos uns contra os outros se revelássemos. Mas você é um pouco diferente da maioria, nisso concordo com você. Pois parece absolutamente incapaz de esconder seus segredos. Não creio que eu seja o único a ter percebido. Mas, por favor, não foi por isso que eu o trouxe até aqui — acrescentou dando meia-volta e seguindo em frente. — Essa conversa pode esperar. Venha e conheça meus amigos. Creio que você vai gostar de todos.

Disse a mim mesmo que devia ir embora, mas ele já tinha desaparecido na sala à luz de velas e não havia força na terra capaz de me impedir de entrar ali. Não sabia o que iria encontrar quando atravessei a porta. Um pequeno grupo de colegas *starets*, talvez. Ou a czarina. Impossível adivinhar. Por mais que tivesse imaginado, a visão que tive ao entrar foi inesperada, estranha, instantaneamente embriagante.

A sala estava repleta de sofás baixos, estofados em tons profundos de púrpura e escarlate, e revestida de luxuosos tapetes e tapeçarias que pareciam saídos dos bazares de Délhi. Espalhadas pela sala, deitadas em sofás e espreguiçadeiras, havia umas doze pessoas, cada uma em vestes mais provocativas do que as da outra. Uma mulher que eu sabia ser condessa e ex-amiga da imperatriz, que havia caído de suas graças depois de uma visita conturbada a Livadia, quando a condessa se atrevera a dar um pontapé em Eira, o terrier invocadinho da czarina. Um príncipe de sangue azul. A filha de um dos sodomitas mais notórios de São Petersburgo. Quatro ou cinco pessoas mais jovens, talvez de minha idade ou um pouco mais, que eu nunca tinha visto antes. Algumas prostitutas. Um menino de beleza absolutamente excepcional maquiado com ruge e batom nos lábios. Estavam, em sua maioria, em trajes menores, camisas abertas, exibindo os pés descalços, alguns apenas com as roupas íntimas. Uma das meretrizes, que se vislumbrava por entre a névoa que toldava o aposento e se apoderou de meus sentidos, provocando-me imediata letargia e desejo de me afundar em languidez ainda maior, estava no sofá e um menino recostava a cabeça em seu colo; ele estava totalmente nu, e dava lambidinhas pelo corpo dela como um gato num pires de leite. Fiquei contemplando a cena diante de mim, os olhos abertos num misto de asco e desejo, o primeiro me impelindo a correr, o segundo me instando a ficar.

— Amigos — bradou padre Grigori, abrindo os braços em toda a largura e silenciando imediatamente a sala. — Meus caríssimos amigos, parentes e íntimos, permitam-me apresentar um jovem delicioso que tive a fortuna de vir a conhecer. Geórgui Danielovitch Jachmenev, outrora da aldeia de Cáchin, um buraco miserável perdido no centro de nosso abençoado país. Demonstrou grande lealdade à sua família real, embora, a bem da verdade, não a seu mais velho amigo. Está em São Petersburgo já faz algum tempo, mas nunca, creio eu, aprendeu a se divertir. Pretendo mudar essa situação hoje à noite.

Seus convidados me fitaram num misto de enfado e desinteresse, continuando a tomar suas taças de vinho e a dar fundas tragadas nos cachimbos de vidro borbulhantes que passavam entre eles, retomando as conversas agora entre murmúrios e sussurros. Todos tinham um olhar apagado. Exceto padre Grigori. Era ferozmente vivo.

— Geórgui, não está contente com o convite? — perguntou em voz baixa, rodeando-me o ombro com o braço e puxando-me para ele enquanto fitava a mulher e o menino, que começavam a gemer e se mover ritmicamente. — Aqui é muito melhor do que naquele palácio velho e soturno, não concorda?

— O que o senhor quer comigo? — perguntei virando-me para olhá-lo. — Por que me chamou aqui?

— Mas, meu caro, foi você quem quis vir — replicou rindo como se eu fosse tolo ou retardado. — Não o peguei pela mão e trouxe pelas ruas, certo?

— Eu não sabia quem mandou o cartão — respondi rápido. — Se soubesse...

— Você sabia perfeitamente, mas não se importou — disse num sorriso. — É bobagem mentir para si mesmo. Minta para os outros, de todas as formas, mas não para si. De qualquer forma, meu jovem amigo, não se zangue comigo. Não admitimos mau humor aqui dentro, apenas harmonia. Tome uma taça de vinho. Relaxe. Divirta-se. Você pode gostar daqui, Geórgui Danielovitch, se se permitir esquecer quem você pensa que é, e ser quem você realmente quer ser. Ou devo chamá-lo de *Pacha*? Você prefere?

Arregalei os olhos. Fazia anos que ninguém me chamava por aquele apelido, e mesmo então apenas meu pai me chamava assim.

— Como você soube desse nome? Quem lhe contou?

— Ouço muitas coisas — gritou de súbito, erguendo o tom, mas nenhum dos convidados se agitou de medo ou surpresa; sua voz fremia de virtude e impunha respeito ao falar.

— Ouço as vozes dos camponeses nos campos, clamando por justiça e igualdade. Ouço os gemidos de Matuchka chorando à noite pelo filho doente. Ouço tudo isso, Pacha — bradou, com a voz agora lastimosa e amedrontada, o rosto enrugado de dor enquanto se inclinava mais perto de mim. — Ouço seu respirar no momento em que ela se vira e vê o veículo prestes a atropelá-la e lhe tirar a vida. Ouço os gritos dos pecadores no inferno, suplicando a libertação. Ouço os risos dos salvos no Paraíso quando afastam as vistas de nós. Ouço o bater das botas dos soldados quando entram na sala, revólveres nas mãos, prontos para atirar, prontos para matar, prontos para martiri... — deteve-se e enterrou o rosto nas mãos. — E ouço você, Geórgui Danielovitch Jachmenev — disse tirando as mãos de seu rosto e agora envolvendo o meu, os dedos quentes e macios em minhas faces frias. — Ouço as coisas que você diz, as coisas que você tenta tão desesperadamente não ouvir.

— Que coisas? — perguntei, numa voz tão baixa que mal se ouvia. — O que é que eu digo? O que o senhor ouve?

— Oh, meu querido menino! Você diz: *O que aconteceu? Quem estava atirando?*

— Pegue, tome um pouco — interrompeu alguém à direita e, ao me virar, vi o príncipe ali, com uma taça de vinho tinto encorpado na mão. Não consegui pensar em nenhuma boa razão para recusar e levei a taça à boca prontamente, esvaziando-a de um só gole.

— Muito bem — disse padre Grigori, sorrindo e afagando minha face de uma maneira que me fez querer apoiá-la em sua mão e adormecer. — Muito bem, Pacha. Agora, não quer sentar? Deixe-me apresentar meus amigos. Creio que há alguns aqui que poderão lhe dar prazer.

Enquanto falava, estendeu a mão até uma prateleira, pegou outro cachimbo e o manteve sobre uma chama; não parecia notar nem se incomodar com a dor da queimadura.

— Compartilhe isto também, Geórgui.

Estendeu-me o cachimbo e sussurrou:
— Você vai relaxar. Confie em mim. Você confia em mim, não é, Pacha? Confia em seu amigo Grigori?
Só havia uma resposta. Eu estava hipnotizado por tudo aquilo. Sentia mãos que se estendiam do sofá atrás de mim, acariciando meu corpo. A prostituta. O menino. Convidando-me a acompanhá-los na brincadeira. Do outro lado da sala, a condessa me fitava e acariciava os seios, mostrando-os sem nenhum constrangimento. O príncipe tinha caído de joelhos diante dela. Os outros rapazes e moças cochichavam entre eles, fumavam, bebiam, olhavam para mim, desviavam o olhar, eu sentia meu corpo flutuar como se fosse um peso desnecessário enquanto me soltava, me unia à sala, me juntava à alegre companhia, e quando minha voz saiu não parecia a minha, mas o suspiro de outra pessoa, alguém que eu não conhecia, falando de uma terra distante.
— Confio. Confio, sim.

Enquanto o ano de 1916 se encaminhava para o fim, São Petersburgo parecia um vulcão prestes a explodir, mas o palácio e seus ocupantes continuavam alegremente inconscientes da insatisfação que tomava conta das ruas, e todos prosseguíamos com nossos hábitos e rotinas normais, como se não houvesse nada de errado. No começo de dezembro, o czar voltou de Stavka para passar algumas semanas, e sobre a família imperial pairava um clima festivo e até frívolo, até a tarde em que o czar finalmente descobriu que sua amada filha mantinha um relacionamento ilícito com um dos membros da Guarda Imperial em que mais depositava confiança. E aí foi como se a guerra se transferisse das fronteiras alemãs, das fronteiras russas, das fronteiras bálticas, das fronteiras turcas e concentrasse toda sua fúria exclusivamente no segundo andar do Palácio de Inverno.
Anastácia e eu nunca soubemos com certeza quem dela-

tou esse prolongado segredo ao czar. Corria um boato de que algum maledicente tinha escrito um bilhete anônimo e o deixara na mesa do escritório de Nicolau Nicolaievitch. Outro boato dizia que a czarina soube por uma das criadas intrigantes, que vira pessoalmente provas do fato. E um terceiro, totalmente inverídico, especulava que Alexei tinha presenciado um beijo clandestino e comentou com o pai, mas eu o conhecia o suficiente para saber que o menino jamais faria uma coisa dessas.

Tive o primeiro sinal da descoberta num anoitecer, quando saía do quarto do czaréviche e ouvi uma tempestade se armando mais adiante no corredor, onde ficava o gabinete do czar. Em qualquer outra ocasião, eu pararia para escutar a razão do tumulto, mas estava com fome e cansado, e continuei meu caminho até que me agarraram de surpresa pelo braço e me empurraram para dentro de uma sala de visitas, fechando e trancando depressa a porta. Virei rápido, aturdido, para ver quem tinha me sequestrado.

— Anastácia! — exclamei encantado em vê-la, certo em minha arrogância de que ela estava tomada de desejo por mim e tinha me esperado até eu passar por ali. — Hoje você está com um gosto aventureiro.

Ela soltou meu braço e respondeu afobada:

— Pare, Geórgui. Não soube o que aconteceu?

— Aconteceu? Com quem?

— Maria — disse ela. — Maria e Serguei Stassiovitch.

Pestanejei e fiquei pensando. Estava cansado naquela noite, meu cérebro não estava funcionando com a rapidez que deveria e não consegui entender de pronto o que ela queria dizer.

— Maria, minha irmã — explicou Anastácia ao ver meu ar de incompreensão. — E Serguei Stassiovitch Poliakov.

— Serguei? O que tem ele? Não o vi agora à noite, se é isso que você quer saber. Ele não estaria no séquito de seu pai hoje à tarde, quando foram à Catedral de São Pedro e São Paulo?

— Escute, Geórgui — disse Anastácia enervando-se com minha obtusidade. — Papai descobriu sobre eles.

— Sobre Maria e Serguei Stassiovitch?

— É.

— Mas não entendo. *Que* Maria e Serguei Stassiovitch? Não existe nenhuma Maria e Serguei Stassiovitch.

Na hora em que a frase me saiu da boca, entendi de repente, fiquei boquiaberto, com os olhos arregalados, e exclamei:

— Não! Você não está dizendo que...

— Já faz meses.

— Não consigo acreditar — respondi abanando a cabeça atônito. — Sua irmã é uma grã-duquesa imperial, filha do sangue real. E Serguei Stassiovitch... bem, é um sujeito bastante agradável, bonitão para quem gosta do tipo, mas ela não iria se apai... — hesitei e preferi não concluir a frase.

Anastácia ergueu uma sobrancelha e, apesar do rosto preocupado, esboçou um pequeno sorriso. E arrisquei:

— Claro que é possível. O que me passou pela cabeça?

— Alguém contou para papai. E ele está furioso. Absolutamente furioso, Geórgui. Acho que nunca o vi tão alterado.

— É que... não acredito que Serguei nunca tenha me dito nada. Eu achava que éramos amigos, no final das contas. Na verdade, ele é praticamente o melhor amigo que tenho aqui.

Quando disse isso, voltou-me à lembrança uma sucessão de imagens do último rapaz que eu tinha chamado de melhor amigo. Com quem cresci na infância e com quem cheguei à adolescência. O amigo cujo sangue continuava em minhas mãos.

— Bom, você falou de nós para ele? — perguntou Anastácia afastando-se de mim e agora andando preocupada pela sala.

— Não, claro que não. Nunca contaria uma intimidade dessas a ele.

— Então ele devia sentir o mesmo em relação a você.
— É, imagino que sim — respondi e, apesar da hipocrisia da coisa, não pude deixar de me sentir levemente magoado.
— E você? Sabia que eles estavam tendo um caso?
— Claro que sim, Geórgui — disse ela como se fosse uma resposta óbvia. — Maria e eu contamos tudo uma à outra.
— E nunca me disse nada?
— Era segredo.
— Eu pensava que não tínhamos segredos — disse eu em voz baixa.
— Mesmo?
— Todos escondemos alguma coisa — murmurei comigo mesmo, desviando o olhar.

Ela me encarou diretamente nos olhos, com a mesma intensidade com que o *starets* me fitara naquela noite terrível, algumas semanas antes. A associação, a recordação, era como um punhal que se cravava em meu peito e, num esgar, senti vergonha. Por fim indaguei, tentando recuperar a compostura:

— Maria sabe sobre nós?
— Sabe — admitiu ela. — Mas juro, Geórgui, ela não vai contar para ninguém. É um segredo entre nós.
— Maria e Serguei Stassiovitch também eram um segredo de vocês. E escapou.
— Bom, não fui *eu* que contei a papai. Nunca faria isso — replicou zangada.
— E Olga e Tatiana? Elas sabiam de Maria e Serguei? Elas sabem de nós?
— Não. Essas coisas, Maria e eu falávamos na hora de dormir. Eram os segredos que trocávamos entre nós.

Anuí e acreditei no que ela dizia. Embora existissem centenas de quartos nos vários palácios da família imperial, as duas irmãs mais velhas, Olga e Tatiana, sempre dividiam o mesmo quarto, para ter companhia, e o mesmo ocorria com Maria e Anastácia. Não admirava que cada dupla de irmãs tivesse seus segredos e intimidades.

— Está bem, mas o que aconteceu? — perguntei lembrando a gritaria que tinha ouvido no escritório do czar um pouco antes. — Você sabe o que está se passando por lá?

— Mamãe arrastou Maria para o escritório de papai há uma hora. Quando saiu, estava quase histérica de chorar. Mal conseguiu me contar, Geórgui, quase nem conseguia falar. Ela disse que Serguei Stassiovitch ia ser exilado para a Sibéria.

— Sibéria? Não pode ser — disse arfando de susto.

— Vai hoje à noite. Nunca mais se verão. E ele teve sorte, segundo ela. Poderia ser executado, se o caso tivesse avançado mais.

Estreitei os olhos, fitando-a enquanto ela se tornava escarlate. Embora nós dois estivéssemos juntos fazia tanto tempo, nunca tinha ocorrido nada de sexual entre nós, afora nossos intermináveis beijos românticos.

— Eles chamaram o dr. Fiodorov — disse baixinho, com as faces enrubescendo ainda mais ao mencionar o nome do médico.

— Dr. Fiodorov? Mas nunca o vi ser chamado a não ser para acompanhar a saúde de Alexei! Por que precisavam dele?

— Ele fez um exame nela. Meus pais mandaram que ele descobrisse se... se ela tinha sido deflorada ou não.

Escancarei a boca atônito; mal podia imaginar o horror da coisa. Maria tinha completado dezessete anos poucos meses antes. Ser submetida a um exame tão humilhante às mãos do idoso Fiodorov, e com os pais na sala contígua — pelo menos foi o que supus —, era uma experiência tão horrenda que nem dava para imaginar.

— E ela... — comecei, hesitando em continuar.

— Ela é inocente — insistiu Anastácia, agora com um ar feroz enquanto me fitava de novo, decidida a sustentar meu olhar.

Assenti e ponderei por um momento antes de conferir meu relógio.

— E Serguei Stassiovitch? Onde ele está? Já foi?
— Acho que sim — disse ela parecendo vacilar. — Não tenho certeza, Geórgui. E você não pode ir procurá-lo. Se for visto prestando solidariedade a ele, a situação vai ficar ruim para você.
— Tenho de ir — falei estendendo a mão para a maçaneta. — Ele é meu amigo.
— Não a ponto de lhe ter contado o que se passava.
— Não tem importância — respondi com um meneio. — Agora ele está sofrendo. Não posso deixar que vá embora sem falar com ele. Uma vez já traí um amigo meu e é o mínimo que posso fazer para suportar essa vergonha. Não vou trair de novo, diga você o que disser.

Anastácia me olhou como se quisesse protestar, mas reconheceu em meu rosto a mesma determinação que ela mostrara, de forma que finalmente assentiu, embora revelando ansiedade.

— Precisamos ter cuidado daqui para a frente — disse ela enquanto eu abria a porta. — Não vou suportar se descobrirem. Se o enviarem para longe de mim. Ninguém pode jamais saber.

Corri para seu lado, abracei-a e ela começou a chorar, em parte por nós, imaginei, em parte pela dor da irmã.

— Ninguém vai saber — confirmei, já preocupado porque *alguém* sabia.

Encontrei Serguei Stassiovitch bem no momento em que saía do palácio, conduzido sob guarda por outros dois jovens oficiais, também amigos nossos, com os quais tínhamos nos embriagado em várias noites de folga. Pareciam infelizes com a tarefa a ser executada. Pedi que me dessem alguns minutos a sós com meu amigo, e eles concordaram, afastando-se para que pudéssemos nos despedir.

— Não posso acreditar — falei, olhando seu rosto fatigado e infeliz. Estava com um ar assombrado, como se não conseguisse crer no que sucedera poucas horas antes.

— Tente, Geórgui — respondeu sorrindo debilmente.
— Mas você precisa mesmo ir? Será que eles não... — espreitei nossos amigos que o escoltavam. — Será que eles não o soltariam em algum lugar no caminho? Você iria para qualquer parte. Começaria vida nova.
— Não podem — respondeu alçando os ombros. — Iria lhes custar a vida. Estão me levando para me entregar a outro. Este vai escrever ao czar. Afinal, são as ordens que têm. E não posso desobedecer. Lamento ter de me despedir de você, Geórgui — e sua voz ficou melancólica. — Não sei se me comportei como um bom amigo...
— Ou eu com você — acrescentei.
— Talvez estivéssemos com nossos pensamentos em outro lugar, não é?
Ele sorriu e me senti empalidecer. Ele sabia, claro. Sabia sobre mim aquilo que não tive a perspicácia de saber sobre ele. E aconselhou, baixando a voz e olhando nervosamente em torno de si:
— Tenha *cuidado*. Ele está esperando o momento. E vai derrubá-lo, como me derrubou.
— Ele? Ele quem? — perguntei franzindo a testa.
— Rasputin! — sibilou Serguei, puxando-me para si e me envolvendo num abraço de urso enquanto sussurrava baixinho. — O responsável por meu infortúnio. Rasputin sabe tudo, Geórgui. Ele nos trata como meros peões em seus jogos incessantes. Desde o czar e a czarina até as pessoas mais insignificantes como nós. Ele brincou comigo durante meses.
— Como? — perguntei ao nos separarmos.
Ele sacudiu a cabeça e soltou uma risada amarga.
— Não importa. Tenho vergonha de pensar. Mas não é o tipo de homem que você gostaria que conhecesse seus segredos. Aliás, nem é um homem. É um demônio. Eu devia tê-lo matado quando tive ocasião.
— Mas você jamais poderia ter feito uma coisa dessas — respondi aterrorizado. — Não sem razão.

— E por que não? O que vai ser minha vida agora, sem ela? O que será dela sem mim? Ele está lá em cima neste exato momento, aposto, rindo de nós dois. Em minha tolice, acreditei que ele não nos trairia se... se...

— Se o quê, Serguei?

— Se eu fizesse o que ele me pedia. Devia tê-lo matado, Geórgui. Cortaria sua garganta de um lado a outro.

Ergui os olhos para as janelas do palácio, em parte esperando ver a sombra negra que eu tinha notado várias vezes antes, mas agora não havia sinal de padre Grigori. Gostaria de ver o bilhete que foi entregue ao czar, examinar o envelope, a caligrafia. Podia imaginar claramente.

A perfeita caligrafia em cirílico.

— Preciso ir — falou Serguei, olhando os guardas, que agora tinham trazido três cavalos. — Não voltaremos a nos ver. Mas pense no que eu lhe disse. Minha vida agora acabou. A minha e a de Maria. Mas a sua e a de Anastácia... vocês ainda têm tempo.

Abri a boca, pronto para protestar, mas não entendi o que ele queria dizer. E assim me calei, limitando-me a observá-lo enquanto se afastava do palácio rumo a seu futuro solitário e desesperado.

Padre Grigori. O monge. O *starets*. Rasputin. Chamem como quiserem. Havia um dedo seu na história, claro que havia. Ele tinha manipulado Serguei Stassiovitch sabe-se lá de quantas maneiras. E finalmente meu amigo se negou e se virou contra ele. E essa foi sua recompensa.

Eu já tentara inutilmente remover do espírito os acontecimentos daquela noite. Na verdade, pouco me lembrava. O álcool. As drogas. As poções que ele me deu. Os outros peões em seu tabuleiro. Não conseguia lembrar tudo o que tinha feito. Exceto que sentia vergonha. Exceto que lamentava. Exceto que rogava a Deus nunca ter apanhado aquele envelope no chão do quarto.

Agora a única coisa que me importava era Anastácia.

Não podia permitir que ele fizesse conosco o que tinha feito com Serguei Stassiovitch e Maria. Não podia permitir que ele nos separasse. Então admito. Confesso agora, de uma vez por todas. Tornei-me o homem que jamais pensei que seria. Decidi que ele não destruiria nós dois.

Encontrar inimigos de padre Grigori não era difícil: formavam legião. Ele exercia uma influência absolutamente extraordinária sobre todos os setores da sociedade. Nos anos que passou em São Petersburgo conquistou poder suficiente para destituir ministros e primeiros-ministros de seus cargos. Sua luxúria incontrolável o converteu no centro de uma quantidade incontável de separações conjugais. Incorreu na inimizade das classes dirigentes por voltar o povo contra a autocracia, pois se as grandes damas da sociedade, inclusive a própria czarina, podiam ser subjugadas por seu domínio hipnótico e sedutor, os mujiques das vilas e aldeias da Rússia não o eram.

O admirável não era que houvesse tanta gente disposta a eliminá-lo; o admirável, em primeiro lugar, era que ele subsistisse.

Os dias que se seguiram à revelação do caso de Maria e Serguei Stassiovitch foram de grande ansiedade. Quase enlouqueci de inquietação pensando se o *starets* encontraria algum motivo para informar o czar sobre minha relação com sua filha caçula. A par disso, eu estava triste por ter perdido meu amigo e preocupado com Anastácia, que estava cuidando da infeliz irmã caída em desgraça e parecia partilhar a mesma dor.

Parecia impossível continuar daquela maneira, em terror constante a cada batida em minha porta, com medo de andar pelos corredores do palácio e me deparar com meu torturador. E assim, poucos dias depois do exílio de Serguei, sem me deter para avaliar as consequências de meus atos, ao anoitecer fui até a armaria, tirei uma pistola da prateleira, esperei a escuridão da noite e me dirigi à casa que visitara não fazia nem três semanas, naquela noite em que me degradei para o prazer do *starets*. Estava preocupado que me vissem e me disfarcei bem, com um manto pesado que comprara numa banca no dia anterior, um gorro de abas e um cachecol comprido. Ninguém me reconheceria ou me tomaria por outro que não um comerciante atarefado, percorrendo as ruas com pressa, querendo apenas chegar em casa, ao abrigo do frio. O simples fato de caminhar de novo por aquelas ruas, o simples fato de ouvir minha batida ao caixilho de madeira da porta escura me enchiam de vergonha e remorso; sentia a náusea me subir à garganta ao lembrar o que havia feito e que tentava esquecer tão desesperadamente. Tinha perdido minha inocência, não sabia mais se era digno do amor de Anastácia.

Minhas mãos tremiam não só por causa do ar gelado, mas de medo pelo que planejava fazer, e uma delas agarrava firmemente a pistola escondida no sobretudo, enquanto eu esperava o aparecimento de meu inimigo. Iria matá-lo ali de pé, na mesma hora? Ou deixaria que rezasse uma última oração, que implorasse perdão, que suplicasse ao deus que adorava, tal como ele obrigara tanta gente a suplicar diante de si?

Ouvi o som dos passos aumentando no corredor dentro da casa e meu coração disparou de ansiedade, meus dedos lisos sobre o gatilho da pistola, e pensei que não, que se fosse para fazer o planejado devia fazer tão logo ele surgisse, antes que ele se desse conta do que então aconteceria e tentasse aliciar minha misericórdia. Para minha surpresa, porém, não foi ele quem abriu a porta, e sim a prostituta a cujos prazeres eu me entregara algumas semanas antes. Estava com um ar ausente no rosto e não me reconheceu de início; certamente estava bêbada ou perdera a razão com sabe-se lá qual misterioso preparado.

— Onde ele está? — perguntei com voz grave e ameaçadora enquanto me compenetrava de meu objetivo final.

— Quem? — indagou ela, sem se abalar com minha presença nem com minha determinação. Eu era apenas um dos muitos que o *starets* trouxera ali. Dezenas, talvez centenas.

— Você sabe quem. O padre. O que chamam de Rasputin.

— Mas ele não está aqui — suspirou, deu de ombros e soltou uma risada de embriaguez. — Me deixou sozinha — acrescentou com ar sonhador.

— Então onde ele está? — insisti aproximando-me e sacudindo-a pelos ombros.

Ela se encolerizou e me olhou com ódio; depois, pensou melhor e sorriu.

— O príncipe veio buscá-lo.

— O príncipe? Que príncipe? Diga o nome dele!

— Iussupov — respondeu. — Faz horas. Não sei para onde foram.

— Claro que sabe — disse eu fechando o punho e lhe mostrando sem arrependimento. — Diga aonde foram ou juro que...

— Não sei — disse rápido. — Ele não me falou. Pode estar em qualquer lugar. E, em todo caso, o que você vai fazer? — falou num tom zombeteiro. — Você quer me machucar? É realmente isso que deseja fazer comigo?

Encarei-a, abalado por ela ter enfim me reconhecido, mas não respondi, simplesmente me virei para o lado da rua, para não precisar olhar para ela.

— O Palácio Moica — falei em voz baixa, pensando na casa de Félix Iussupov. Era o lugar mais provável para onde teriam ido; afinal o Moica tinha terrível fama com suas festas e libertinagens. Era um local, pensei eu, onde padre Grigori se sentiria plenamente à vontade. Olhei uma última vez para a meretriz, que voltou a escarnecer de mim, mas não lhe dei ouvidos, afastei-me e segui para os lados do rio.

Fui para as margens do Moica e atravessei Gorocovaia Ulitsa, ultrapassando as luzes acesas do Palácio Mariinski enquanto avançava para a casa de Iussupov. O rio estava quase todo congelado, o gelo se quebrando sobre si mesmo ao bater contra os muros das margens, congelando e formando grandes saliências de topo branco, como uma cordilheira nevada vista de cima. Não cruzei com uma única alma naquele caminho longo e frio; tanto melhor, parecia-me, pois meu gesto só poderia resultar em minha própria morte — especialmente se a czarina viesse a saber. Muitos me aplaudiriam pelo que planejava fazer, claro, mas seria uma maioria silenciosa, que não me daria respaldo se eu fosse levado a julgamento. E se fosse declarado culpado, inevitavelmente eu terminaria minha história como a última vítima dele, pendurado numa árvore nas matas fora de São Petersburgo.

Por fim o Palácio Moica se ergueu diante de mim. Fiquei satisfeito em ver que não havia nenhuma patrulha rodeando a área. Talvez dez ou quinze anos antes, haveria dezenas de guardas no pátio da frente, mas agora não. Isso mostrava até que ponto as classes dirigentes tinham decaído. Era comentário geral que os palácios não durariam nem mais um ano. Enquanto isso, os ricos levavam suas vidas de devassidão enquanto ainda podiam, tomando seus vinhos, fartando-se com seus banquetes, sodomizando suas putas. Seu final se aproximava, e eles sabiam disso, mas estavam bêbados demais para se importar.

Segui até os fundos do palácio e estava para experimentar uma das portas quando ouvi um disparo lá dentro. Aturdido, ali fiquei, parado como pedra. Tinha sido mesmo um tiro ou eu estava imaginando coisas? Engoli nervoso e olhei em torno, mas não havia ninguém à vista. Ouvi gritos e risos dentro do palácio, uns mandando outros silenciarem e, para meu horror, mais um disparo. E outro. E mais outro. Quatro ao todo. Olhei ao redor e apenas naquele momento uma luz forte me iluminou, enquanto a porta se abria e um desconhecido se lançava sobre mim, com o braço em meu pescoço, a lâmina do punhal pressionando minha garganta.

— Quem é você? — sibilou ele. — Diga logo ou morre.

— Amigo — balbuciei, desesperado para falar mas sem

dilatar a garganta, do contrário a lâmina se enterraria em meu pescoço.

— Amigo? Você nem sabe com quem está falando.

— Sou... — hesitei. Devia me identificar como homem do czar? Ou amigo de Rasputin? Ou inimigo? Como podia saber a quem pertencia aquele braço?

— Dimitri, não — disse uma segunda voz e do palácio saiu um homem que reconheci imediatamente como o príncipe Felix Iussupov. — Solte-o. Conheço esse garoto.

Fui imediatamente solto, mas sustentei minha posição, passando a mão pela garganta, procurando algum ferimento, mas estava ileso.

— O que você está fazendo aqui? Conheço-o, não? Você é o guarda-costas do czarévich.

— Geórgui Danielovitch — falei concordando.

— Bem, o que você quer aqui? É tarde. Foi o czar que o enviou?

— Não — sacudi depressa a cabeça. — Ninguém me enviou. Vim por conta própria.

— E por quê? Está à procura de quem?

O homem que me havia segurado deu a volta até se postar diante de mim, e eu o encarei com intenção mortífera. Já o vira algumas vezes antes, um sujeito alto de ar infeliz. Um grão-duque, pensei, ou talvez um conde. Ele me fitou, em ar de desafio, e disse com aspereza:

— Responda a ele. Estava à procura de quem?

— Do *starets* — admiti. — Fui procurá-lo na casa dele e não estava lá. Achei que poderia estar aqui.

O príncipe Iussupov me olhou surpreendido e perguntou em voz baixa:

— Rasputin? E por que você estava à procura dele?

— Para matá-lo! — gritei sem me importar mais que soubessem. Não aceitaria mais ser peão de suas jogadas. — Vim matá-lo e é o que vou fazer, mesmo que tenha que acabar com vocês dois antes.

O príncipe e seu companheiro se olharam, depois me olharam e explodiram numa gargalhada. Tive vontade de atirar nos dois ali na hora. Por quem eles me tomavam, algum moleque num acesso de raiva? Estava aqui para matar o *starets* e não iria embora antes disso.

O príncipe retomou:

— E por quê, jovem Geórgui Danielovitch, você pretende fazer isso?

— Porque ele é um monstro. Porque, se não for destruído, nós restantes seremos.

— Nós restantes seremos de qualquer maneira — retorquiu o príncipe com um sorriso indisposto. — Não há nada que possamos fazer contra isso. Mas quanto ao monge louco... bem, receio que você tenha chegado tarde demais.

Não sabia se sentia alívio ou desânimo.

— Então ele já foi? — perguntei imaginando-o a correr pelas ruas de volta aos braços de suas putas.

— Ah, sim.

— Mas esteve aqui?

— Esteve — admitiu o príncipe. — Eu o trouxe hoje à noite, algumas horas atrás. Dei-lhe vinho, dei-lhe bolo. Estavam envenenados com cianureto suficiente para matar doze homens, que dirá um mujique malcheiroso de Pocrovskoia.

Escancarei os olhos e perguntei atônito:

— Então ele morreu? Já o mataram?

Os dois homens trocaram mais um olhar e fizeram um leve gesto quase de desculpas. E o príncipe respondeu num sorriso:

— É o que se pensaria, não?

Não tinha um ar de quem havia praticado um assassinato, e fiquei pensando se também ele estaria bêbado ou fora de si.

— Mas não fez nenhum efeito. Ele não é humano, entende — acrescentou como se aquilo fosse um fato natural da vida, algo que qualquer pessoa civilizada saberia. — Ele é criatura do demônio. Não morreu com o cianureto.

— Então como ele morreu? — indaguei sentindo um frio correr em minhas veias.

— Com isso — respondeu o príncipe com um sorriso, tirando a pistola de dentro da túnica, ainda soltando visivelmente fumaça na ponta. De pronto lembrei o som dos disparos que quase tinham me feito sair correndo do Moica, nem dez minutos antes.

— O senhor atirou nele — disse eu de maneira simples e direta, arrepiando-me à realidade daquelas palavras, embora também tivesse tido a mesma intenção.

— Claro. Mostro-lhe, se quiser.

Entrou no palácio e logo chegamos a um corredor sombrio, iluminado apenas com velas altas e brancas de ambos os lados. No meio do chão, de bruços, estava a figura inconfundível do padre Grigori, o manto negro espalhado em torno dele, os braços em posição oblíqua como numa caricatura, a longa cabeleira pegajosa e encardida sobre o mármore do pavimento.

— Concluí que se o veneno não funcionava, as balas funcionariam — disse o príncipe quando me aproximei do cadáver. — Dei um tiro no estômago, outro na perna, outro nos rins e outro no peito. Alguém devia ter feito isso anos atrás. Talvez então não estivéssemos nesta confusão em que estamos agora.

Eu observava o corpo e mal o ouvia. Estava contente que outro tivesse feito o serviço e me perguntei se, no fundo, teria tido forças de cometer um crime tão hediondo. Mas não senti nenhuma alegria ou satisfação com sua morte. Pelo contrário, sentia náusea e repugnância, e percebi que a única coisa que eu queria era estar de volta à segurança de minha cama no palácio, pelo tempo que ainda me coubesse. Não, se pudesse escolher, eu estaria nos braços de minha amada, minha Anastácia, mas por ora era impossível.

— Fico contente com isso — disse ao príncipe, virando-me

para cumprimentá-lo e impedir que me matasse também, por ter testemunhado o crime. — Ele merecia tudo o que...

Não cheguei a terminar a frase, pois naquele instante veio um som do corpo de padre Grigori, seus olhos se abriram e ele começou a rir, a guinchar, a emitir um ruído mais animal do que humano. Perdi o fôlego ao ver sua boca se imobilizar num sorriso horrendo, os lábios separados mostrando os dentes amarelos e a língua escura. Queria gritar ou sair correndo, mas estava paralisado. Num átimo o príncipe lhe acertou um tiro no coração. O corpo deu um salto, desceu e ficou ali estendido.

Agora estava morto.

Em uma hora ele tinha morrido. Carregamos, nós três, o cadáver até as margens do Neva e o lançamos lá dentro. Ele afundou rápido, aquela face pavorosa voltada para cima, para nós, enquanto seguia para as profundezas negras do rio, os olhos ainda abertos quando vimos sua imagem pela última vez.

Foi uma das noites mais geladas de que se tinha memória, e o rio ficou congelado por quase uma semana.

Quando o gelo começou a derreter um pouco e o corpo de Rasputin foi descoberto, tinha os braços estendidos, as mãos retorcidas em garra, as unhas brancas de fragmentos de gelo raspado. Tinha lutado para sair. Ainda não estava morto. Raspara a grossa camada de gelo, tentando se libertar, sabe-se lá por quanto tempo. Não morrera com o cianureto, nem com os cinco tiros do príncipe, nem com o afogamento. Nada disso tinha funcionado.

Não sei o que acabou por liquidá-lo. A única coisa importante era que estava morto.

1924

Foi fácil encontrar trabalho em Londres; poucas semanas depois de chegarmos de Paris, Zoia e eu tínhamos empregos respeitáveis, suficientes para pôr comida na mesa e impedir que nossa mente se detivesse demais no passado. Minha entrevista com o sr. Trevors se deu na mesma manhã em que Zoia recebeu uma oferta de emprego na fábrica de confecções Newsom, especializada em camisolas e roupas íntimas femininas. Na manhã seguinte, e em todas as que se seguiram, ela saía de nosso pequeno apartamento em Holborn às sete horas, com o grosseiro uniforme cinza da oficina, um boné igualmente desenxabido cobrindo-lhe os cabelos, sem que um único fio, ponto ou linha fosse capaz de diminuir um miligrama de sua beleza. Suas tarefas eram monótonas, e raramente tinha ocasião de utilizar as habilidades que aprimorara em Paris, mas mesmo assim tinha orgulho por seu trabalho. Uma parte de mim sentia que Zoia estava desperdiçando seus talentos num serviço tão humilde, mas ela parecia contente com o emprego e por ora não estava interessada em procurar melhores oportunidades.

— Gosto de estar na fábrica — dizia ela sempre que eu expressava minhas preocupações. — Há tantas pessoas por lá, é fácil se perder entre elas. Cada qual tem só uma tarefa simples para cumprir e todos trabalham com calma, sem alvoroço. Ninguém presta atenção em mim. Gosto disso. Não quero aparecer. Não quero que me notem.

Mas, às vezes, ela voltava para casa e reclamava como era difícil aguentar o falatório das outras mulheres, pois a mesinha dela ficava no meio de uma longa fila de costureiras que se punham a falar na hora em que a fábrica tocava o apito de manhã e só paravam na hora de voltar para casa, no final do dia. Eram oito mulheres à esquerda, seis à direita, cinco na frente e cinco atrás dela. As conversas das funcionárias eram de dar dor de cabeça em qualquer um, mas, quando menos, serviam para distrair a atenção do zumbido incessante das máquinas de costura.

Na Inglaterra havia um interesse muito maior por nosso sotaque do que na França, onde a presença de várias nacionalidades tinha se tornado norma após a guerra. Como tínhamos passado mais de cinco anos na capital francesa, nossa fala tinha adquirido uma característica curiosamente híbrida, situada em algum ponto entre São Petersburgo e Paris. Perguntavam-nos constantemente de onde éramos e, quando respondíamos, muitas vezes a reação era um erguer de sobrancelhas ou um cauteloso meneio da cabeça. Mas, de modo geral, éramos tratados com urbanidade, pois, afinal, corria o ano de 1924 e estávamos no entreguerras.

Zoia despertou o interesse de uma moça chamada Laura Highfield, que trabalhava na mesa vizinha. Laura era uma sonhadora e achava muito romântico e exótico que Zoia fosse nascida na Rússia e tivesse morado tantos anos na França, e lhe fazia perguntas incessantes sobre o passado, sem grandes resultados. Num certo dia de tarde, no final da primavera, quando havia no solo uma camada de neve correspondente a uma semana que me fez lembrar de casa, terminei mais cedo o expediente na biblioteca e fui até a fábrica para encontrar Zoia e irmos jantar num dos restaurantes modestos que havia no caminho. Quando estávamos saindo, Laura nos viu e chamou por Zoia, acenando freneticamente os braços enquanto corria até nós.

Deviam ser umas duzentas ou trezentas mulheres a sair pelos portões naquele momento, todas entregues a falatórios e mexericos, mas o apito sonoro da fábrica que marcava o final do expediente me envolveu num singular devaneio. Lembrava-me muito o apito que soava no trem imperial ao atravessar os campos russos, transportando a família do czar em suas intermináveis peregrinações ao longo do ano. O apito tocou uma vez, e relembrei Nicolau e Alexandra sentados no salão privado, seus brasões dourados decorando o tapete espesso, indo de trem de São Petersburgo para o Palácio de Livadia para passar as férias de primavera; tocou outra vez, e revi Olga estudando línguas enquanto íamos a Peterhof em maio; outro apito, e vi Tatiana absorta num de seus romances açucarados enquanto o trem, no mês de junho, roncava rumo ao iate imperial e aos fiordes finlandeses; de novo, e pensei em Maria, olhando pela janela para o alojamento de caça na floresta polonesa; outra vez, e ali estava Anastácia, tentando desesperadamente chamar a atenção dos pais quando voltavam para a Crimeia; um último apito, e agora é novembro, o trem segue a passo de tartaruga até Czarskoe Selo para o inverno, com instruções rigorosas da imperatriz para não passar de vinte e quatro quilômetros por hora, para evitar que o czaréviche Alexei sofra algum outro trauma com o solavanco dos amortecedores nos trilhos. Tantas recordações, todas voltando de roldão, renascidas ao som do apito da fábrica mandando os operários de volta às famílias.

— Você está com um ar distraído — disse Zoia, enquanto enlaçava meu braço e apoiava a cabeça em meu ombro. — Está tudo bem?

— Tudo ótimo, *Dusha* — respondi sorrindo e lhe beijando levemente o alto da cabeça. — Bobagem minha. Estava pensando...

— Zoia!

Nós nos viramos para a voz a nossas costas, Laura correndo em nosso encalço com um grupo de mulheres atrás dela. Estavam indo tomar um chá, disse a Zoia enquanto me inspecionava de cima a baixo; não queria vir junto?

— Não posso — respondeu Zoia sem me apresentar e apertando o passo. — Desculpe. Outra hora, pode ser?

— Amigas suas? — perguntei surpreso com a pressa com que ela tentava se afastar do mulherio.
— Tentam ser. Trabalhamos juntas, só isso.
— Posso ir para casa, se você quiser ir com elas. Afinal não conhecemos muita gente em Londres. Seria bom ter...
— Não — atalhou Zoia depressa. — Não quero.
— E por que não? — indaguei surpreso. — Não gosta delas?
Ela hesitou e lhe surgiu no rosto um ar ansioso ao responder:
— Não devemos fazer amizades.
— Não entendo.
— *Eu* não devo fazer amizades — corrigiu-se. — Não precisam se envolver comigo. É isso.
Franzi a testa, em dúvida sobre o que ela queria dizer.
— Não entendo. Que mal faria? Zoia, se você pensar que...
— Não é seguro, Geórgui — cortou falando rápido e se abespinhando. — Não vai ser bom para ela ficar amiga minha. Só trago azar. Você sabe disso. Se a pessoa se aproxima muito...
Parei no meio da rua, encarando-a assombrado. Peguei-a pelo braço e virei-a para mim.
— Zoia, não diga uma coisa dessas!
— E por que não?
— Ninguém traz azar. A ideia é absurda.
— Me conhecer é sofrer — respondeu com voz grave e funda, os olhos se movendo rápidos enquanto a testa se enrugava em sulcos de dor. — Não faz sentido, Geórgui, sei que não faz, mas é verdade. Você precisa enxergar a verdade disso. Não quero ficar amiga de Laura. Não quero que ela morra.
— Morra? — bradei e virei para encarar um homem que esbarrou ao passar por mim, subitamente tomado por uma fúria que me deu vontade de ir atrás dele e tirar satisfações. E

teria ido mesmo se Zoia não me segurasse firme pelo cotovelo e me obrigasse a olhar para ela.

— Eu não devia estar viva — e suas palavras pulverizaram tudo e todos a nosso redor, e ficamos apenas nós dois sozinhos no mundo, meu coração batendo forte ao ver o ar de profunda convicção e tristeza no rosto de minha mulher.

— Ele viu isso em mim — prosseguiu agora olhando ao longe os altos depósitos de neve que se amontoavam atrás de nós.

Eu ouvia os risos das crianças enquanto andavam e chutavam os montes de neve, faziam bolas e atiravam umas nas outras, dando gritinhos de susto ao enterrar as mãozinhas nos flocos para atenuar a dor dos dedos gelados.

— *Pobre menina*, foi o que ele disse. *Todos sofrem danos quando estão perto de você, não é?*

— Zoia — falei chocado, pois ela nunca tinha me contado isso antes. — Eu não... como você pôde...

— Não quero amigos — sibilou ela. — Não preciso de ninguém. Só de você. Pense nisso. Pense em todos eles. Pense no que fiz. Nunca acaba, não é? São eles o preço que pago pela vida. Mesmo Leo...

— Leo!

Eu mal podia acreditar que ela mencionasse aquele nome. Não tínhamos esquecido Leo, claro — nunca esqueceríamos —, mas, como todos os outros, fazia parte do passado. E Zoia e eu enterramos o passado, enterramos fundo. Nunca falávamos a respeito. Foi assim que sobrevivemos.

— O que aconteceu com Leo foi por culpa exclusiva dele.

Ela riu um pouco, abanando a cabeça, e disse baixinho:

— Oh, Geórgui, ser simplório como você. Que alegria deve ser.

Abri a boca para rebater, não ofendido, mas arrasado com o que ela tinha dito. Pois ela tinha razão. Eu era um simplório, quase um retardado quando se tratava de conversarmos sobre o assunto. Queria expressar meu amor por ela, mas parecia tão vazio, tão trivial, comparado ao que ela estava dizendo. Fiquei mudo.

— Veja! — exclamou ela dali a pouco, batendo palmas de alegria e apontando seu restaurante predileto, a abrir as portas que davam para a rua, e seu entusiasmo repentino, refletido na noite que se adensava, me lembrou a jovenzinha inocente pela qual eu me apaixonara. Era como se os últimos minutos de nossa conversa nem tivessem existido. — Que bom, abriram de novo, eu achava que tinham fechado de vez. Vamos, Geórgui, pode ser? Podemos jantar lá.

Ela correu tão rápido para atravessar a rua, sem olhar para os lados, que quase foi atingida por um ônibus, que tocou violentamente a buzina enquanto ela passava correndo. Meu coração teve um sobressalto de pavor ao imaginá-la esmagada sob suas rodas, mas quando ele passou vi Zoia entrando alegremente no ambiente aquecido do restaurante, totalmente esquecida do acidente a que acabava de escapar.

Cinco meses depois, ela fez sua primeira tentativa de suicídio.

O dia começou parecido com qualquer outro, exceto que eu estava com uma tremenda dor de cabeça e reclamei durante o café da manhã; era uma sensação pouco familiar, pois eu quase nunca adoecia. Tinha acordado de um sonho intenso e colorido, daquele tipo que a gente quer guardar na memória para pensar nele mais tarde, mas que se desfaz e se dissolve silenciosamente, como açúcar na água. Deduzi que o sonho devia incluir alguma banda ou orquestra de percussão, pois a enxaqueca, um martelar ensurdecedor na testa que toldava minha vista e drenava minhas energias, estava ali desde a hora em que abri os olhos, e ameaçava piorar com o avançar da manhã.

Zoia ainda estava de camisola durante o desjejum, fato raro, pois geralmente ela se vestia para o trabalho enquanto eu estava no banho. Também não tinha preparado sua torrada e ovo, e estava sentada diante de mim com um ar distante, ignorando a xícara de chá que eu lhe pusera na frente.

— Está tudo bem? — perguntei a ela, quase com raiva por precisar falar, pois aquilo só aumentava o martelar atrás dos olhos. — Você também está indisposta?

— Não, estou bem — respondeu rápido num meio sorriso e abanando a cabeça. — Estou atrasada, só isso. Hoje me sinto muito cansada. Já devia estar pronta.

Levantou e foi ao quarto trocar de roupa. Enquanto eu ficava sentado ali, uma parte dentro de mim identificava algo estranho e diferente em seu comportamento, mas minha cabeça doía tanto que não me sentia em condições de lhe perguntar. A janela estava aberta e senti que era uma manhã fria e revigorante; a única coisa que desejava era sair para a rua e andar até o serviço, na esperança de que, ao chegar a Bloomsbury, o ar fresco já me tivesse clareado a cabeça.

— Te vejo à noite — disse, e fui até o quarto para lhe dar um beijo de despedida.

Fiquei surpreso ao encontrá-la ainda sentada na cama, olhando a parede nua em frente, e indaguei:

— Zoia, o que aconteceu? Tem certeza de que está tudo bem?

— Estou bem, Geórgui — respondeu erguendo-se e indo até o armário para pegar o uniforme.

— Mas você estava sentada aqui. No que estava pensando?

Ela se virou para me olhar, com a testa levemente franzida enquanto se debatia com a vontade de dizer alguma coisa. Inspirou um pouco de ar pela boca, mas hesitou, meneou a cabeça e desviou os olhos.

— Estou cansada, é só isso — disse por fim, com um encolher de ombros. — Foi uma semana comprida.

— Mas ainda estamos na quarta-feira — comentei num sorriso.

— Um mês comprido, então.
— É dia 6.
— Geórgui... — suspirou num tom de crescente irritação.
— Está bem, está bem. Mas talvez seja melhor você descansar um pouco. Não tem a ver com...
Agora foi minha vez de hesitar; era um assunto difícil, não propriamente adequado para aquela hora da manhã, mas continuei:
— Você não está aborrecida com...
— Com o quê? — perguntou em tom defensivo.
— Eu sei que você ficou desapontada no domingo. Quero dizer, no domingo à tarde, quando...
— Não é isso — respondeu em tom brando, e pensei ver um leve rubor corar suas faces, enquanto se virava e alisava o uniforme no cabide. — Sinceramente, Geórgui, nem tudo tem a ver com isso. Em todo caso, eu sabia que não seria neste mês.
— Dava a impressão que você achava que seria.
— Então me enganei. Se for para ser... será, na hora certa. Não vou ficar pensando só nisso. É demais para mim, Geórgui, entende?
Assenti em concordância. Não queria discutir, e mesmo o esforço de manter essa conversa estava aumentando tanto minha dor de cabeça que achei que estava doente.
— Bom, mas que horas são? — indagou Zoia.
— Sete e quinze — respondi consultando o relógio. — Se você não se apressar, vai chegar atrasada. Nós dois vamos nos atrasar.
Ela anuiu e veio me dar um beijo, abrindo um leve sorriso.
— Então é melhor eu correr. Vejo você no final do dia. Tomara que sua dor de cabeça passe logo.
Então nos separamos e segui para a porta do apartamento, mas antes mesmo de abri-la ouvi seus passos rápidos passando pela cozinha e vindo até mim; quando ela me agarrou pela manga do paletó, virei e Zoia se atirou em meus braços.

— Lamento tanto, Geórgui — disse num tom abafado, com o rosto afundado em meu peito.

— Lamenta? Lamenta o quê? — indaguei afastando-a um pouco e sorrindo confuso.

— Não sei — e me deixou ainda mais desconcertado. — Mas amo você, Geórgui. Você sabe disso, não é?

— Mas claro que sei. Sinto todos os dias. E você sabe que eu também a amo, não é?

— Sempre soube. Às vezes, nem sei o que fiz para merecer tanta bondade.

Em qualquer outra circunstância, de bom grado eu me sentaria com ela e apresentaria uma lista de suas qualidades, as dezenas de maneiras como eu a amava, as centenas de razões pelas quais eu a amava, mas o martelar implacável dentro de minha cabeça estava piorando de minuto em minuto, de forma que apenas me inclinei, dei-lhe um leve beijo em cada uma das faces, e disse que era melhor eu ir pegar logo um pouco de ar antes que a enxaqueca me derrubasse.

Ela ficou me observando enquanto eu subia os degraus até a rua, mas, quando me virei para acenar, a porta já se fechava atrás de mim. Fiquei ali, olhando a vidraça coberta de geada, por onde pude enxergá-la com o rosto comprimido no vidro, e ela inclinou ligeiramente a cabeça. Manteve aquela posição por uns cinco ou dez segundos, e depois se afastou.

Ao contrário do que esperava, na hora em que cheguei à biblioteca estava me sentindo ainda pior, mas fiz um esforço para ignorar a dor e cumprir minhas obrigações. Lá pelas onze, porém, a dor tinha se espalhado para o abdome e os membros, e fiquei na certeza de ter apanhado algum micróbio em algum lugar, e que um longo dia de atividade não iria me restabelecer. Em todo caso, não havia muito serviço — não havia novos títulos a catalogar e a sala de leitura estava invulgarmente calma —, de forma que bati à porta do sr. Trevors e expus minha situação. A soma entre meu rosto pálido a transpirar e o fato de jamais ter tirado um dia de licença por doença desde que comecei a trabalhar lá garantiu que ele me dispensasse sem maiores objeções.

Ao deixar a biblioteca, não me senti capaz de encarar a caminhada até Holborn e tomei um ônibus. A trepidação enquanto ele ia chacoalhando pela Theobald's Road aumentou ainda mais meu mal-estar, e fiquei com medo de vomitar no chão em frente ou de ter de saltar do ônibus em movimento para me poupar do vexame. Mas no final do percurso estava a única coisa que tinha algum interesse para mim naquele instante — minha cama — e me concentrei nela, tentando ignorar a náusea que ameaçava me tomar de assalto.

Finalmente, às onze e meia, desci cautelosamente os degraus até nosso apartamento, abri a porta e entrei com um enorme suspiro de alívio. Era estranho estar sozinho em casa — Zoia quase sempre estava ali quando eu chegava —, mas me servi de um copo de água e sentei à mesa, sem pensar em nada de especial enquanto tomava alguns goles devagar, na esperança de que ajudasse a me assentar o estômago.

Tirei o jornal *The Times* da pasta, dei uma espiada nas manchetes e vi uma reportagem sobre a revolta na Geórgia. Os mencheviques estavam lutando pela independência contra os bolcheviques, mas pareciam em desvantagem. Eu estava a par das várias insurreições e revoltas que ocorriam por todas as partes do império e da quantidade de estados lutando pela soberania. Costumava ler *The Times* no intervalo do chá, durante o serviço, e dedicava atenção especial a qualquer matéria relacionada com meu país de origem, mas havia dado uma atenção ainda maior a esse episódio por causa do dirigente menchevique, o coronel Cholocatchvili, que tinha feito parte de uma delegação enviada a Czarskoe Selo em 1917, para informar o czar sobre o avanço do exército russo no fronte. Cholocatchvili era mais jovem do que os outros representantes no palácio, e tive a sorte de trocar rápidas palavras com ele, o qual, ao sair, comentou que proteger a vida do imperador e do herdeiro era tão importante quanto proteger as fronteiras durante a guerra. Essas palavras tinham sido de especial relevo para mim naquela época, pois andava em dúvida se não estaria renegando meu verdadeiro dever ao continuar a serviço da família imperial enquanto dezenas de milhares de rapazes com minha idade morriam nos montes Cárpatos ou nos campos de batalha dos lagos da Masúria.

Quando terminei de ler o artigo, percebi que tanto a dor de estômago quanto a enxaqueca tinham começado a ceder, mas mesmo assim resolvi passar o dia na cama, esperando levantar depois plenamente recuperado.

Abri a porta do quarto. Então vi.

Zoia estava de atravessado na cama, os olhos fechados, os braços abertos, o sangue correndo de dois cortes profundos nos pulsos, uma poça vermelho-escura encharcando o lençol. Fiquei parado à porta, paralisado, horrorizado, vivendo a mais estranha sensação de incompreensão e impotência. Era como se meu cérebro não conseguisse captar a cena que se apresentava a ele, e por isso era incapaz de enviar qualquer comando de reação ao corpo. Mas por fim, com um enorme rugido animal brotando da boca do estômago, corri para a cama e ergui Zoia nos braços, as lágrimas me escorrendo pelo rosto enquanto gritava e repetia seu nome, numa tentativa desesperada de fazê-la voltar à vida.

Alguns instantes depois, suas pálpebras se agitaram levemente; abriu os olhos, olhou para mim e depois para a distância, enquanto um suspiro de exaustão lhe escapava dos lábios. Não gostou de minha presença; não queria ser salva. Corri para o armário, peguei dois lenços de uma prateleira, voltei para a cama, localizei os lugares nos pulsos em que a lâmina havia penetrado e amarrei os ferimentos com força, para estancar o sangue. Zoia deu um gemido fundo, implorando para deixá-la em paz, em paz, mas eu não podia, não faria isso e, tendo enfaixado seus pulsos, corri até a rua e desci até o final do conjunto de casas, onde, para nossa sorte, havia um consultório médico. Quando arremeti pela porta adentro, devia parecer um lunático, com os olhos ensandecidos, a camisa, os braços e o rosto cobertos com o sangue de Zoia, e uma mulher de meia-idade sentada na sala de espera soltou um grito apavorado, talvez me tomando por algum assassino tresloucado disposto a atacá-los. Mas eu ainda conservava autodomínio suficiente para explicar à enfermeira o que tinha acontecido, pedindo, exigindo ajuda, já, agora, depressa, antes que seja tarde demais.

Nos dias subsequentes, refleti várias vezes sobre a dor de cabeça e de estômago que tinha me acometido naquele dia. Era tão raro ter qualquer indisposição e, se minha saúde estivesse normal, teria ficado na biblioteca do Museu Britânico o dia todo, e estaria viúvo ao chegar em casa.

Avaliando a vida que levei, as pessoas que conheci, os lugares que visitei, dificilmente eu me intimido com alguém só por estar em posição de autoridade, mas o dr. Hooper, que atendeu Zoia enquanto ela ficou internada no hospital, despertava um leve temor respeitoso em mim e me sentia inseguro em parecer um pateta diante dele. Era um senhor de idade, enfarpelado num caro terno de tweed, com uma barba bem aparada ao estilo Romanov, olhos azuis penetrantes e um físico esguio e atlético incomum num homem de sua idade e posição. Eu desconfiava que ele amedrontava os médicos e enfermeiras sob seu comando e não tinha muita paciência com os tolos. Aborrecia-me que ele não achasse conveniente falar comigo nas semanas que minha esposa passou no hospital, recuperando-se dos ferimentos; sempre que cruzava com ele no corredor e tentava abordá-lo, ele se desvencilhava alegando que estava muito ocupado e me passava para um de seus auxiliares, que aparentemente estavam tão pouco informados quanto eu sobre o estado de minha esposa. Na véspera do dia marcado para levá-la para casa, porém, liguei previamente para sua secretária e pedi que marcasse uma hora com o doutor, antes de assinar a alta. E assim, três semanas depois de ter encontrado Zoia sangrando e agonizando em nossa cama, vi-me sentado numa sala ampla e confortável no último andar da ala psiquiátrica, fitando o médico mais graduado dali enquanto ele examinava atentamente o histórico de minha mulher.

— As lesões físicas da sra. Jachmenev estão totalmente curadas — declarou por fim, pondo o histórico de lado e olhando para mim. — Os ferimentos que ela se infligiu não chegaram a romper as artérias. Foi a sorte dela. Muitas pessoas não sabem como terminar o serviço corretamente.

— Havia uma quantidade pavorosa de sangue — falei, relutando em reviver a cena, mas pressentindo que seria necessário lhe expor todo o caso. — Pensei... quando encontrei, quer dizer... bem, ela estava muito pálida e...

— Sr. Jachmenev — ele ergueu a mão em sinal para me calar —, o senhor tem vindo aqui duas, três vezes por dia desde que sua esposa foi internada, certo? Fiquei impressionado com sua dedicação. O senhor se surpreenderia ao saber como são poucos os maridos que se dão ao trabalho de visitar as esposas, seja qual for a razão do internamento. Durante esse período, o senhor deve ter percebido que o estado dela melhorou. Realmente o senhor não precisa se preocupar mais com seus problemas físicos. Talvez possa ficar uma leve cicatriz nos pulsos, mas com o tempo vai sumir e praticamente nem se enxergará.

— Obrigado — disse suspirando de alívio. — Devo reconhecer que, ao encontrá-la, imediatamente pensei no pior.

— O senhor, porém, certamente sabe qual é minha especialidade, e estou mais preocupado com as cicatrizes psicológicas de sua esposa. Como o senhor sabe, toda tentativa de suicídio deve ser meticulosamente avaliada antes de permitirmos que o perpetrador volte para casa. — *O perpetrador.* — Tanto por ele quanto pelos outros. Conversei muito longamente com sua esposa nestas semanas, tentando encontrar a raiz mais profunda de seu comportamento, e, para ser honesto com o senhor, devo dizer que ela realmente me preocupa.

— Quer dizer que ela pode tentar outra vez?

— Não, não creio que seja provável — meneou a cabeça em negativa. — Quem sobrevive a uma tentativa de suicídio em geral fica envergonhado e chocado demais com o próprio gesto para tentar uma segunda vez. Aliás, na maioria dos casos, não era o que realmente pretendiam. É, como dizem, um grito de socorro.

— E o senhor julga que foi isso? — perguntei esperançoso.

— Se ela quisesse de fato morrer, teria arranjado um revólver e se dado um tiro — replicou como se fosse a coisa mais evidente do mundo. — Disso não há volta. Quem sobrevive é porque quis sobreviver. Esse é o primeiro aspecto em favor de sua esposa.

Eu não estava tão persuadido disso no caso de Zoia; afinal, ela pensava que eu só voltaria para casa pelo menos dali a umas sete horas. Ela jamais teria resistido a uma hemorragia tão prolongada, fossem quais fossem as veias atingidas. E, afinal, onde arranjaria uma arma? Ponderei que talvez o dr. Hooper julgasse a todos pelos critérios de seu próprio arsenal. Parecia aos olhos do mundo como alguém que passava os fins de semana com uma espingarda na mão, matando qualquer forma de vida selvagem na companhia da pequena nobreza.

— E no caso de sua esposa — retomou —, creio que o choque da tentativa, junto com os sentimentos dela pelo senhor, pode impedir uma recaída.

— Os sentimentos dela por mim? — ergui uma sobrancelha. — Mas ela não pensou em mim quando fez isso, não é mesmo?

Eram palavras indignas de mim, mas, tal como tinha ocorrido com Zoia, nas últimas semanas meu estado de espírito tinha passado de um ânimo positivo para um desalento pavoroso. Havia noites em que eu ficava insone, só pensando como ela tinha chegado tão perto da morte e como sobreviveria sem ela. Havia dias em que me recriminava por não ter notado seu sofrimento e não ter vindo em seu auxílio. Havia horas em que comprimia a testa com os punhos, frustrado, furioso que ela pouco pensasse em mim e pudesse me causar tanto sofrimento.

— O senhor não deve julgar que se trata de si — disse por fim o dr. Hooper, parecendo ler meus pensamentos enquanto dava a volta na escrivaninha e se afundava numa poltrona a meu lado. — Não se trata absolutamente do senhor. É algo dela. É algo em sua psique. Sua depressão. Sua infelicidade.

Sacudi a cabeça, não aceitando a explicação, e escolhi as palavras com cuidado.

— Dr. Hooper, o senhor há de entender que Zoia e eu somos um casal muito feliz. Raramente discutimos e nos amamos muito.

— Estão juntos...

— Nós nos conhecemos na adolescência. Casamos cinco anos atrás. São bons tempos.

Ele assentiu e juntou as mãos em ponta, como a torre de uma igreja, com os dedos apontados para os céus, e respirou fundo enquanto refletia.

— Vocês não têm filhos, evidentemente.

— Não. Como o senhor sabe, perdemos alguns.

— Sim, sua esposa me contou. Três, não é?

Hesitei um instante ao lembrar aqueles três bebês perdidos, e por fim acenei em concordância, tossindo para limpar a garganta.

— Sim, aconteceu três vezes.

Ele se inclinou para a frente e me fitou diretamente nos olhos.

— Sr. Jachmenev, há uma série de coisas que não tenho liberdade de discutir com o senhor, coisas que Zoia e eu conversamos em confiança, na relação confidencial entre médico e paciente, entende?

— Sim, claro — respondi frustrado em não ter uma resposta clara sobre o que havia de errado com ela, sendo eu, mais do que qualquer outra pessoa, que desejava ajudá-la. — Mas sou o marido dela, dr. Hooper. Há certas coisas...

— Sim, sim — atalhou ele depressa, descartando meu comentário enquanto se reclinava na poltrona.

Senti que ele me examinava atentamente — até me analisava — como se procurasse determinar para si o quanto poderia me contar e o quanto deveria omitir. Finalmente disse:

— Se eu dissesse que sua esposa é uma mulher muito infeliz, certamente o senhor entenderia.

Respondi em voz baixa e irada:

— Pensaria que é óbvio, em vista do que ela fez.

— O senhor poderia até crer que ela tem algum distúrbio mental.

— O senhor não crê que ela tenha?

— Não, não creio que nenhuma das duas explicações seja suficiente para abranger o problema de Zoia. Essas palavras são simplistas demais, fáceis demais. Os problemas dela, a meu ver, residem numa camada mais profunda. Na história pessoal dela. Nas coisas que viveu. Nas lembranças que reprimiu.

Dessa vez fui eu que fitei seus olhos diretamente e me senti empalidecer um pouco, sem saber aonde ele queria chegar. Nem por um instante eu seria capaz de imaginar que Zoia teria lhe contado os detalhes de nosso passado — de seu passado —, por mais que confiasse nele. Seria um gesto inteiramente atípico de sua parte. E não consegui evitar a impressão de que o dr. Hooper percebia que havia algo que lhe escapava, e que eu poderia lhe contar se me guiasse por aquele caminho. Evidentemente ele não me conhecia; não entendia que eu jamais trairia minha mulher.

— Como o quê, por exemplo?

— Creio que nós dois sabemos a resposta, não é, sr. Jachmenev?

Engoli em seco e cerrei os maxilares; não ia ceder. E falei, em tom de determinação:

— O que eu quero saber é se devo continuar a me preocupar com ela, se devo vigiá-la dia e noite. Quero saber se algo parecido pode acontecer novamente. Preciso trabalhar, claro. Não posso estar constantemente junto com ela.

— Difícil dizer, mas, considerando bem, não creio que o senhor tenha muito com o que se preocupar. Vou ter mais algumas sessões com ela, naturalmente, no ambulatório. Penso que posso ajudá-la a se reconciliar com as coisas que lhe causam sofrimento. Sua esposa se aflige com a ilusão de que as pessoas mais próximas a ela correm perigo, o senhor entende, não é?

— Sim, ela comentou isso comigo. Apenas de passagem. É algo que ela guarda trancado dentro de si.

— Ela falou dos abortos espontâneos, por exemplo. E sobre o amigo de vocês, monsieur Raymer.

Anuí e olhei para baixo uns instantes, reconhecendo a lembrança. *Leo.*

— Sua esposa precisa ser levada a entender que não é responsável por tais ocorrências — disse ele, levantando-se para indicar que nossa entrevista terminara. — Cabe a mim, claro, em nossas sessões de ambulatório. E ao senhor, na vida do casal.

Quando entrei na enfermaria, Zoia já estava à minha espera, sentada na beirada da cama, vestida e bem-posta com um vestido simples de algodão e um casaco que eu lhe trouxera no dia anterior. Ergueu os olhos e sorriu ao me ver, e retribuí o sorriso, abraçando-a, satisfeito por notar que as faixas que lhe cobriam os braços estavam ocultas sob as mangas do casaco.

— Geórgui — disse ela baixinho, rompendo em lágrimas

ao ver minha expressão certamente mesclada de ambivalência. — Lamento tanto! Não queria feri-lo.

— Está tudo bem — respondi, numa curiosa escolha dos termos, pois claro que não estava nada bem. — Pelo menos você já pode sair. Vai dar tudo certo, eu prometo.

Ela assentiu e me pegou pelo braço ao sairmos da enfermaria.

— Estamos indo para casa?

Casa. Outra palavra estranha. Onde ficava nossa casa? Não aqui em Londres. Nem em Paris. A casa ficava a milhares de quilômetros de distância, num lugar ao qual nunca poderíamos voltar. Não iria mentir a ela.

— Para nosso apartamentozinho — respondi em tom sereno. — Vamos fechar a porta e ficar juntos, como sempre deveríamos ter ficado. Só nós dois. GeórguieZoia.

A assinatura do czar

Ainda me espanta que tivesse de terminar como terminou, num vagão de trem em Pscov.

Não comemoramos a entrada de 1917 com a mesma alegria ou festividade dos anos anteriores. A residência do czar estava numa tal balbúrdia que cheguei a pensar em sair de São Petersburgo e voltar para Cáchin ou, talvez, ir para o Ocidente em busca de uma vida totalmente nova; só não fiz isso porque Anastácia jamais deixaria a família — e, de qualquer forma, nunca me permitiriam levá-la comigo. Mas a tensão pesava sobre todos nós que integrávamos o círculo imperial. O fim se avizinhava, a questão era apenas quando chegaria.

O czar tinha passado grande parte do ano de 1916 com o exército e, em sua ausência, os assuntos políticos haviam ficado a cargo da czarina. Enquanto ele mantinha sua posição em Stavca, ela controlava o governo com uma força e uma decisão impressionantes, embora mal orientadas. Pois evidentemente ela era apenas a porta-voz das palavras do *starets*. A influência dele era ubíqua. Mas agora o *starets* tinha morrido, o czar estava ausente e ela ficara sozinha.

A notícia da morte do padre Grigori chegou ao Palácio de Inverno um ou dois dias depois daquela terrível noite de dezembro, quando seu corpo envenenado e crivado de balas fora lançado ao rio Neva. A imperatriz ficou arrasada, claro, e insistiu incansavelmente que os assassinos deveriam ser responsabilizados, mas, reconhecendo a vulnerabilidade de sua posição, logo começou a interiorizar sua angústia. Por vezes eu a observava sentada em sua sala privativa, olhando pela janela com um olhar perdido enquanto uma de suas damas de companhia comentava alguma ninharia frívola da vida no palácio, e eu via em seus olhos a determinação de prosseguir, de governar, e admirava-a por isso. Talvez, no final das contas, ela não fosse um mero peão de Rasputin.

Quando o czar voltou para uma curta visita natalina, porém, a czarina insistiu que Félix Iussupov fosse levado à justiça, mas como ele fazia parte da família imperial em sentido amplo, o czar alegou que não poderia fazer nada.

— Você se importa mais com esses parasitas e sanguessugas do que com Deus — ela gritou poucas horas após a chegada do marido, numa tarde em que todos estávamos chocados com a aparência abatida de Nicolau. Parecia ter envelhecido dez, talvez quinze anos desde agosto, última vez em que o víramos. Tinha um ar de que não seria capaz de enfrentar mais um drama, e que não se importaria em morrer.

— Padre Grigori não era Deus — frisou o czar, massageando as têmporas com os dedos e olhando pela sala em busca de apoio. As quatro filhas fingiam que não estava se passando nada; os criados se retraíam nas sombras do aposento, como eu. Alexei assistia sentado a um canto; estava quase tão pálido quanto o pai, e fiquei imaginando se não teria se machucado antes, sem dizer a ninguém. Às vezes era possível notar quando começava a hemorragia interna: o olhar de pânico e desespero no rosto do menino, o empenho em se manter absolutamente imóvel para afastar o trauma que se aproximava eram sinais familiares para quem o conhecia bem.

— Era o representante de Deus — bradou a czarina.

— Mesmo? — indagou o czar, agora fitando-a colérico, lutando para manter a compostura. — E eu que pensava que era *eu* o representante de Deus na Rússia. Pensava que era *eu* o ungido, não um camponês qualquer de Pocróvskoi.

— Oh, Nicky! — gritou exasperada, atirando-se a uma cadeira e enterrando o rosto nas mãos.

Levantou-se a seguir e, aproximando-se dele em passos firmes, falou como se fosse a sogra, a imperatriz-mãe Maria Fiodorovna, e não a própria esposa.

— Você não pode permitir que os assassinos fiquem em liberdade.

— Nem quero — respondeu vivamente. — Você acha que é isso o que quero da Rússia? De minha própria família?

— Ora, nem chegam a ser parentes seus — atalhou ela.

— Se eu os punir, seria como dizer que aprovávamos a influência de padre Grigori.

— Ele salvou nosso filho! Quantas vezes ele...

— Não, Florzinha, não é verdade. Céus, como ele tinha domínio sobre você!

— E é por isso que você o odiava tanto? Porque eu acreditava nele?

— Antigamente você acreditava em mim — retrucou ele em voz baixa, agora afastando seu olhar da esposa, com tanta tristeza estampada no rosto que quase esqueci que era o czar e me pareceu um homem não muito diferente de mim mesmo. Naquele momento senti uma enorme gratidão por ninguém saber de meu envolvimento com a morte de Rasputin; se fosse revelado, certamente toda a fúria do czar se voltaria contra mim e eu seguiria para o patíbulo antes do anoitecer, como uma espécie de calmante para mitigar a angústia de sua esposa.

— Mas eu acredito em você, Nicky — disse ela, abrandando o tom e se aproximando dele. Mas ele entendeu mal o gesto, creio eu, e retrocedeu, deixando-a parada no meio da sala com os braços estendidos para ele. — A única coisa que peço...

— Florzinha, ele era odiado pelo povo, você sabe disso.

— Claro que sei.

— E sabe a razão.

Ela assentiu sem dizer nada, talvez finalmente ciente de que seus cinco filhos observavam a cena, mesmo fingindo que não se passava nada de desagradável. Relanceei a vista para Anastácia, que estava sentada num sofá a fazer crochê, os dedos se movendo daqui para lá na peça de tecido enquanto assistia à discussão entre os pais. Eu queria correr até ela, tirá-la daquele lugar terrível que parecia se desmoronar a nosso redor. Voltaram-me à mente os episódios de Versalhes, mas expulsei-os; eu sabia muito bem qual tinha sido o final daquela história.

— Padre Grigori era meu confessor, nada mais — disse por fim a czarina em tom ofendido. — E meu confidente. Mas posso viver sem ele, Nicky, acredite em mim. Posso ser forte. *Sou* forte. Em sua ausência enquanto prossegue essa guerra medonha...

— Aí está — cortou o czar, lançando os braços para o alto. — É demais, não entende? Esse poder que você detém. Você precisa permitir que outros...

— Faz parte da tradição que a czarina se encarregue da política quando o czar está fora — replicou ela com altivez, empinando a cabeça com ar majestoso. — Há precedentes. Aconteceu com sua mãe, com sua avó e com sua bisavó.

— Mas você vai longe demais, Florzinha. E sabe disso. Trepov me falou...

— Ahá! Trepov! — exclamou ela, praticamente cuspindo o nome do primeiro-ministro. — Trepov me odeia. Todo mundo sabe disso.

— De fato! — gritou o czar. — Odeia mesmo. E por quê?

— Ele não entende como se deve governar um país. Ele não entende de onde vem a força.

— E de onde vem, Florzinha, pode me dizer? — indagou ele, agora avançando num bote raivoso. Os dois não se viam fazia meses, o grau de paixão e amor entre eles era de conhecimento geral, perpassando as cartas que trocavam diariamente, mas ali estavam ambos, num visível acesso de ódio recíproco, brigando como se o mundo inteiro conspirasse para o mútuo dilaceramento do casal. E o czar completou:

— Vem do coração! E da cabeça!

— E que sabe você de meu coração? — esganiçou ela.

Todas as filhas interromperam a costura a tais brados e

olharam os pais assustadas. Busquei Alexei com os olhos, e vi que parecia a pique de explodir em prantos.

— Você que não tem nenhum! — prosseguiu a imperatriz. — Você que só sabe pensar com a cabeça! Quando foi a última vez que você se importou com o que eu sentia no coração?

O czar a encarou, sem dizer nada, meneou a cabeça e por fim disse, encolhendo os ombros num gesto vencido.

— Trepov insiste. Você não pode mais ficar à frente do governo quando eu estiver ausente.

— Então não vá!

— Tenho de ir, Florzinha. O exército...

— Pode sobreviver sem você. O grão-duque Nicolau Nicolaievitch pode ser reconduzido ao comando.

— O czar deve estar à frente do exército — insistiu ele.

— Então continuo no cargo.

— Não pode.

— Você vai permitir que um sujeito como ele lhe dê ordens? — indagou ela atônita. — Você vai permitir que qualquer um lhe dê qualquer ordem? Você, que alega ser o ungido de Deus?

— *Alego* ser? — o czar escancarou os olhos assombrado. — Como assim, *alego*? Você quer dizer então que não acredita nisso?

— Estou apenas perguntando se foi a isto que chegamos, só isso. Você diz que não é um camponês de Pocróvscoi que vai lhe dizer o que fazer, mas se comporta feito um vira-lata diante de um bastardo de Kiev. Explique-me a diferença, Nicky. Explique como se eu fosse uma camponesa ignorante e mal-educada, e não a neta de uma rainha, a prima de um imperador e a esposa de um czar.

O czar foi para sua escrivaninha e sentou, cobriu os olhos com a mão por alguns instantes e então ergueu-os de novo, com um ar de condenado no rosto, dizendo:

— A Duma. Exigem receber direitos parlamentares.

— Mas como pode sequer existir um Parlamento numa autocracia? Os termos são mutuamente excludentes.

O czar riu com amargura e replicou:

— Pois é exatamente esse o xis da questão, não é, minha querida Florzinha? Não pode existir. Mas não posso travar duas guerras ao mesmo tempo. Não farei isso. Não tenho forças para isso. E tampouco o país tem. Não, daqui a alguns dias vou voltar para Stavca, você irá para Czarskoe Selo com a família, e Trepov vai atender os assuntos políticos em minha ausência.

A czarina respondeu calmamente:

— Se você fizer isso, Nicky, não haverá palácio ao qual retornar, isso eu lhe garanto.

— As coisas vão... — disse ele, com o corpo derreado na cadeira. — As coisas vão se resolver. É só uma questão de tempo.

A czarina ia responder alguma coisa, mas percebendo que fora derrotada, apenas abanou a cabeça e fitou o marido com ar de piedade. Percorrendo a sala com a vista, deteve-se em sua progênie, o olhar se sombreando e esmorecendo ao passar de filha em filha, e só se avivando ao chegar em seu caçula, Alexei.

— Crianças, vamos.

Os cinco jovens Romanov se levantaram de pronto, mas a czarina estendeu as mãos espalmadas no ar e meneou a cabeça; era uma das raríssimas ocasiões em que ela se dignava a reconhecer a presença de mortais inferiores no aposento.

— Apenas meus filhos — disse em tom peremptório. — Os demais ficam aqui. Com o czar. Ele pode precisar de vocês.

Tomando a dianteira, ela rumou para sua sala privada, e observei enquanto os filhos seguiam atrás. Anastácia virou a cabeça em minha direção ao sair, cruzamos nossos olhares e ela me deu um sorriso nervoso, que devolvi na esperança de que ela encontrasse ali algum reconforto. Alguns momentos depois, as damas de companhia das grã-duquesas saíram do aposento e os guarda-costas assumiram posição do lado de fora das portas, até que ficamos apenas o czar e eu na sala. Havia uma parte em mim, jovem e tolo que eu era, querendo ficar e falar com ele, oferecer-lhe algum conforto ou consolo, mas não cabia a mim. Após uma curta hesitação, virei para sair. Mas ele ergueu os olhos enquanto eu me afastava, e me chamou.

— Geórgui Danielovitch.

— Vossa Majestade — respondi virando para ele e fazendo uma profunda vênia. O czar se levantou e avançou devagar em minha direção.

Fiquei chocado ao ver sua dificuldade em caminhar. Não tinha nem cinquenta anos, mas os acontecimentos dos últimos anos o haviam convertido num velho. Mal querendo me encarar nos olhos depois da cena que eu presenciara, ele disse:

— Meu filho. Ele está bem?

— Penso que sim, senhor. Ele não se entrega a nenhuma atividade arriscada.

— Ele está com ar pálido.

— A czarina insiste para que ele fique dentro de casa desde que o *starets* foi assassinado. Não tem visto a luz do dia, creio eu.

— Então ele está como prisioneiro aqui dentro?

— Mais ou menos — assenti.

— Bem, todos nós somos prisioneiros aqui dentro, não concorda, Geórgui? — disse ele num esboço de sorriso.

Não respondi nada e, quando ele deu as costas, entendi como sinal para me retirar e comecei a me dirigir para a saída. Virando-se de novo, ele disse:

— Não vá, Geórgui. Por favor. Preciso que você faça algo para mim.

— Qualquer coisa, senhor.

Ele sorriu.

— Você nunca deve dizer isso sem saber o que lhe será exigido.

— Não diria — respondi depressa. — Mas o senhor é o czar. Portanto repito: qualquer coisa, senhor.

Ele me fitou, mordiscou o lábio de uma maneira que fazia lembrar sua filha mais nova e sorriu.

— Preciso que você deixe Alexei. Preciso que você deixe a proteção dele. Pelo menos por enquanto. Preciso que você venha comigo.

Pensei que tinha apenas imaginado a batida à porta, mas ela se repetiu, com mais urgência; desci da cama e fui até a porta, abrindo-a cuidadosamente para que o rangido não perturbasse os outros no corredor. Sem dizer uma palavra, ela me empurrou de lado e num piscar de olhos estava no meio do quarto.

— Anastácia — falei espiando para o corredor para conferir que ninguém a seguira. — O que você está fazendo aqui? Que horas são?

— É tarde — respondeu numa voz que traía sua ansiedade. — Mas eu tinha de vir. Feche a porta, Geórgui. Ninguém pode saber que estou aqui.

Fechei imediatamente e fui pegar a vela que eu mantinha no beiral da janela. Ao se acender o pavio, virei e vi que ela estava de camisola, que podia lhe cobrir o corpo inteiro, mas mesmo assim transmitia uma nítida carga erótica, sugerindo a proximidade e a intimidade da cama. Ela também me contemplava e só então percebi que eu estava em trajes ainda mais impróprios do que os dela, usando apenas um calção largo. Corei — invisivelmente, esperava eu, à luz da vela — e peguei a calça e a camisa enquanto ela se virava para me dar alguma privacidade.

— Agora estou decente — falei depois de me vestir.

Ela se desvirou, mas parecia ter perdido o fio do raciocínio, tal como eu. O que eu mais desejava era tomá-la nos braços, tirar de novo minha roupa, despir sua camisola e enlaçá-la no calor dos lençóis.

— Geórgui... — iniciou, mas então sacudiu a cabeça e parecia a ponto de chorar.

— Anastácia, o que foi? O que aconteceu?

— Você estava lá hoje. Viu toda a cena. O que vai acontecer? Há tantos boatos pavorosos correndo por aí.

Peguei-lhe a mão e sentamos na beirada da cama. Depois que a czarina tinha saído da sala com Anastácia e as irmãs, fui procurá-la para contar sobre a conversa com seu pai, mas ela passou a tarde sob a tutela de monsieur Gilliard e não consegui encontrar uma desculpa adequada para ir ter com ela, terminada a aula.

— Olga diz que tudo vai se acabar — disse em tom de desespero. — Tatiana está quase histérica de nervoso. Maria não é a mesma desde que Serguei Stassiovitch foi embora. E mamãe... — deu um risinho amargurado. — Eles a detestam, não é, Geórgui? Todos a detestam. O povo, o governo, Trepov, a Duma. Mesmo papai parece...

— Não diga isso — interrompi prontamente. — Nunca diga isso. Seu pai adora a czarina.

— Mas eles só brigam. Papai chegou de Stavca e em poucas horas você viu o que aconteceu. E agora ele vai embora amanhã. Essa guerra nunca vai acabar, Geórgui? E por que o povo se voltou tanto contra nós?

Hesitei em responder. Eu a amava loucamente, mas podia pensar em inúmeras razões que haviam levado a família imperial àquela situação. Sem dúvida o czar havia cometido muitos erros na condução do conflito contra os alemães e os turcos, mas isso não era nada em comparação ao tratamento dado aos súditos que ele dizia amar. Nós, na corte real, íamos de um palácio a outro, subíamos em trens de luxo, desembarcávamos de iates suntuosos; comíamos os alimentos mais requintados, usávamos os ternos e vestidos mais elegantes. Jogávamos, tocávamos música, contávamos fofocas sobre quem ia se casar com quem, qual o príncipe mais bonito, qual a debutante mais namoradeira. As damas se cobriam de joias que usavam uma única vez e depois descartavam; os cavalheiros enfeitavam suas espadas impotentes com rubis e diamantes, jantavam caviar e se embriagavam todas as noites com a mais fina vodca e o mais fino champanhe. Enquanto isso, o povo lá fora dos palácios minguava à fome, desesperado por pão, por trabalho, por qualquer coisa que os fizesse se sentirem mais humanos. Tremiam no gelo de nosso inverno russo e enumeravam os parentes que não sobreviveram até a primavera. Enviavam os filhos para morrer nos campos de batalha, enquanto uma mulher que consideravam mais alemã do que russa controlava a vida de todos. Viam como a imperatriz deles se unia como uma prostituta a um campônio que desprezavam. Tentavam expressar a insatisfação em comícios, revoltas e imprensa livre, e eram sistematicamente abafados. Quantas vezes feridos e moribundos lotaram os hospitais, depois que os homens do czar haviam imposto a superioridade da autocracia? Quantos enterros tinham causado? Essas eram as coisas que eu queria dizer a Anastácia, as explicações que queria dar, mas como poderia, se ela nunca tinha conhecido outra vida além daquela existência extraordinariamente privilegiada em que nascera? Ela, que estava destinada a desposar um príncipe algum dia e passava a vida como objeto de veneração... E quem era eu para apresentar tais explicações, afinal, se havia passado dois anos entre essas pessoas, desfrutando seus luxos, deleitando-me com a ilusão de ser um deles, e não um mero criado, um tenente que podia ser descartado a qualquer momento e despachado para qualquer canto da Rússia pelo capricho de um autocrata?

— As coisas vão se resolver — murmurei, abraçando-a e repetindo as palavras anteriores de seu pai, embora sem acreditar nem por um minuto nelas. — Há um ciclo de desilusão e...

— Oh, Geórgui, você não entende — ela exclamou afastando-se de mim. — Papai mandou toda a família para Czarskoe Selo. Ele diz que ficará em Stavca até o final da guerra e que, se for necessário, vai combater na linha de frente.

— Seu pai é uma pessoa honrada.

— Mas os rumores, Geórgui... você sabe a que estou me referindo?

Hesitei. Sabia exatamente o que ela queria dizer, mas não pretendia ser o primeiro a pronunciar as palavras que repercutiam em todas as paredes incrustadas de ouro no palácio e em todas as vielas imundas de São Petersburgo. A frase que todos os ministros, todos os membros da Duma e todos os mujiques da Rússia aparentemente queriam ouvir.

— Eles dizem... — prosseguiu engasgando-se um pouco enquanto tentava formular as palavras — dizem que papai... o que querem é que ele... Geórgui, dizem que ele vai ter de renunciar ao trono.

— Isso nunca vai acontecer — respondi automaticamente e ela franziu os olhos, estremecendo.

— Mas você nem parece surpreso. Então sabia disso?

— Ouvi dizer — admiti. — Mas não penso... não consigo imaginar uma coisa dessas. Meu Deus, Anastácia, faz trezentos anos que os Romanov ocupam o trono russo. Nenhum mortal pode removê-lo. É inconcebível.

— E se você estiver errado? E se ele não for mais czar? O que acontecerá conosco?

— Conosco? — indaguei pensando quem estaria incluído naquele "conosco". Ela e eu? O irmão e as irmãs? A família Romanov? Sorri para aliviar a tensão. — Não vai lhe acontecer nada. Você é uma grã-duquesa da linhagem imperial. O que você pensa que pode lhe...

— Exílio — sussurrou, e a palavra soou como uma maldição. — Existem boatos de que seremos exilados, todos nós. Minha família inteira. Expulsos da Rússia como um bando de imigrantes indesejados. Mandados para... sabe-se lá onde.

— Não vai chegar a tanto — disse eu. — O povo russo

não permitiria. Há raiva, sim. Mas há também amor. E respeito. Aqui neste quarto também. Aconteça o que acontecer, minha querida, estarei com você. Vou protegê-la. Nunca vai lhe acontecer mal algum, não enquanto eu estiver por perto.

Ela sorriu de leve, mas era visível que continuava aflita e se afastou ligeiramente de mim na cama, como se avaliasse se não seria melhor voltar para seu quarto, antes de ser descoberta. Para minha vergonha, eu estava absolutamente excitado com sua presença num local tão íntimo, e tive de lutar contra todos os demônios de meu corpo para não abraçá-la, atirá-la sobre o colchão e cobrir seu corpo de beijos. *Ela deixaria*, pensei também. *Se eu pedisse, ela deixaria.*

Levantei da cama e me afastei, para que ela não visse a expressão de desejo em meu rosto, e murmurei:

— Anastácia, é uma sorte que você tenha vindo aqui. Preciso lhe contar uma coisa.

— É o único lugar onde eu queria estar — disse ela mais calma. — Quando estivermos em Czarskoe Selo, pelo menos teremos mais oportunidades de ficar juntos. É uma boa coisa.

— Mas não vou estar em Czarskoe Selo — falei rápido, decidindo que o mais simples seria falar com todas as letras, e pronto. — Não posso ir com vocês. O czar me liberou de meus deveres com Alexei. Ele quer que eu vá para Stavca junto com ele.

O silêncio no quarto pareceu durar uma eternidade. Finalmente virei-me para ela e vi sua expressão. Um tênue feixe azul-pálido de luar penetrava pela janela, dividindo seu rosto em dois.

— Não — acenou numa negativa. — Não.

— Não posso fazer nada — falei sentindo as lágrimas me subirem aos olhos. — É ordem dele e...

— Não! — ela gritou, e olhei para a porta ansioso, temendo que pudessem ouvi-la e descobrissem sua presença ali. — Não é verdade. Você não pode me deixar sozinha.

— Mas você não vai ficar sozinha. Sua mãe estará lá. Suas irmãs, seu irmão. Monsieur Gilliard. Dr. Fiodorov.

— Monsieur Gilliard? Dr. Fiodorov? — gritou assustada. — E de que me servem? É de você que eu preciso, Geórgui. Só de você.

— E eu também preciso de você — exclamei correndo para ela e lhe cobrindo o rosto de beijos. — Você é a única coisa que me importa, você sabe disso.

— Mas se é verdade, então por que vai me deixar? Diga não a papai.

— Ao czar? E como? Ele manda, eu obedeço.

— Não, não, não — e começou a chorar. — Não, Geórgui, por favor...

— Anastácia — tentei me compor para parecer o mais racional possível —, aconteça o que acontecer nestas semanas, voltarei para você. Acredite nisso.

— Não sei mais em que acreditar — respondeu ela com as lágrimas agora correndo pelas faces. — Tudo deu errado. Tudo está se desintegrando em volta de nós. Às vezes penso que o mundo enlouqueceu.

Lá de fora do palácio ergueu-se um alarido, e demos um salto. Aturdido, corri para a janela e vi uma multidão de quinhentas, talvez mil pessoas, marchando para a Coluna de Alexandre com cartazes anunciando a primazia da Duma, gritando contra o Palácio de Inverno com olhares fuzilantes. Então pensei, *Não vai ser hoje. Mas logo. Vai ser logo.*

— Escute, Anastácia — voltei para ela, peguei seus braços e olhei-a nos olhos. — Diga que você acredita em mim.

— Não posso, estou tão assustada.

— Aconteça o que acontecer, esteja onde estiver, a qualquer lugar que você for levada, vou encontrá-la. Estarei lá. Tome o tempo que tomar. Acredita nisso?

Ela assentiu chorando, mas aquilo não me bastava e insisti:

— Acredita em mim?

— Acredito. Acredito, sim — disse Anastácia.
— E que Deus me castigue se eu deixar você — prometi.
Então ela se afastou, olhou-me uma última vez, virou-se e saiu do quarto, deixando-me sozinho, transpirando, assustado, atormentado.
Iriam se passar quase dezoito meses antes de vê-la outra vez.

O trem imperial, outrora tão cheio de vida e animação, agora parecia vazio e desolado. A família imperial não estava ali, a maioria da Guarda Imperial estava ausente, não havia preceptores, médicos, chefes de cozinha ou quartetos de corda disputando atenção. O czar, sentado à escrivaninha de seu vagão particular, estava encolhido, debruçado sobre vários documentos abertos diante de si, mas tive a impressão de que não lia nenhum deles. Estávamos em março de 1917, dois meses depois de nossa saída de São Petersburgo.
— Senhor — falei adiantando-me e olhando-o preocupado. — Senhor, está tudo bem?
Ergueu lentamente a cabeça e me fitou, como se por um instante não me reconhecesse. Esboçou um leve sorriso, que desapareceu rapidamente.
— Estou ótimo. Que horas são?
— Quase três — respondi depois de dar uma olhada no requintado relógio atrás dele, na parede do vagão.
— Pensei que ainda era de manhã — falou baixo.
Eu ia responder alguma coisa, mas não me ocorreu nada de adequado para dizer. Gostaria que o dr. Fiodorov estivesse aqui, pois nunca tinha visto o czar com aparência tão doentia. O rosto estava acinzentado e ele tinha envelhecido muito. A testa se ressecara, com a pele frágil e escamosa, e os cabelos, geralmente tão brilhantes e lustrosos, estavam ralos e oleosos.
O escritório estava com o ar viciado e me senti tão claustrofóbico que fui imediatamente abrir uma janela.

— O que você está fazendo? — perguntou ele.
— Deixando entrar um pouco de ar. Talvez o senhor se sinta melhor se...
— Deixe fechada.
— Mas o senhor não acha que está abafado aqui dentro? — perguntei pondo as mãos na base da janela e preparando-me para erguê-la.
— Deixe fechada! — gritou.
Levei um susto e me virei para fitá-lo.
— Desculpe, Majestade — disse engolindo nervoso.
— As coisas mudaram tanto que agora preciso repetir minhas ordens? — disse bruscamente, apertando os olhos enquanto me encarava como uma raposa prestes a agarrar um coelho. — Se eu digo para deixar fechada, você deixa fechada. Entendeu?
— Claro — respondi assentindo com a cabeça. — Mil perdões, senhor.
— Ainda sou o czar — acrescentou.
— O senhor sempre será...
— Tive um sonho antes, Geórgui — disse olhando em frente e se dirigindo a uma plateia invisível; seu tom, de uma hora para outra, tinha mudado da cólera para a nostalgia. — Bem, não foi tanto um sonho; foi mais uma lembrança. O dia em que me tornei czar. Meu pai não tinha nem cinquenta anos quando morreu, sabia disso? Eu imaginava que minha vez só chegaria... — ele encolheu os ombros e avaliou. — Só chegaria dali a muitos anos. Havia quem dissesse que eu não estava pronto. Mas não era verdade. Estive me preparando para aquele momento durante toda minha vida. É uma coisa curiosa, Geórgui, só poder cumprir o próprio destino depois de perdermos nosso pai. E fiquei arrasado quando ele morreu. Era um monstro, sem dúvida. Mesmo assim foi difícil aceitar sua morte. Você nunca conheceu seu pai, não é?
— Conheci, sim, senhor — respondi. — Comentei uma vez com o senhor.

— Oh, é verdade, tinha esquecido. Bem, meu pai era um homem muito difícil, quanto a isso não resta dúvida. Mas não era nada comparado à minha mãe. Deus o poupe de uma mãe como a minha.

Franzi a testa e dei uma espiada na porta aberta que dava para o corredor do trem, que continuava vazio, e torci para que alguém aparecesse e me poupasse daquela situação. Nunca tinha ouvido o czar falar daquela maneira, e detestava ouvir sua voz tão cheia de autopiedade e desilusão. Era como se tivesse se transformado num daqueles bêbados melancólicos que a gente encontra na rua tarde da noite, cheios de ressentimento contra quem eles pensam que destruíram suas vidas, desesperados que alguém escute suas tristes histórias.

— Casei com Florzinha uma semana depois que ele morreu — continuou o czar, tamborilando ritmicamente os dedos na escrivaninha. — Parece uma época totalmente diferente. Quando entramos em Moscou para a coroação, as multidões... vieram de toda a Rússia para nos ver. O povo nos amava, entende? Nem parece que faz tanto tempo, mas pelo visto faz. Mais de vinte anos. Difícil de acreditar, não é?

Sorri e assenti, embora na verdade me parecesse um tempo enorme. Eu tinha apenas dezoito anos, afinal, e nunca conhecera uma Rússia sem Nicolau II no comando. Vinte anos era mais do que uma vida — mais do que a minha, pelo menos.

— Você não devia estar aqui hoje — disse um pouco depois, levantando-se e me olhando. — Lamento tê-lo trazido.

— O senhor quer que eu me retire?

— Não, não foi isso que eu quis dizer. — Sua voz se alteou de repente e adquiriu um tom queixoso. — Por que as pessoas nunca me entendem direito? Só quis dizer que foi injusto de minha parte trazê-lo para cá. É porque confio em você. Entende isso, Geórgui?

Anuí, sem saber o que ele pretendia de mim, e respondi:

— Claro. E sinto-me honrado com isso.

— Pensei que, se você salvou a vida de um Romanov chamado Nicolau, talvez pudesse salvar outro. Uma fantasia supersticiosa. Mas eu estava enganado, não é mesmo?

— Majestade, nenhum assassino se aproximará do senhor enquanto eu estiver aqui.

Ele riu a essas palavras e abanou a cabeça.

— Também não foi isso que eu quis dizer. De forma alguma.

— Mas...

— Você não pode me salvar, Geórgui. Ninguém pode. Eu devia tê-lo mandado para Czarskoe Selo. Lá é muito bonito, não é?

Engoli e estava a ponto de sugerir que ainda poderia fazer isso — afinal, era onde estava Anastácia —, mas segurei a língua. Não iria desertá-lo. Eu podia ser um rapazola, mas já era homem suficiente para saber disso.

— Majestade, o senhor parece aflito — disse adiantando-me até ele. — Há algo que... talvez se todos nós sairmos deste lugar? O trem está parado aqui faz dois dias. Estamos no meio do nada, senhor.

Ele riu a isso e sacudiu a cabeça enquanto se apoiava num canapé.

— No meio do nada... Você tem razão.

— Posso mandar um dos soldados até a vila mais próxima para chamar um médico.

— E por que eu haveria de querer um médico? Não estou doente.

— Mas, senhor...

— Geórgui — atalhou ele, massageando com os dedos as olheiras escuras. — O general Ruzski vai voltar dentro de poucos minutos. Sabe por que ele está aqui?

— Não, senhor.

O general tinha passado várias horas com o czar. Não presenciei nenhuma das conversas entre eles, mas, pelas paredes de madeira, ouvi as vozes alteradas e depois o silêncio.

Na hora da saída, o general tinha ido embora com uma expressão que mesclava ansiedade e alívio. Deixei o czar sozinho com seus pensamentos por quase uma hora, mas fiquei preocupado e foi então que entrei para ver se precisava de alguma coisa.

— Ele vai me trazer alguns documentos para assinar. Quando assinar esses papéis, vai ocorrer uma grande mudança na Rússia. Algo que jamais imaginei que pudesse acontecer. Não enquanto estivesse vivo.

— Sim, senhor — dei a resposta-padrão, pois mesmo quando o czar falava dessa maneira, considerava-se falta de educação perguntar do que se tratava. O certo era esperar que ele, se quisesse, desse maiores informações.

— Você soube do Palácio de Inverno, não soube?
— Não, Majestade.
— Foi ocupado — disse num leve sorriso. — O governo. Seu governo. Meu governo. Tiraram de mim. Agora está sob o comando da Duma, pelo que me informaram. Quem sabe o que vai se tornar. Daqui a alguns anos será um hotel, talvez. Ou um museu. Nossos salões oficiais serão lojas de lembranças turísticas. Nossas salas de visita serão usadas para vender bolinhos e biscoitos.

— Isso jamais acontecerá — respondi, chocado em imaginar o palácio sob o controle de qualquer outra pessoa além dele. — É sua casa.

— Mas não tenho mais casa. Não há para mim nenhum lugar em São Petersburgo, quanto a isso não resta dúvida. Mesmo que eu quisesse pensar em voltar...

Uma batida à porta interrompeu sua frase. Olhei de relance para ela e de novo para o czar; ele soltou um suspiro fundo, deu seu assentimento e fui abri-la. Lá estava o general Ruzski, com um grosso pergaminho na mão. Magro, grisalho, com um denso bigode preto, ele entrava e saía constantemente do trem desde que havíamos parado ali dois dias antes, e nunca fez qualquer menção de me reconhecer, embora eu estivesse presente à maior parte de seus encontros com o czar. Mesmo agora, ele passou roçando por mim sem uma palavra e entrou depressa no gabinete, cumprimentou Nicolau com um rápido aceno de cabeça e colocou o documento diante dele. Virei-me para sair, mas nisso o czar ergueu os olhos e levantou a mão.

— Não vá, Geórgui. Creio que precisaremos de uma testemunha, não é, general?

— Bem... sim, senhor — respondeu o general com grosseria, observando-me de cima a baixo como se nunca tivesse visto um ser humano tão ínfimo. — Mas penso que um guarda-costas dificilmente seria a pessoa adequada, não é mesmo? Posso mandar chamar um de meus tenentes.

— Não tem importância — replicou o czar. — Geórgui servirá da mesma forma. Sente-se.

Tomei assento no canto do vagão, empenhando-me ao máximo para não aparecer. Por fim, depois de examinar cuidadosamente o documento, o czar disse:

— Então, general, aqui consta tudo o que combinamos?

— Sim, senhor — respondeu Ruzski, agora também se sentando. — Falta apenas sua assinatura.

— E minha família? Ficará a salvo?

— Atualmente seus familiares estão sob proteção do exército do governo provisório em Czarskoe Selo — disse cautelosamente o general. — Não lhes acontecerá nenhum dano, prometo.

— E minha esposa? — perguntou o czar com a voz se quebrantando um pouco. — Você garante a segurança dela?

— Mas claro. Ela ainda é a czarina.

— Sim, é — respondeu o czar, agora sorrindo. — Por enquanto. Notei seus termos, general, ao dizer que minha família está "sob proteção". É um eufemismo para "prisão"?

— A situação deles ainda não está definida, senhor — respondeu o general.

Fiquei chocado com a resposta. Quem era ele para falar

ao czar dessa maneira? Era infame. E fiquei indignado à ideia de que Anastácia estivesse sob vigilância de algum membro do governo provisório. Era uma grã-duquesa imperial, afinal, a filha, a neta, a bisneta dos ungidos por Deus.

— Há um outro assunto — retomou o czar após uma longa pausa. — Desde a última vez em que falamos, mudei de ideia num certo aspecto.

— Senhor, já discutimos isso — falou o general em voz cansada. — Não há hipótese de...

— Não, não — o czar meneou a cabeça. — Não é o que você está pensando. Está relacionado com a sucessão.

— Sucessão? Mas o senhor já decidiu a esse respeito. Vai abdicar em favor de seu filho, o czarévichi Alexei.

Ao ouvir tais palavras, dei um salto à frente em minha cadeira, contendo-me para não soltar uma exclamação horrorizada. Seria isso mesmo? O czar ia renunciar ao trono? E depressa entendi que sim. Eu sabia que a situação chegaria a esse ponto. Todos nós sabíamos. Eu apenas não queria enfrentar o fato.

— Nós... e por "nós" quero dizer minha família mais próxima — minha esposa, meus filhos e eu —, seremos exilados invocando-se este instrumento legal, não é?

O general hesitou por um brevíssimo instante e assentiu.

— Sim, senhor. Será impossível garantir sua segurança na Rússia. Seus parentes na Europa, talvez...

— Sim, sim — atalhou o czar. — Primo Georgie e todos eles. Sei que nos receberão. Mas se Alexei for czar, ele será obrigado a ficar na Rússia, sem a família?

— Sim, é o desdobramento mais provável.

O czar anuiu.

— Então quero acrescentar uma cláusula ao documento. Desejo renunciar não só às minhas pretensões ao trono, mas também às de meu filho. A coroa pode passar para meu irmão Miguel.

O general voltou a se sentar e cofiou o bigode por alguns instantes.

— Majestade, o senhor considera isso prudente? O menino não merece uma oportunidade para...

— O menino — cortou rispidamente o czar —, como você bem diz, é apenas um menino. Tem apenas doze anos de idade. E não está bem de saúde. Não posso permitir que seja separado de Florzinha e de mim. Faça a alteração, general, e assinarei o documento. Então talvez eu tenha um pouco de paz. Pelo menos isso eu mereço depois de todos esses anos, não concorda?

O general Ruzski teve um breve momento de hesitação, assentiu e rascunhou alguma coisa na página enquanto o czar olhava pela janela. Concentrei meus olhos nele, na esperança de que ele percebesse e me olhasse de volta, para que eu pudesse lhe oferecer alguma expressão de apoio. Mas ele continuou virado de costas até que o general lhe murmurou alguma coisa. Então Nicolau pegou o papel, examinou e assinou.

Depois disso, continuamos imóveis até que o czar se levantou.

— Agora podem se retirar, ambos, por favor — disse em voz baixa.

O general e eu saímos e fechamos a porta atrás de nós.

Lá dentro ficou o último czar entregue a seus pensamentos, lembranças e pesares.

1922

Meu patrão parisiense, monsieur Ferré, estava aborrecido com minhas constantes ausências no serviço, mas esperou que o último cliente saísse da livraria e me chamou de lado para expor seu desagrado. Ele tinha demonstrado seu descontentamento ao longo do dia, fazendo vários comentários sarcásticos sobre minha pontualidade e não me deixando tirar o intervalo normal da tarde, alegando que já tinha sido tolerante demais comigo. Tentei conversar com ele no final da tarde, mas ele me pôs de lado como se afastasse uma mosca e disse com todas as letras que não tinha tempo para falar comigo naquele momento, pois estava fechando as contas do mês e conversaria mais tarde, depois do expediente. Sem insistir na conversa, fui cuidar da seção de história da livraria até a hora combinada e fingi estar tão absorvido no trabalho que não respondi quando ele me chamou. Por fim, ele deu a volta na estante, viu-me enfileirando uma série de livros sobre a história dos uniformes militares franceses e quase espumou de raiva.

— Jachmenev, não me ouviu chamar?

— Mil desculpas, senhor — respondi me reerguendo e espanando a poeira das calças. Tive de dobrar um pouco os joelhos na hora em que tentava me endireitar, pois o espaço entre as estantes era espantosamente estreito. Monsieur Ferré fazia questão de manter o maior estoque possível dentro da livraria, mas o resultado era que os livros ficavam apertados demais nas prateleiras, e as estantes eram tão juntas que só dava para uma pessoa por vez consultar os títulos.

— Estava concentrado — acrescentei —, mas havia...

— E se eu fosse um cliente, como ficaria? — indagou em tom agressivo. — Se você estivesse sozinho na loja, escondido como um adolescente folheando um volume de Bellocq, qualquer ladrãozinho podia sair correndo com o caixa do dia, só porque você é incapaz de se concentrar em mais de uma tarefa ao mesmo tempo.

Eu sabia por experiência própria que seria inútil discutir com ele, e que mais valia simplesmente deixar que ele descarregasse sua raiva antes de tentar me defender.

— Peço muitas desculpas, senhor — disse por fim, esforçando-me em parecer contrito. — Tentarei prestar mais atenção no futuro.

— Não se trata apenas de prestar atenção, Jachmenev — disse irritado, abanando a cabeça. — É exatamente sobre isso que eu queria falar. Você há de reconhecer que tenho sido mais do que justo em nossos acertos nestas últimas semanas, não é?

— O senhor tem sido extremamente generoso, e agradeço muito. E minha esposa também.

— Permiti que você deixasse suas obrigações todas as vezes e por todo o tempo que você precisava para superar...

Ele hesitou, sem saber como formular a frase; sem dúvida sentia-se incomodado em ter de conversar sobre o assunto. E por fim disse:

— Superar suas dificuldades recentes. Mas não sou uma instituição de caridade, Jachmenev, entenda isso. Não posso ficar com um funcionário que entra e sai a cada minuto, que não cumpre o horário combinado, que me deixa sozinho na livraria quando tenho muitos outros assuntos para...

Resolvi interrompê-lo e me adiantei um pouco, preocupado que ele me demitisse, o que seria mais um golpe numa época já bastante difícil.

— Senhor, só posso me desculpar por ter sido tão pouco confiável ultimamente, mas de fato acredito que o pior já passou. Zoia se recuperou e volta a trabalhar na segunda-feira. Se o senhor pudesse me oferecer uma segunda chance, prometo que não vou lhe dar mais nenhum motivo de queixa.

Ele me fitou e desviou o olhar, mordiscando o lábio inferior com os dentes da frente, hábito a que sempre se entregava quando se via diante de uma decisão difícil. Eu sabia que seu impulso seria me despedir, que sua intenção era essa, mas estava cedendo a minhas palavras e vacilando em sua avaliação final.

— O senhor não concorda que tenho sido plenamente confiável nos últimos três anos de serviço?

— Você costumava ser um excelente auxiliar, Jachmenev — respondeu em tom decepcionado. — É por isso que todo esse assunto me desapontou tanto. Falei muito bem de você para amigos meus, sabe, outros empresários aqui em Paris. Homens, aliás, que têm opinião nada lisonjeira dos exilados russos em geral. Homens que veem todos vocês como encrenqueiros e revolucionários. Eu falei a eles que você tinha se mostrado um dos funcionários mais confiáveis que já tive a sorte de contratar. Não quero dispensá-lo, meu jovem, mas se for para continuar com você...

— O senhor tem minha palavra de que vou chegar pontualmente no horário, todos os dias, e não vou sair de meu posto o dia todo. Mais uma chance, monsieur Ferré, é só isso que lhe peço. Prometo que o senhor não terá motivos para se arrepender.

Ele refletiu mais um pouco e então balançou o dedinho rechonchudo.

— Só mais uma chance, Jachmenev. Entendeu?

— Sim, senhor.

— Você e sua mulher têm toda a minha solidariedade, o que aconteceu foi terrível, mas é a última vez. Se eu tiver algum motivo para voltar a falar assim com você, acabou-se. Enquanto isso, faça algumas horas extras hoje à noite para compensar. Algumas prateleiras estão uma desgraça. Estive andando pela loja e percebi que o sistema por ordem alfabética quase foi por água abaixo. Não consegui encontrar nada que queria.

— Sim, senhor — disse inclinando levemente a cabeça, um velho hábito que ainda não tinha perdido quando estava diante de alguém com autoridade. — Vou classificar com o maior gosto. E obrigado. Pela segunda chance, quero dizer.

Ele anuiu e voltei aliviado para meu trabalho, pois o emprego na livraria era agradável e eu achava estimulante estar rodeado por tanta cultura e erudição. O mais importante, porém, é que eu não poderia me dar ao luxo de perder aquela fonte de rendimento, por pequena que fosse. As pequenas economias que tínhamos feito desde nossa chegada a Paris, mais de três anos antes, tinham se reduzido consideravelmente nas últimas cinco semanas, por causa das despesas médicas com o aborto espontâneo de Zoia, sem mencionar a perda temporária de nossa segunda fonte de renda, e eu tremia em pensar no que aconteceria conosco se eu fosse demitido. Decidi não dar nenhum outro motivo a monsieur Ferré pensar mal de mim.

Eu soube da prisão de Leo quando Zoia apareceu na livraria, com uma palidez cinérea, no final de uma tarde de novembro, quando já fazia um frio revigorante e as árvores tinham perdido as folhas. Eu estava atrás do balcão, examinando uma série de manuais de anatomia que monsieur Ferré, por alguma razão inexplicável, havia arrematado num leilão poucos dias antes, quando o sininho em cima da porta tilintou e instintivamente me retraí, esperando o vento gelado que entraria na loja e me daria uma fisgada no nariz e nas orelhas. Olhei e fiquei surpreso ao ver minha mulher, embrulhada no casaco, um cachecol de tricô que ela mesma tinha feito frouxamente enrolado no pescoço.

— Zoia — falei, aliviado porque meu patrão já tinha ido para casa, pois certamente não gostaria de me ver recebendo visitas pessoais. — O que aconteceu? Você está branca feito um fantasma.

Ela meneou a cabeça, hesitando um pouco enquanto recuperava o fôlego, e meu espírito ficou vagando entre as possibilidades do que teria ocorrido. Agora fazia quase três meses que ela perdera o bebê e, embora ainda deprimida, tinha começado a reencontrar alegria em nossa vida diária. Apenas algumas noites antes voltamos a fazer amor desde a perda; foi terno e afetuoso, e depois mantive-a nos braços, e ali ela ficou imóvel, de vez em quando me beijando com meiguice, por fim estancando as lágrimas, substituídas pela promessa de esperança. Fiquei apavorado em pensar que ela estivesse passando mal de novo, mas, ao ver meu pânico, logo ela afastou meus temores.

— Não sou eu. Estou bem.
— Graças a Deus. Mas você parece muito aflita. O que...
— É Leo. Foi preso.

Arregalei os olhos de surpresa, mas não pude conter um sorriso, imaginando em que problema teria agora se metido nosso caro amigo, pois o drama e a emoção não lhe eram estranhos.

— Preso? Mas por quê? O que ele terá feito?
— É inacreditável — respondeu ela, e vi em seu rosto que se tratava de um assunto muito mais sério do que eu tinha imaginado a princípio. — Geórgui, ele matou um policial.

De queixo caído, senti uma leve tontura a essas palavras. Leo e a namorada Sophie eram nossos amigos mais próximos em Paris, os primeiros que tínhamos feito na cidade. Jantamos juntos em inúmeras ocasiões, ficamos bêbados incontáveis vezes, ríamos, brincávamos e, acima de tudo, discutíamos política. Leo era um sonhador, um idealista, um romântico, um revolucionário; ao mesmo tempo espirituoso e exasperante, apaixonado e irritadiço, generoso e namorador. Não havia adjetivos suficientes para descrever aquele homem extraordinário, e quantas vezes Zoia e eu nos despedimos dele encantados ou jurando que nunca mais queríamos vê-lo. Ele tinha tudo o que caracteriza a juventude: era um homem repleto de lirismo, arte, ambição e determinação. Mas não era assassino. Não trazia em si o mais tênue laivo de violência.

— Não é possível — protestei fitando-a atônito. — Deve ter sido algum engano.

— Há testemunhas — disse ela, sentando e afundando o rosto entre as mãos. — Várias, parece. Não sei exatamente o que aconteceu. Só que está detido na delegacia e não há hipótese de o soltarem.

Apoiei-me no balcão e pus-me a refletir em silêncio. Era quase impossível acreditar. A simples ideia de tal violência me repugnava e, tinha certeza, a ele também. Leo pregava um evangelho de pacifismo e compreensão, mesmo que de vez em quando suas ideias revolucionárias o levassem a citar precedentes históricos de selvageria proletária. De minha parte, eu deixara essas coisas para trás, em outro lugar, em outro país. E falei:

— Conte o que aconteceu. Conte tudo o que sabe.

— Sei muito pouco — respondeu minha mulher, com uma voz estrangulada indicando que ela também pensara que tais acontecimentos não fariam mais parte de nossa vida. — Foi uma hora atrás. Sophie e eu estávamos trabalhando como sempre, terminando dois vestidos que precisavam ficar prontos até o final do dia, costurando um acabamento de renda para colocar na gola, quando um homem entrou na oficina, muito alto, muito sério. Fiquei sem saber o que pensar ao vê-lo ali. Geórgui, lá na oficina às vezes passamos um mês inteiro sem ver ninguém entrar. Fico com vergonha de admitir, mas, quando o vi, quando notei sua expressão séria, seu olhar decidido, achei... por um instante achei...

— Que tínhamos sido descobertos?

Ela assentiu e retomou o relato.

— Olhei para ele surpresa e ia perguntar no que podíamos ajudá-lo, quando ele simplesmente apontou o dedo para meu rosto, tão alto que parecia um revólver, e achei que eu ia desmaiar. Então me perguntou: "Sophie Tambleau?". Eu estava tão nervosa que fiquei quieta. E aí ele repetiu: "Você é Sophie Tambleau?". Antes que eu pudesse dizer qualquer coisa, Sophie se adiantou, entre curiosa e preocupada, e se apresentou. "Sophie Tambleau sou eu. No que posso ajudá-lo?". Ele disse: "Em nada. Trouxe-lhe um recado, só isso". Ela perguntou: "Um recado?", deu uma risadinha e olhou para mim. Também comecei a sorrir aliviada, mas a situação era extraordinária. Nunca ninguém nos mandava recados... "Você é a esposa por união consensual de Leo Raymer?" Sophie ergueu os ombros. A expressão era ridícula, mas, de qualquer forma, ela assentiu. "Monsieur Raymer está detido na delegacia da rue de Clignancourt. Foi preso." Ela exclamou: "Preso?!", e o homem confirmou, dizendo que ele tinha matado um policial naquela tarde, estava detido aguardando julgamento e tinha pedido que alguém fosse dar o recado a Sophie, contando o que havia acontecido.

Assombrado com o que Zoia me contava, exclamei:

— Mas Leo! *Nosso* Leo? Como ele iria matar alguém? Por que faria uma coisa dessas?

— Não sei, Geórgui — respondeu ela, agora se levantando e andando pela loja com ar frustrado. — Só sei o que acabei de contar. Sophie foi vê-lo imediatamente. Falei que eu viria aqui avisá-lo e que iríamos juntos até lá. Fiz bem, não é?

— Claro — respondi pegando as chaves da livraria, desconsiderando o fato de que só deveria fechar a loja dali a uma hora, pelo menos. — Claro que temos de ir, nossos amigos estão enrascados.

Saímos para a rua e tranquei a porta, praguejando por ter esquecido de trazer luvas, pois o vento soprava tão forte que, poucos instantes depois, podia sentir o rosto ardendo de frio. Enquanto andávamos depressa para a delegacia, fiquei pensando em meu caro amigo, trancado em alguma cela devido a um crime horrível; mesmo assim, não pude deixar de me sentir tão aliviado quanto Zoia pelo fato de que aquele senhor procurava Sophie, e não nós.

Fazia apenas quatro anos que havíamos deixado a Rússia. Eu ainda acreditava que, algum dia, eles nos apanhariam.

Não fomos autorizados a ver Leo, e nenhum dos policiais ali presentes soube nos dizer alguma coisa sobre as circunstâncias que haviam resultado naquela prisão. O sargento idoso à mesa de atendimento me olhou com profundo desdém ao ouvir meu sotaque, parecendo absolutamente indisposto a responder minhas perguntas, apenas grunhindo e dando de ombros a cada indagação que eu fazia, como se me responder fosse degradá-lo. Era raro Zoia e eu nos depararmos com alguma hostilidade de fundo racial na cidade — afinal, devido à guerra, Paris ficou repleta de gente de todas as nacionalidades —, mas de vez em quando era visível um certo ressentimento entre aqueles cidadãos franceses mais idosos que não gostavam que sua capital tivesse sido invadida por tantos exilados europeus e russos.

— Vocês não são parentes — disse o sargento, mal me olhando e continuando a fazer suas palavras cruzadas. — Não posso falar nada.

— Mas somos amigos — protestei. — Monsieur Raymer foi meu padrinho de casamento. Nossas esposas trabalham juntas. Certamente o senhor pode...

Nesse instante, uma porta à esquerda se abriu e Sophie apareceu, o rosto branco como cal, tentando desesperadamente conter as lágrimas, seguida por outro policial. Ela pareceu surpresa, mas grata, ao nos ver à sua espera, e ensaiou um breve sorriso enquanto ia para a saída.

— Sophie — chamou Zoia, seguindo-a no escuro; tinha anoitecido e felizmente o vento diminuíra. — Sophie, o que houve? O que está acontecendo? Onde está Leo?

Ela moveu a cabeça como se não conseguisse encontrar palavras para explicar o ocorrido. Então atravessamos a rua

com ela, até um bar próximo, pedimos três cafés e por fim ela reuniu forças para contar o que lhe haviam dito.
— Foi a coisa mais ridícula. Apenas um acidente. Um acidente estúpido. Mas eles dizem que, como foi um policial que foi morto...
— Morto? — indaguei chocado com a palavra brutal, com seu som grave e desagradável. — Por Leo? Impossível! Conte o que houve exatamente.
— Ele saiu de manhã, como de costume — iniciou ela suspirando, como se não conseguisse crer que um dia iniciado de maneira tão banal pudesse terminar de modo tão dramático. — Saiu cedo do apartamento, esperando encontrar um bom local para instalar o cavalete. Com esse tempo horrível, diminuem as oportunidades para os retratistas. As pessoas, em sua maioria, não querem ficar sentadas meia hora numa cadeira numa rua ventosa enquanto ele pinta suas fisionomias. Leo foi para os lados de Sacré-Coeur, onde certamente haveria muitos turistas. Ultimamente andávamos com alguns problemas de dinheiro — reconheceu ela. — Não a ponto de criar demasiada preocupação, entendem, mas não podíamos nos dar ao luxo de perder um dia de trabalho. Tem sido difícil.
— Está difícil para todo mundo — comentei em voz baixa. — Mas você sabe que poderiam nos procurar se precisassem de ajuda, não é?
Não era certo dizer isso. A verdade era que, se Leo ou Sophie tivesse pedido auxílio a Zoia ou a mim, não teríamos condições de atender. Sugerir outra coisa era arrogância de minha parte. Zoia também sabia disso e me olhou com a testa franzida, e baixei a cabeça, constrangido com minha bravata.
— Bondade sua dizer isso, Geórgui — respondeu Sophie, que muito provavelmente sabia que nossas condições financeiras eram praticamente iguais às deles. — Mas não tínhamos chegado ao ponto de precisar recorrer à caridade dos amigos.

— Leo — disse Zoia brandamente, pousando a mão na mão de Sophie, que começara a tremer ligeiramente quando sentamos ali. — Conte sobre Leo.

— Havia mais gente na Sacré-Coeur do que ele esperava — retomou ela. — Vários artistas tinham armado os cavaletes e todos tentavam convencer algum turista a posar. Havia uma senhora de idade sentada na grama, dando de comer aos passarinhos...

— Com este tempo? — atalhei surpreso. — Ia morrer congelada.

— Você sabe como essas velhotas são rijas — respondeu dando de ombros. — Sentam lá, no inverno e no verão, faça chuva, faça sol. Não se incomodam com o tempo.

Era verdade. Mais de uma vez eu já notara a quantidade de parisienses idosos que passavam as manhãs e as tardes nas margens relvadas diante da basílica, distribuindo migalhas de pão para as aves. Era como se achassem que sem eles o mundo aviário enfrentaria a extinção. Nem três semanas antes, eu tinha visto um senhor com uns oitenta anos de idade, um velho seco e mirrado cujo rosto era uma rede de sulcos, rugas e pregas, sentado com os braços estendidos e um bando de passarinhos pousados nele. Fiquei sentado ali, observando-o por quase uma hora, e durante todo aquele tempo o homem se manteve absolutamente imóvel; se não estivesse com os braços estendidos daquela maneira, eu o tomaria por um cadáver.

— Um outro artista — retomou Sophie —, alguém novo em Paris, alguém que Leo nunca tinha visto antes, chegou e decidiu que ia se posicionar exatamente no lugar onde aquela senhora estava sentada. Ele pediu a ela que saísse; ela disse que não. Ele falou que queria pintar ali; ela respondeu que fosse plantar batatas. Trocaram palavras ríspidas, imagino, e então o homem tentou erguer a mulher de onde ela estava, pondo-a de pé à força, ignorando seus gritos de protesto.

— De onde ele era? — indagou Zoia, e fitei-a surpreso

com a pergunta. Desconfio que ela estava torcendo que não fosse de nosso país.

— Leo acha que da Espanha ou talvez de Portugal — respondeu Sophie. — Seja como for, ele viu esse absurdo acontecendo e vocês sabem como Leo é, não tolera ver tanta falta de consideração.

Era verdade. Leo era famoso por tocar o chapéu cumprimentando senhoras de idade na rua, encantando-as com o sorriso largo e o ar amistoso. Puxava as cadeiras para elas nos cafés e ajudava-as com as sacolas quando estavam indo na mesma direção. Via-se como representante da antiga ordem da cavalaria, um dos últimos indivíduos nos anos 1920 em Paris que pertencia àquela antiga confraria.

— Ele avançou e agarrou o espanhol, girando-o para si e repreendendo-o pela falta de educação com a mulher. E começou a briga, claro. Trocaram empurrões e impropérios — sabe-se lá o nível de infantilidade da coisa. E estavam aos berros. Leo gritava no volume máximo de sua voz, xingando o outro de todos os nomes que lhe passavam pela cabeça e, pelo que eu soube, o espanhol deu o troco. As coisas estavam para ficar ainda mais pretas quando apareceu um policial, que separou os dois, gesto que aumentou ainda mais a raiva de Leo.

Sophie parou para tomar fôlego e retomou:

— Ele acusou o jovem policial de tomar o partido de um estrangeiro contra um compatriota, e com isso começou o bate-boca. E vocês sabem como ele fica quando é confrontado por alguma autoridade. Deve ter começado a criticar, a soltar suas opiniões sobre *les gardiens de la paix* e, antes que alguém conseguisse controlar a situação, Leo deu um soco no nariz do espanhol e outro na face do policial, um depois do outro.

— Deus do céu! — exclamei, tentando imaginar seu punho fechado esmagando a fuça de um, recuando e se preparando para esmurrar o outro. Leo era forte; não queria ser eu o destinatário daqueles golpes.

— Aí, claro, depois disso, o policial não tinha outra escolha a não ser prendê-lo, mas Leo tentou escapar, talvez para sair correndo, empurrando-o de lado. Infelizmente, ao receber o empurrão, o policial escorregou e se desequilibrou nos degraus. Foi rolando uns quinze, vinte degraus até o patamar seguinte da escada, onde se estatelou fragorosamente, rachando o crânio nas pedras. Quando Leo desceu correndo para ajudá-lo, já estava com os olhos parados fitando o céu. Estava morto.

Ficamos sentados em silêncio e olhei Zoia, no outro lado da mesa, que estava pálida, comprimindo as maxilas como se temesse a reação que teria se desse vazão a suas emoções. Qualquer ideia de violência, de morte, do momento final de uma vida bastava para afetá-la e perturbá-la, para lhe trazer à mente as terríveis lembranças do passado. Ambos ficamos calados e esperamos que Sophie, a qual agora parecia mais calma ao nos expor o acontecido, prosseguisse o relato.

— Ele tentou fugir. E claro que isso só piorou as coisas. Acho que conseguiu ir longe. Correu pela rue de la Bonne, atravessou e entrou na St. Vincent, depois deu meia-volta, indo para St. Pierre de Montmartre...

Respirei fundo ao ouvir isso; meu primeiro lar em Paris tinha sido lá, e o apartamento que Zoia e eu ocupávamos desde nosso casamento ficava na rue Cortot, próxima de St. Pierre; perguntei-me se Leo pretendia buscar refúgio em nossa casa.

— ... mas a essas alturas havia seis ou sete policiais em seu encalço, apitos soando em todas as ruas, e eles o agarraram, deram-lhe uma rasteira e o derrubaram no chão. Oh, Zoia — gemeu Sophie, buscando consolo da amiga. — Espancaram-no brutalmente, também. Está com um dos olhos totalmente fechado e uma das faces quase roxa de tão machucada. Vocês mal o reconheceriam se o vissem. Dizem que foi necessário para contê-lo, mas não pode ter sido.

— Foi um terrível acidente — disse Zoia com firmeza.

— Certamente vão reconhecer isso. E por causa de uma coisa tão trivial, também. O espanhol tinha tanta culpa quanto ele.

— Eles não veem assim — disse Sophie, abanando a cabeça e recomeçando a chorar, soluços fundos vindo do peito, as emoções que tinham se acalmado agora finalmente vencidas pela percepção do que tinha acontecido. — Eles veem como assassinato. Vai enfrentar julgamento. Pode ficar anos preso — a vida toda, talvez. Mesmo que seja libertado, certamente não será mais jovem. E não posso viver sem ele, entendem? — acrescentou quase histérica. — Não posso viver sem ele.

Vi o dono do lugar olhando para nós com ar desconfiado, torcendo para que fôssemos embora logo. Pigarreou audivelmente e lhe acenei com a cabeça, larguei alguns francos na mesa e levantamos.

Levamos Sophie para nosso apartamento, onde lhe demos dois grandes goles de conhaque e dissemos que fosse descansar em nosso quarto. Ela obedeceu sem protestar e logo adormeceu, embora pudéssemos ouvir que se agitava incessantemente na cama.

— Ele não pode ir para a cadeia — disse Zoia, quando ficamos a sós. Estávamos sentados à mesinha da cozinha, tentando descobrir uma maneira de ajudar a ambos. — É inconcebível. Deve haver alguma maneira de salvá-lo.

Assenti, mas não disse nada. Estava preocupado com Leo, claro que estava, mas o que me inquietava não era a perspectiva de ser enviado para a prisão. Era algo pior. Afinal, ele era responsável pela morte de um membro da polícia francesa. Acidente ou não, esses assuntos eram levados a sério. A pena podia ser mais severa do que Zoia ou Sophie estavam dispostas a considerar naquele momento.

O julgamento de Leo Raymer teve início três semanas depois, na segunda semana de dezembro, e durou apenas trinta e seis horas. Começou numa terça-feira de manhã e na hora do almoço de quarta o júri apresentou o veredicto.

Sophie havia ficado alguns dias em nosso apartamento, após o acontecido, mas depois voltou para casa, dizendo que não fazia sentido dormir em nosso leito e ficar à noite entre nossas pernas, se tinha uma ótima cama, embora solitária, a menos de quatro ruas de distância. Levantamos um mínimo de protestos e deixamos que fosse, mas passávamos todos os serões com ela, fosse em seu ou em nosso apartamento, ou, quando podíamos, num dos tantos cafés espalhados nas vizinhanças.

No começo, ela parecia à beira da histeria em relação à sequência dos fatos ocorridos; depois ficou mais forte e mais otimista, decidida a fazer de tudo para obter a soltura de Leo. Logo depois ficou deprimida, e depois zangada com o namorado por ter causado todo aquele problema. Quando se iniciou o julgamento, ela estava exausta de tantas emoções, com olheiras por falta de dormir. Fiquei preocupado com a reação que ela teria se o julgamento não tivesse um desfecho feliz.

Pedi a monsieur Ferré um dia de licença na terça-feira em que começou o julgamento, e pelo jeito tive o azar de pegá-lo numa hora ruim, pois ele jogou a caneta na mesa, soltando um espirro de tinta que me fez dar um salto para trás, e me encarou bufando.

— Um dia de folga durante a semana, Jachmenev? *Mais* um? Eu achava que tínhamos chegado a um acordo.

— Chegamos, sim, senhor — respondi, sem imaginar que ele iria reagir com tanta violência a meu simples pedido. Eu tinha sido um funcionário exemplar desde aquela repreensão e pensei que ele permitiria de bom grado que eu me ausentasse do trabalho por apenas um dia. — Lamento pedir, somente...

— Sua esposa precisa entender que o mundo não...

— Não é minha esposa, monsieur Ferré — atalhei depressa, irritado com sua audácia em criticar Zoia. — Não tem nada a ver com o que aconteceu meses atrás. Creio que comentei com o senhor sobre meu amigo, monsieur Raymer.

— Ah, o assassino — disse ele num meio sorriso. — Estou lembrado. E naturalmente li sobre o caso nos jornais.

— Leo não é assassino. Foi um terrível acidente.

— Em que um homem morreu.

— Sim.

— E não só um homem, mas um homem cuja responsabilidade era proteger os cidadãos. Seu amigo vai ter dificuldade em sair da prisão, imagino eu. A opinião pública está contra.

Assenti e tentei controlar minhas emoções; ele estava apenas repetindo o que eu já sabia.

— Posso tirar o dia de licença ou não? — retomei, encarando-o fixamente, sustentando o olhar dele enquanto fui capaz, até que finalmente ele cedeu e lançou as mãos ao ar num gesto de rendição.

— Está bem, está bem. Pode tirar um dia. Não remunerado, claro. E se houver jornalistas no tribunal, como certamente haverá, não diga a eles que você trabalha aqui. Não quero minha livraria associada a um assunto tão sórdido.

Aceitei seus termos, e na manhã em que começou o julgamento fui com Zoia e Sophie até o tribunal, e lá sentamos na galeria, cientes de que todos os olhos estavam postos em nós. Eu sabia que isso incomodava Zoia e peguei sua mão, apertando-a duas vezes para dar sorte.

— Não gosto de toda essa atenção — falou baixinho. — Um repórter no caminho pediu que eu me identificasse.

— Você não é obrigada a dizer nada — respondi. — Nenhum de nós. E lembre, eles não estão realmente interessados em nós. Querem Sophie.

Embora me achasse insensível ao fazer essa observação, era verdade, e eu queria assegurar à minha mulher que estávamos a salvo. Talvez, se ela acreditasse, eu também acreditaria.

O tribunal estava cheio de espectadores interessados; não demorou muito, abriu-se uma porta e entre os bancos ouviu-se o público prendendo a respiração, quando Leo entrou cercado por vários policiais. Ele percorreu a sala com um rápido olhar, procurando por nós e, ao nos ver, deu um sorriso corajoso que, eu tinha certeza, era para disfarçar o nervosismo que estava sentindo. Parecia mais pálido e mais magro do que a última vez em que eu o vira — na noite anterior ao episódio, quando estávamos só nós dois num bar, encharcando-nos de vinho tinto, e ele me disse que pretendia pedir Sophie em casamento no Natal, coisa que ela ainda não sabia —, mas ele se conduziu bravamente, olhando em frente enquanto liam a acusação e declarando-se em voz clara "inocente".

A manhã foi dedicada a uma série de discussões jurídicas tediosas entre o juiz, o promotor e o advogado de defesa designado pela corte para representar nosso amigo. Mas no final da tarde a sessão foi mais interessante, com a convocação de várias testemunhas para depor, inclusive a senhora de idade que o espanhol tentara remover de seu lugar. Ela fez o elogio de Leo, claro, e responsabilizou o policial pelo acidente — bem como o espanhol, que foi desnecessariamente duro ao acusar Leo, talvez por causa de seu amor-próprio ferido. Foram ouvidas mais algumas pessoas, que estavam nos degraus de Sacré-Coeur na hora do incidente e tinham dado seus nomes aos investigadores. Uma senhora que estava a poucos centímetros de distância quando o policial caiu e morreu. O médico que foi o primeiro a examiná-lo. O médico-legista.

— Decorreu bem, não acha? — Sophie me perguntou naquela noite, e fiz sinal de concordância, achando que não havia nada a perder com uma mentirinha de consolo.

— Alguns depoimentos foram úteis — concedi, sem acrescentar que a maioria deles apresentava Leo como sujeito impetuoso e briguento, e que seu comportamento impulsivo levara à morte de um jovem honesto e inocente.

— Vai dar tudo certo amanhã — disse Zoia, abraçando-a em despedida. — Tenho certeza.

Mais tarde brigamos, e foi a primeira vez em que Zoia e

eu levantamos a voz entre nós. Eu pretendia ir ao tribunal, claro, mas fiz o erro de comentar que provavelmente monsieur Ferré se zangaria muito se eu faltasse mais um dia ao trabalho, e ela tomou essa minha preocupação com nosso futuro como egoísmo e falta de consideração com nossos amigos, acusação que me deixou magoado e perturbado.

Mais tarde, depois de fazermos as pazes — tão estranho lembrar, nós dois choramos, tão desacostumados éramos a discutir entre nós —, deitamos e alertei Zoia, dizendo que devia se preparar para o que vinha pela frente e que a questão talvez não se encerrasse como gostaríamos.

Ela não respondeu nada, apenas se virou para dormir, mas eu sabia que não era ingênua a ponto de não reconhecer a verdade em minha advertência.

Ocupamos os mesmos assentos do dia anterior, e dessa vez a sala do tribunal estava lotada para ouvir o depoimento de Leo. Ele começou nervoso, mas logo recuperou sua firmeza habitual e deu um espetáculo oratório admirável que me fez pensar por um instante que talvez ainda conseguisse se salvar. Apresentou-se como um herói do povo, um jovem que não poderia ficar impassível ao ver uma senhora de idade — uma *francesa* idosa, frisou — insultada e destratada por um hóspede em seu país. Falou de sua grande admiração pelo trabalho dos policiais, e disse que viu o jovem se desequilibrar e lhe estendeu uma mão para segurá-lo, e não para empurrá-lo, mas era tarde demais. Ele tinha caído. Todos na sala do tribunal mantiveram silêncio absoluto enquanto ele falava e, ao descer do banco de testemunhas, ele relanceou os olhos para Sophie, que lhe deu um sorriso nervoso; Leo devolveu o sorriso e retomou seu assento entre os policiais que o acompanhavam.

A última testemunha, porém, foi a mãe do jovem policial, a qual narrou seus movimentos naquela manhã e pintou o filho — talvez muito apropriadamente — como um santo em potencial. Falou com orgulho e dignidade, cedendo apenas uma vez às lágrimas, e ao final de seu depoimento não tive muitas dúvidas sobre o desfecho.

Uma hora depois, o corpo de jurados retornou com o veredicto de culpado de assassinato e, enquanto a assistência irrompia em aplausos espontâneos, Sophie se pôs de pé num salto e desmaiou imediatamente, cabendo a Zoia e a mim transportá-la para o corredor.

— Não pode ser, não pode ser — dizia ela estupefata ao recuperar a consciência, sentada num dos bancos de pedra fria que se enfileiravam nas paredes externas do tribunal. — Ele é inocente. Não podem tirá-lo de mim.

Agora Zoia também chorava e as duas mulheres se abraçaram, abaladas por fortes tremores. Senti as lágrimas se formarem em meus olhos. Era demais para mim. Levantei, para que não me vissem ceder.

— Vou voltar para dentro — falei rapidamente, dando-lhes as costas. — Vou ver o que vem a seguir.

Entrando de novo na sala do tribunal, tive de me acotovelar entre as pessoas para conseguir um lugar de onde pudesse enxergar o que se passava. Leo estava de pé, um policial de cada lado, com o rosto branco, olhando todos como se não conseguisse acreditar no que tinha acontecido, certo de que seria liberado a qualquer momento com um pedido de desculpas do tribunal. Mas não era isso o que ia acontecer.

O juiz bateu com o martelo na tribuna, pedindo silêncio, e passou para a sentença.

Ao sair dali pouco depois, achei que ia vomitar. Saí correndo para fora, para encher os pulmões com o máximo de ar possível, e ao fazer isso voltou-me todo o horror do que eu acabara de ouvir. Tive de me apoiar com a mão na parede, para não desmoronar e não passar vergonha.

Zoia e Sophie, a alguns metros de mim, viraram e pararam de chorar por um momento, enquanto me fitavam.

— O que foi? — perguntou Sophie correndo em minha direção. — Geórgui, fale! O que aconteceu?

Abanei a cabeça.

— Não consigo.

— Fale! — repetiu agora gritando. — Fale, Geórgui!

Ela me bateu no rosto, uma, duas, três vezes, com força. Cerrou os punhos e me esmurrou no peito, e não senti nada, parado ali, até que Zoia se acercou. Sophie continuava a gritar, mas as palavras se perdiam entre tantos soluços e desgraça que eram quase ininteligíveis.

— Geórgui? — indagou Zoia engolindo a saliva com nervosismo. — Geórgui, o que foi? Precisamos saber. Você tem de dizer a ela.

Assenti e fitei Sophie, sem saber como pôr em palavras algo tão indizível.

A execução teve lugar na manhã seguinte. Zoia e eu não fomos assistir, mas Sophie teve autorização de passar meia hora com o companheiro antes que ele fosse levado à guilhotina. Fiquei chocado — mais do que chocado — ao saber que essa seria a penalidade, que um instrumento de morte que eu associava à Revolução Francesa ainda era usado, mais de um século depois, para os condenados à morte. Parecia uma barbárie. Nós três éramos incapazes de acreditar que se infligiria um tal castigo a nosso amigo, rapaz jovem, bonito, engraçado, vibrante, incrível. Mas não havia como fugir ao fato. A sentença foi proferida e executada em vinte e quatro horas.

Depois disso Paris deixou de ter qualquer beleza para nós. Apresentei meu pedido de demissão por escrito a monsieur Ferré, que rasgou a carta sem ler e disse que pouco importava o conteúdo, pois eu estava demitido de qualquer forma.

Pouco importava...

Sophie veio nos ver apenas uma vez antes de deixar o

país, agradecendo nosso apoio, prometendo escrever quando chegasse a sabe-se lá qual destino.

Zoia e eu decidimos deixar Paris. Foi decisão dela, mas concordei de bom grado.

Passamos nossa última noite na cidade sentados em nosso apartamento vazio, olhando pela janela os pináculos das inúmeras igrejas que se espalhavam nas ruas.

— Foi culpa minha — disse ela.

A viagem até Ecaterimburgo

Ao deitar naquela noite num dos estreitos catres que se alinhavam nas paredes do vagão dos seguranças, tinha certeza de que não conseguiria dormir. O dia tinha ficado caótico enquanto o czar mergulhava numa depressão silenciosa, e os que fazíamos parte de seu séquito ficamos constrangidos e desconsolados. Embora não me orgulhe muito disso, devo dizer que chorei ao deitar a cabeça no travesseiro, pois minhas emoções estavam num grau muito acentuado, e embora tenha finalmente adormecido, meus sonhos foram agitados e acordei várias vezes durante a noite, nervoso e desorientado. Com o passar das horas, porém, caí num torpor mais profundo e, ao reabrir os olhos, não só a noite, mas também grande parte da manhã já haviam transcorrido. Pestanejei e esperei que os acontecimentos do dia anterior se dissipassem como um sonho, mas, ao invés de se desvanecer, eles adquiriram maior clareza e nitidez e percebi que era tudo verdade e que realmente acontecera o inimaginável.

O sol se filtrava pelas janelas. Olhei ao redor para ver quem mais estava no vagão e fiquei surpreso ao descobrir que estava totalmente sozinho. Essa parte do trem quase sempre estava cheia de outros membros da Guarda Imperial, dormindo, tentando dormir, se vestindo, conversando, discutindo. Tamanha calma era desconcertante. Rodeado por um silêncio feérico, levantei devagar da cama, vesti a camisa e as calças e olhei desanimado para a floresta gelada interminável que se estendia por centenas de quilômetros de ambos os lados do trem.

Percorri rapidamente o vagão-restaurante, o salão de jogos e os vagões que eram os domínios privados das grã-duquesas, fui até o escritório particular do czar, onde na tarde anterior ele havia renunciado a seu direito de nascimento e ao de seu filho, e bati à porta fechada. Não houve resposta e me inclinei, pondo o ouvido à escuta na madeira, tentando ouvir alguma conversa lá dentro.

— Majestade — chamei e bati de novo, ainda decidido a usar esse tratamento. — Majestade, posso servi-lo em alguma coisa?

Não houve resposta alguma. Então abri a porta e entrei, descobrindo que o aposento estava tão vazio quanto meu vagão-dormitório. Franzi o cenho e tentei imaginar onde estaria o czar; ele costumava passar todas as manhãs trancado em seu gabinete privado, trabalhando em sua papelada. Não podia conceber o que haveria mudado, mesmo nas novas circunstâncias em que estávamos. Afinal, ainda havia cartas a escrever, documentos a assinar, decisões a tomar. Agora era mais importante do que nunca que ele cuidasse de seus assuntos. Olhei de novo o corredor para conferir se ninguém se aproximava, avancei até sua escrivaninha e espiei rapidamente os papéis que estavam ali. Eram documentos políticos complicados que não me diziam nada e me afastei frustrado, até me dar conta que o retrato da família imperial, que sempre ficava na escrivaninha, tinha sido removido e ali ficara apenas a moldura de prata. Olhei e peguei aquela moldura vazia, como se pudesse me fornecer alguma pista sobre o paradeiro do czar, mas a devolvi a seu lugar logo depois e concluí que o melhor seria descer imediatamente.

O trem estava parado ali desde a noite anterior; saltei, minhas botas fazendo um ruído alto ao triturar as pedras ao lado dos dormentes. Mais adiante, vislumbrei a figura de Peter Iliavitch Maksi, outro membro da Guarda Imperial, que desde antes de minha chegada a São Petersburgo já fazia parte do séquito do czar; nunca nos demos muito bem, e de modo geral eu o evitava. Também antigo integrante do Corpo de Pajens, ele se ressentia de minha presença na equipe imperial;

ficou especialmente enfurecido quando fui dispensado de meus deveres "de babá", conforme ele considerava, junto ao czaréviche e trazido para cá, como integrante da comitiva do czar. No entanto, parecia ser a única pessoa ali presente, e assim não tive muita escolha a não ser falar com ele.

— Peter Iliavitch — chamei indo a passos largos até onde estava, tentando não me incomodar com o ar descontente com que me olhava enquanto me dirigia até ele, como se eu não passasse de um pequeno estorvo em sua manhã. Ficou com o cigarro na boca por um bom tempo até dar uma última tragada e atirá-lo ao chão, esmagando-o com a bota.

— Olá, meu amigo — disse dando-me um aceno de cabeça, em tom de sarcasmo. — Bom dia.

— O que está acontecendo? — perguntei. — Onde estão todos? O trem está vazio.

— Estão todos na frente — respondeu olhando mais adiante na ferrovia, até o primeiro vagão. — Bom, os que sobraram.

— Sobraram? — levantei a sobrancelha. — Como assim, sobraram?

— Você não soube? Não sabe o que aconteceu na noite passada?

Comecei a sentir uma enorme onda de medo se avolumando dentro de mim, mas não quis arriscar nenhum palpite e pedi:

— Só me diga, Peter. Onde está o czar?

— Não existe mais czar — disse dando de ombros, como se fosse a coisa mais natural do mundo. — Acabou. Finalmente estamos livres dele.

— Acabou? Mas acabou como? Você está dizendo...

— Ele renunciou ao trono.

— Isso eu sei — retruquei ríspido. Mas onde...

— Mandaram um trem vir buscá-lo no meio da noite.

— Quem mandou?

— Nosso novo governo. Não me diga que você estava dormindo! Perdeu um espetáculo e tanto.

Senti um enorme alívio imediato — então ele estava vivo, o que significava que provavelmente também não acontecera nada de ruim com sua família —, mas o alívio foi logo substituído pela vontade de saber para onde tinha sido levado.

— E o que lhe importa, afinal de contas? — indagou Peter estreitando os olhos e se adiantando para espanar alguma poeira de meu colarinho, gesto agressivo que me fez recuar.

— Não me importa — falei mentindo, sentindo o quanto o mundo tinha mudado da noite para o dia e percebendo onde residiam os novos perigos. — Estou só interessado.

— Interessado pelo que aconteceu aos Romanov?

— Só quero saber — insisti. — Fui deitar e... Não sei, devia estar exausto. Dormi a noite toda. Não ouvi nenhum trem.

— Todos estamos exaustos, Geórgui — replicou ele erguendo os ombros. — Mas agora acabou. Daqui por diante as coisas vão melhorar.

— Que trem era esse? — perguntei, ignorando o evidente prazer que ele manifestava diante da abdicação do czar. — Quando ele chegou?

— Deviam ser duas ou três horas da manhã — respondeu acendendo outro cigarro. — Quase todos estavam dormindo, imagino. Eu não. Queria ver levarem-no embora. O trem veio de São Petersburgo e parou mais ou menos a um quilômetro e meio daqui. Trazia um grupo de soldados com uma ordem de prisão para Nicolau Romanov.

— Ele foi preso? — indaguei perplexo, mas não mordi a isca de seu sarcasmo ao citar o nome do czar. — Mas por quê? Ele fez o que lhe pediram.

— Disseram que era para a proteção dele. Que não seria seguro voltar para a capital. Lá está uma confusão, com revoltas por toda parte. O palácio está infestado de gente do povo.

As lojas estão sendo saqueadas por causa de pão e de farinha. A cidade está tomada pela anarquia. Culpa dele, claro.

— Poupe-me o editorial — sibilei agora furioso, agarrando-o pelo colarinho. — Só me diga para onde o levaram.

— Ei, Geórgui, me solte! — exclamou Peter, fitando-me surpreso e dando um repelão para se desvencilhar de mim. — O que está havendo com você?

— Havendo comigo? O homem a quem servimos foi detido e você fica aí parado fumando seus cigarros como se fosse uma manhã como outra qualquer.

— Mas é uma manhã gloriosa — retrucou francamente abismado por eu não compartilhar seus sentimentos. — Você não sonhava com este dia?

— Por que não pegaram este trem? — perguntei ignorando suas palavras e olhando o transporte imperial, com seus quinze vagões, que agora estava ali encalhado. — Por que mandar outro?

— Agora não é mais permitido nenhum luxo a Romanov. É um prisioneiro, entende? Não possui nada. Não tem um tostão. Este trem não pertence a ele. Pertence à Rússia.

— Até ontem, *ele* era a Rússia.

— Mas hoje é hoje.

Fiquei com vontade de desafiá-lo, de derrubá-lo ali mesmo onde estava e esmurrá-lo sem dó nem piedade se ele ousasse revidar, para poder extravasar minha fúria, mas seria inútil.

— Geórgui Danielovitch — disse rindo e abanando a cabeça. — Não acredito! Você é mesmo o lambe-botas do czar, hein?

Torci a boca de desagrado a esse comentário. Eu sabia que havia integrantes do círculo imperial que desprezavam o czar e tudo o que ele representava, mas sentia uma lealdade inquebrantável por ele. Havia me tratado bem, quanto a isso não cabia dúvida, e eu não o renegaria agora. Quaisquer que fossem as consequências.

— Sou servidor dele. Até a hora da morte — respondi.

— Estou vendo — murmurou Peter, olhando a poeira aos pés e chutando o solo com a ponta da bota. Olhei para outra direção, sem querer mais conversa, para a distância, para o norte, para São Petersburgo. Não o teriam levado para lá, de maneira nenhuma. Se os motins andavam tão violentos quanto dissera Peter Iliavitch, iriam esquartejá-lo em plena praça do Palácio, mas os bolcheviques não iriam permitir um derramamento público de sangue nos primórdios de sua revolução. Virei-me de novo para Peter, querendo obter mais respostas, mas ele tinha ido embora. Olhando o vagão da frente, pude perceber o som de várias vozes se altercando e discutindo, mas sem distinguir claramente o que diziam. À esquerda do trem notei dois veículos que não estavam lá na tarde anterior — mais bolcheviques, presumi — e senti um súbito acesso de ansiedade, preocupado com o que estava por acontecer.

Tinha sido imprudente em meus comentários a Peter Iliavitch; ele estava me denunciando naquele exato momento.

Engolindo nervoso, dei meia-volta e comecei a andar devagar para o final do trem, acelerando o passo quando o último vagão surgiu à vista. Olhando por sobre o ombro, não vi ninguém atrás de mim, mas sabia que só me restavam poucos minutos antes que viessem me buscar. Quem era eu, afinal, além de um mujique de sorte com uma vida de estranho sucesso? Podiam manter a vida do czar — afinal era uma presa de grande valor —, mas quem era eu? Apenas alguém que tinha salvado um Romanov e protegido outro.

À minha esquerda estendia-se a floresta; transpus os trilhos e saltei diretamente para o aglomerado de abetos e pinheiros, cedros e lariços que se comprimiam naquela densa mata. Por entre meus arquejos e o roçagar dos ramos, eu tinha certeza de ouvir os soldados em meu encalço, de espingarda na mão, decididos a me abater. Hesitei um instante e tomei fôlego — sim, era verdade, estavam vindo, não era simples imaginação.

Eu não era mais um membro da Guarda Imperial; aquela parte de minha vida se encerrara. Agora era um fugitivo.

Já estávamos às portas de outubro quando voltei a São Petersburgo. Era difícil saber se eu ainda corria perigo, mas a ideia de ser capturado e assassinado pelos bolcheviques me bastava para manter sempre um passo à frente de quem quer que eu achasse que me perseguia. Assim, tinha decidido não voltar imediatamente à cidade e preferi me esconder nas vilas ao longo do caminho, dormindo onde encontrasse abrigo, banhando-me em córregos e rios para tirar o fedor do corpo. Deixei o cabelo e a barba crescerem, até tornar quase irreconhecível aquele jovem soldado de dezoito anos do final da dinastia Romanov. Ganhei músculos nas pernas e nos braços pela atividade constante, aprendi a caçar, a esfolar, destripar e cozer minhas presas em fogo ao ar livre, sacrificando a vida dos animais para sobreviver.

De tempos em tempos eu parava em pequenos vilarejos e me oferecia para trabalhar alguns dias na lavoura, em troca de cama e comida. Perguntava aos agricultores sobre as novidades políticas, e ficava admirado que um governo provisório que tanto se orgulhava de pertencer ao povo trouxesse a público tão poucas informações sobre suas atividades. Pelo que consegui saber, agora quem estava no comando da Rússia era um homem chamado Vladimir Ilitch Uliánov — mais conhecido como Lênin —, que, num contraste frontal com o czar, tinha transferido a sede do governo de São Petersburgo para o Kremlin em Moscou, lugar que Nicolau sempre detestara e raramente visitara. Tinha sido coroado lá, claro, como todos os czares anteriores, e não pude deixar de pensar se Lênin não estaria pensando nessa tradição ao escolher Moscou como a nova sede do poder.

Quando finalmente voltei, São Petersburgo havia mudado bastante, mas eu ainda podia reconhecê-la. Todos os palácios ao longo do Neva estavam fechados, e me perguntei onde os príncipes, condes e condessas teriam estabelecido suas novas residências. Tinham parentes entre as famílias reais de toda a Europa, claro. Certamente alguns tinham fugido para a Dinamarca, outros para a Grécia. Os mais dispostos podiam ter atravessado o continente e ido para a Inglaterra, como era a intenção do próprio czar. Mas não estavam aqui. Não mais.

Outrora as margens do rio estariam ocupadas por carruagens a cavalo, levando seus passageiros abastados para patinar nos lagos gelados ou se divertir em alegres noitadas nas mansões dos amigos, mas agora estavam vazias, exceto pelos camponeses correndo pela calçada, aflitos para chegar em casa, proteger-se do frio e comer as migalhas que tivessem conseguido obter durante o dia.

Fazia um frio de congelar os ossos, lembro bem. O ar na praça do Palácio estava tão gélido que o vento, a cada vez que soprava, mordia minhas faces, orelhas e a ponta do nariz, obrigando-me a cravar as unhas nas palmas das mãos para não gritar de dor. Postei-me entre as sombras das colunatas contemplando minha ex-morada, pensando como eram diferentes as coisas quando cheguei aqui, dois anos antes, tão ingênuo, tão inocente, tão ansioso por uma vida diferente da que sofrera em Cáchin. O que minha irmã Ássia pensaria de mim agora?, imaginei enquanto me encolhia contra um muro, rodeando o corpo com os braços para me aquecer

Pensaria, talvez, que era minha justa recompensa.

Eu não tinha nenhuma informação sobre o que acontecera com a família imperial, e não fiquei sabendo de quase nada enquanto seguia de um vilarejo a outro. Julgava que teriam ficado detidos por algum tempo e depois teriam ido para o exílio, o pior receio de Anastácia, cruzando o continente até a Inglaterra, onde o rei Jorge certamente os acolheria com um abraço cordial e se indagaria que cargas-d'água lhe caberia fazer com aqueles Romanov que depunham tantas expectativas nele.

Naturalmente, era o rosto de Anastácia que pairava em meu espírito ao longo dos dias, conforme eu prosseguia em minha jornada, e durante as noites, quando tentava dormir. Sonhava com ela e mentalmente escrevia-lhe cartas, sonetos e os mais tolos poemas. Havia jurado a Anastácia que jamais a abandonaria e que, acontecesse o que acontecesse, estaria a seu lado. Mas fazia quase nove meses desde a última vez que nos vimos, naquela noite em que ela veio a meu quarto no Palácio de Inverno, angustiada com a infelicidade de sua família. Não imaginávamos que seria nossa despedida, mas o czar decidiu partir logo cedo na manhã seguinte, antes que sua família acordasse, e meu dever era acompanhá-lo. Podia apenas especular o quanto Anastácia ficaria transtornada ao despertar e descobrir que eu havia ido embora.

E eu me indagava se ela sonharia comigo tal como eu sonhava com ela, deitado em celeiros e estábulos, contemplando por entre as fendas das vigas do forro as estrelas no firmamento. Estaria ela adormecendo no mesmo instante, talvez, fitando as explosões prateadas nos céus londrinos, indagando-se onde estaria eu, imaginando se eu estaria deitado sob o mesmo céu noturno, murmurando seu nome, suplicando que acreditasse em mim? Foram dias difíceis. Se eu pudesse escrever, teria escrito, mas para onde? Se pudesse vê-la, atravessaria todos os desertos, mas para onde? Eu não tinha a menor pista, e apenas aqui, apenas em São Petersburgo — sim, sempre seria São Petersburgo para mim, jamais Petrogrado —, poderia encontrar alguém que me respondesse tais perguntas.

Fazia quase uma semana que estava de volta à cidade quando encontrei a pista de que precisava. Havia recebido alguns rublos naquela tarde, ajudando a descarregar e levar barris de cereal até o depósito de um novo armazém subsidiado pelo governo, e decidi me conceder o luxo de fazer uma refeição quente, coisa que raramente me permitia. Sentado perto do fogo numa taverna quente e aconchegante, comendo uma tigela de *shchi* e tomando vodca, tentando aproveitar alguns prazeres simples, para variar, ser de novo um rapaz, ser Geórgui, notei um sujeito pouco mais velho do que eu na mesa vizinha, que ia ficando cada vez mais bêbado conforme a noite avançava. Estava com a barba feita e usava o uniforme do governo provisório, um bolchevique da cabeça aos pés. Mas algo nele me dizia que eu encontrara o que estava buscando.

— Você parece triste, meu amigo — falei, ele se virou e me encarou uns instantes, examinando cuidadosamente meu rosto, como que para decidir se valia a pena se incomodar comigo ou não.

— Ah — respondeu acenando a mão no ar. — Estava triste, é verdade, mas agora não estou mais — e ergueu a garrafa de vodca na mão esquerda, sorrindo.

— Entendo — respondi e ergui meu copo a ele. — *Za vas*.

— *Za vas* — retribuiu o rapaz, enxugando o copo e servindo-se de outra dose.

Aguardei alguns momentos e mudei de mesa para me sentar diante dele, perguntando:

— Posso?

Ele me olhou cauteloso, e depois deu de ombros.

— Como quiser.

— Você é soldado.

— Sou, e você?

— Lavrador.

— Precisamos de mais lavradores — disse com a determinação de um ébrio, batendo os punhos na mesa. — É assim que enriquecemos. Com o cereal.

— Você tem razão — respondi colocando mais vodca em nossos copos. — Graças a vocês, soldados, com o tempo todos nós vamos enriquecer.

Ele soltou ruidosamente o ar pela boca, com um ar de profunda desilusão na face.

— Não se engane, meu amigo. Ninguém sabe o que eles estão fazendo. Não ouvem gente como eu.

— Mas as coisas estão melhores do que antes, não é? — falei sorridente, pois embora ele estivesse insatisfeito com sua parte, provavelmente se alinhava com os revolucionários. — Melhor do que quando vivíamos sob o cz... sob Nicolau Romanov, quero dizer.

— Você tem razão — respondeu, e se estendeu por sobre a mesa para trocarmos um aperto de mãos, como se fôssemos irmãos. — Aconteça o que acontecer, todos estamos em melhor situação com essas mudanças. Malditos Romanov — acrescentou cuspindo no chão, o que provocou um grito do taverneiro, dizendo-lhe que se comportasse ou seria posto dali para fora.

— Então o que se passa? — perguntei. — Por que você está com uma cara tão triste? Alguma mulher, talvez?

— Quem dera fosse uma mulher — respondeu amargo. — Neste momento, mulher é a menor de minhas preocupações. Não, não é nada, meu amigo. Não vou aborrecê-lo com isso. Hoje eu esperava uma coisa de um pequeno burocrata do governo de Lênin, mas ele me desapontou, foi isso. E então estou afogando minhas mágoas para superar. Amanhã ainda vou estar desapontado, claro, mas vai passar.

— E também vai estar de ressaca.

— Que também vai passar.

— Você é próximo de Lênin? — perguntei na certeza de que obteria o que queria por meio de lisonjas.

— Claro que não. Nunca encontrei com ele.

— Então como...

— Tenho outras ligações. Algumas pessoas em posições de poder me têm em grande estima.

— Tenho certeza — falei ansioso em agradá-lo. — São homens como você que estão mudando este país.

— Diga isso ao pequeno burocrata.

— Posso perguntar... — hesitei, para não parecer demasiado interessado na informação. — Você é um daqueles heróis responsáveis pela remoção dos Romanov? Se for, diga logo para eu lhe oferecer mais uma rodada, pois todos nós, mujiques pobres, temos uma grande dívida de gratidão com vocês.

Ele encolheu os ombros e admitiu:

— Não propriamente. A papelada, talvez. Só tive a ver com isso.

— Ah! — falei sentindo o coração saltar dentro do peito. — Você acha que algum dia terão permissão para voltar aqui?

— Para Petrogrado? — indagou franzindo o sobrolho. — Não, não, de jeito nenhum. Fariam picadinho deles. O povo jamais aceitaria. Não, é mais seguro lá onde estão.

Dei um suspiro de alívio e tentei disfarçar com uma tossidela. Pelo menos era o primeiro sinal certo de que estavam vivos, de que *ela* estava viva.

— Vão estranhar o clima — disse rindo para ganhar a confiança dele. — Dizem que os invernos de lá são frios, mas nem se comparam aos daqui.

— Em Tobolsk? — disse ele erguendo a sobrancelha. — Não sei nada do lugar. Mas cuidarão deles. A casa do governador siberiano pode não ser um palácio, mas é mais luxuosa do que você ou eu jamais conheceremos. Gente assim sabe se virar. São como gatos; sempre caem de pé.

Fiz de tudo para reprimir um grito de surpresa. Então afinal não estavam na Inglaterra. Nem tinham saído da Rússia. Foram levados para Tobolsk, do outro lado dos Urais. No meio da Sibéria. Era longe, claro. Mas eu podia voltar. Podia ir até lá. Podia encontrá-la.

— Claro, nem todo mundo sabe disso, meu amigo — falou ele, sem parecer especialmente preocupado se eu iria comentar com alguém ou não. — Quero dizer, onde eles estão. Não conte para ninguém.

— Não se preocupe — respondi.

Levantei e deixei alguns rublos na mesa para pagar nosso

jantar e nossas bebidas: pelo menos isso ele merecia. E finalizei antes de ir embora:
— Não tenho nenhuma intenção de comentar com ninguém.

Saindo de São Petersburgo, segui para o leste, atravessando Vologda, Viatca e Perm, até chegar às planícies siberianas. Agora fazia mais de um ano desde que eu vira Anastácia pela última vez e quase o mesmo tempo desde que o czar se tornara Nicolau Romanov. Cheguei magro e esfaimado, mas impelido pelo desejo de revê-la, de protegê-la. Estava consumido pela longa jornada e, se tivesse um espelho, juro que pareceria dez anos mais velho do que era, ainda nem tendo completado os vinte.
A viagem foi cheia de dificuldades. Tinha sucumbido à febre logo antes de Viatca, mas tive a sorte de ser recolhido por um casal de camponeses, que me atenderam até eu recuperar a saúde, ouvindo minhas divagações desconexas e delirantes sem me denunciar. Na última noite que passei na casa deles, eu estava sentado diante do fogo e a esposa, uma mulher robusta chamada Polina Pavlovna, pôs sua mão sobre a minha, surpreendendo-me com a intimidade do gesto.
— Tenha cuidado, Pacha — disse, pois no primeiro ou segundo dia que eu estava lá, quando perguntaram meu nome, estava delirante e não conseguia me lembrar, de forma que dei aquele detestado apelido de infância. — O que você vai fazer é perigoso.
— O que eu vou fazer? — indaguei, pois, enquanto me recuperava, eu havia dito ao casal que estava voltando para a casa de minha família, que morava em Surgut, para ajudar na lavoura. — Não vejo nada de perigoso.
— Quando Luca e eu nos conhecemos, meu pai não aprovou — sussurrou Polina. — Mas não nos importamos, pois nosso amor era muito forte. Mas o pai dele era pobre, uma

pessoa a quem ninguém dava importância. No caso de vocês é diferente.

Engoli em seco, nervoso, sem saber o quanto eu havia revelado durante a doença.

— Polina... — comecei.

— Não se preocupe — falou sorrindo. — Foi só para mim que você contou. E eu não contei a ninguém. Nem a Luca.

Assenti e olhei pela janela.

— Ainda está muito longe?

— Vai levar semanas — respondeu ela. — Mas eles estarão bem. Disso eu tenho certeza.

— E como você sabe?

— Porque a história deles não termina em Tobolsk — falou calmamente, desviando os olhos com uma expressão pesarosa no rosto. — E a grã-duquesa, a que você ama, ainda tem uma longa história pela frente.

Não soube o que dizer a isso, e calei. Eu não era de acreditar em superstições ou profecias de velhas. Não tinha acreditado nas do *starets* e não ia acreditar agora nas de uma camponesa de Viatca, por mais que quisesse que aquilo fosse verdade.

— O czar passou por aqui uma vez, sabe? — disse ela antes que eu partisse. — Quando eu era mocinha.

Franzi a testa, pois ela tinha bastante idade. Não acreditei muito.

— Não o seu czar — riu levemente. — O avô dele. Alexandre II. Foi poucas semanas antes de ser morto. Ele chegou e partiu feito um raio. A vila toda saiu para vê-lo e ele praticamente nem olhou para nós, passou montado em seu cavalo a galope, e mesmo assim todos sentiram como se tivessem sido tocados pelo dedo de Deus. Difícil imaginar isso agora, não é mesmo?

— Um pouco — concedi.

Parti no dia seguinte e por sorte minha saúde resistiu durante o resto da viagem, chegando a Tobolsk no começo de julho. A vila estava cheia de bolcheviques, mas ninguém me deu atenção. Percebi que não estavam mais à minha procura. Afinal, quem era eu, senão um atendente, um zé-ninguém? Qualquer intenção de me capturarem após a prisão do czar tinha sumido fazia muito tempo.

Foi fácil localizar a casa do governador, e cheguei ali no final da tarde, esperando encontrá-la maciçamente cercada de guardas. Não sabia muito bem o que faria ao chegar. Uma parte de mim pretendia apenas pedir para ver o czar — ou Nicolau Romanov, se insistissem — e então eu me ofereceria para ficar como criado da família, e poderia ver Anastácia todos os dias, até serem mandados para o exílio.

No entanto, a casa não era exatamente como eu tinha imaginado. Não havia nenhum veículo do lado de fora e ali estava apenas um soldado, apoiado na cerca, dando um enorme bocejo ao mundo. Ele me observou enquanto eu avançava e estreitou os olhos com ar irritadiço, mas sem qualquer sinal de preocupação. Nem se deu ao trabalho de endireitar o corpo.

— Boa tarde — falei.

— Camarada.

— Pensei... creio que aqui é a residência do governador, não é?

— E se for? Quem é você?

— Meu nome é Geórgui Danielovitch Jachmenev, filho de um camponês de Cáchin.

Ele anuiu e virou a cabeça um instante, cuspindo no chão.

— Nunca ouvi falar de você.

— Não esperava mesmo que tivesse ouvido. Mas seu prisioneiro ouviu.

— Meu prisioneiro? — repetiu sorrindo de leve. — E que prisioneiro seria esse?

Suspirei. Não estava com vontade de entrar em joguinhos, e apenas disse:

— Fiz uma longa viagem para chegar até aqui. Na verdade, desde São Petersburgo.

— Desde Petrogrado, você quer dizer.

— Se você preferir.

— A pé? — indagou arqueando a sobrancelha.

— Grande parte a pé, sim.

— Bem, e o que você quer aqui?

— Até o ano passado, eu trabalhava no palácio imperial. Trabalhava para o czar.

Ele hesitou antes de responder e depois disse rispidamente:

— Não existe nenhum czar. Você pode ter trabalhado para o ex-czar.

— Está bem, o ex-czar. Pensei... imaginei se poderia prestar meus respeitos.

Ele ficou carrancudo.

— Claro que não. O que você é, Jachmenev, um idiota? Você acha que deixamos qualquer um entrar para ver os Romanov?

— Não sou ameaça para ninguém — e estendi os braços mostrando que não tinha nada escondido e nenhuma arma oculta. — Simplesmente quero oferecer meus serviços a eles.

— E por que você faria isso?

— Porque eles foram bondosos comigo.

— Eram tiranos. Você é louco de querer ficar com eles.

— Mesmo assim, é o que eu quero — respondi calmamente. — É possível?

— Qualquer coisa é possível — deu ele de ombros. — Mas você chegou tarde demais.

Meu coração teve um sobressalto; contive-me para não o agarrar pelas lapelas e exigir que explicasse o comentário.

— Tarde demais? — perguntei com cautela. — Em que sentido?

— Quero dizer que não estão mais aqui. O governador voltou a morar em sua residência. Posso pedir uma audiência a ele, se você quiser.

— Não, não — sacudi a cabeça. — Não é necessário. Senti vontade de sentar no chão e enterrar o rosto entre as mãos. Esse tormento nunca acabaria? Nunca voltaríamos a nos encontrar?

— Eu queria... queria vê-los — acrescentei.

— Foram levados para não muito longe daqui — falou a sentinela. — Talvez você possa ir atrás deles.

Ergui um olhar esperançoso.

— É mesmo? Onde eles estão?

Ele sorriu e estendeu a mão, e eu soube de imediato que a informação não sairia de graça. Revirei os bolsos e tirei todos os rublos que tinha.

— Não vou barganhar — falei estendendo o dinheiro. — Pode me revistar se quiser. Aqui está tudo o que tenho. Tudo no mundo. Então, por favor...

Ele olhou a mão em concha, contou as moedas e guardou no bolso; então, antes de ir embora, inclinou-se e sussurrou uma palavra em meu ouvido.

— Ecaterimburgo.

E assim virei e retomei a caminhada, desta vez para o sudoeste, rumo à cidade de Ecaterimburgo, de alguma forma pressentindo que seria o término da jornada e que finalmente encontraria Anastácia. As aldeias que atravessei ao longo da viagem — Tavda, Tirinsc, Irbit — faziam lembrar Cáchin, e parei em algumas delas, na esperança de conversar com alguns agricultores. Mas foi inútil, eles pareciam desconfiados e relutavam em falar. Indaguei-me se sabiam quem tinha passado por suas aldeias antes de mim, se tinham visto quem era. Se sabiam ou viram, não disseram nada a respeito.

Levei quase uma semana para chegar.

Aqui, os moradores pareciam ainda mais ansiosos do que todos os outros que eu encontrara na jornada, e tive certeza de ter alcançado meu destino. Não demorou muito para encontrar quem me apontasse a direção certa. Um casarão no confim da cidade, cercado de soldados.

— É de um negociante muito rico — explicou o único homem prestimoso que encontrei. — Ela foi desapropriada pelos bolcheviques. Ninguém pode entrar.

— Esse negociante, onde ele está agora?

— Foi embora. O nome dele era Ipatiev. Tiraram a casa dele. Nós daqui ainda chamamos de Casa Ipatiev. Os bolcheviques chamam de "casa para fins especiais".

Assenti e fui na direção que ele me indicou.

Ela estaria lá, eu sabia. Todos estariam lá.

1919

Pode parecer estranho ou antiquado, mas Zoia e eu nos instalamos em casas separadas nas colinas de Montmartre em Paris, dando para lados opostos, de forma que nem podíamos trocar acenos de mão na hora de deitar ou soprar um beijo como última coisa do dia. A casa de Zoia dava para a basílica de Sacré-Coeur, com sua cúpula branca, onde o padroeiro nacional tinha sido decapitado e morreu como mártir por seu país. Ela podia ver as multidões subindo a escada íngreme até os três arcos da entrada, podia ouvir as conversas das pessoas passando sob sua janela, conforme iam e voltavam do trabalho. De minha casa, eu via os picos de St. Pierre de Montmartre, o berço dos jesuítas, e se esticasse o pescoço veria os artistas montando os cavaletes em seus ateliês de rua, todos os dias de manhã, na esperança de conseguir alguns francos para uma refeição modesta. Não era nossa intenção ficarmos cercados de tanta religiosidade, mas os aluguéis no 18ème eram baratos e dois exilados russos podiam se misturar sossegadamente numa parte da cidade já repleta de refugiados.

A guerra chegava ao fim naqueles meses em que os tratados de paz começaram a ser assinados em Budapeste, Praga, Zagreb e então, finalmente, num vagão de trem em Compiègne, mas os quatro anos anteriores tinham presenciado a chegada de dezenas de milhares de europeus à capital francesa, que seguiam para lá à medida que as forças do kaiser avançavam em seus países de origem. Embora o afluxo de refugiados tivesse diminuído muito na época em que chegamos, não era difícil fingir que éramos apenas mais dois exilados, forçados a fugir para o oeste, e ninguém jamais questionava a veracidade das versões que tínhamos preparado.

Quando chegamos à cidade, depois de uma viagem dolorosa e aparentemente interminável desde Minsk, cometi o erro de supor que viveríamos juntos como marido e mulher. Eu vinha pensando nisso desde que minha terra natal ficou para trás, substituída por cidades, rios e cordilheiras que eu só conhecia por leitura, e na verdade eu estava aflito e ao mesmo tempo excitado com a ideia. Passei boa parte da viagem escolhendo as palavras certas para abordar o assunto.

— Só precisamos de um apartamentozinho — propus a cerca de quinze quilômetros de Paris, mal me atrevendo a olhar Zoia, de medo que ela notasse minha inquietação. — Uma saleta com a cozinha anexa. Um pequeno banheiro, se tivermos sorte. Um dormitório, claro — acrescentei corando violentamente ao dizer isso. Claro que Zoia e eu ainda não tínhamos feito amor, mas eu esperava ardentemente que nossa vida em Paris nos desse independência e fosse não só um recomeço, mas também uma introdução aos prazeres do mundo sensual.

Ela me fitou e meneou a cabeça:

— Não, Geórgui, não podemos morar juntos, você sabe disso. Não somos casados.

— Claro — respondi, e minha língua estava tão seca que grudava incomodamente no céu da boca. — Mas são novos tempos para nós, não é mesmo? Não conhecemos ninguém aqui, só temos um ao outro. Pensei talvez...

— Não, Geórgui — disse ela em tom decidido e mordiscando levemente o lábio. — Isso não. Ainda não. Não posso.

— Então... então nos casaremos — sugeri, surpreso por não ter pensado nisso antes. — Claro que era isso que eu queria dizer. Vamos ser marido e mulher!

Zoia me encarou e, pela primeira vez desde que caíra em meus braços, uma semana antes, desandou a rir e revirou os olhos, não para sugerir que eu era um tolo, mas pela tolice da proposta.

— Geórgui, você está me pedindo em casamento?

— Estou — respondi radiante de alegria. — Quero que você seja minha esposa.

Tentei me ajoelhar, como mandava a tradição, mas o espaço entre os bancos do compartimento do trem era estreito demais para conseguir um movimento gracioso, e quando finalmente me apoiei num dos joelhos, fui obrigado a torcer a cabeça para falar.

— Ainda não tenho um anel para lhe oferecer. Mas meu coração é seu. Sou todo seu, e você sabe disso.

— Sei, sim — respondeu ela, erguendo-me e delicadamente fazendo-me sentar de novo no banco. — Mas você está me pedindo em casamento só para que a gente... para que...

— Não! — cortei rápido, constrangido que ela pudesse pensar tão mal de mim. — Não, Zoia, não é por causa disso. É porque eu quero passar minha vida com você. Todos os dias e todas as noites. Não existe outra pessoa no mundo para mim, saiba disso.

— E para mim também não existe outra pessoa no mundo além de você, Geórgui — disse ela baixinho. — Mas não posso me casar com você. Não por ora.

— Mas por que não? — indaguei tentando vencer a nota de petulância que se insinuava em minha voz. — Se nós nos amamos, se estamos prometidos um ao outro, então...

— Geórgui... por favor, pense.

Ela desviou o olhar ao dizer isso, quase num sussurro, e imediatamente senti vergonha de mim mesmo. Claro, como eu podia ser tão insensível? A mera sugestão de casamento naquele momento era total falta de consideração de minha parte, mas eu era jovem, embebido de amor, e a única coisa que desejava era estar com essa mulher para todo o sempre. Um pouco depois respondi:

— Desculpe. Não pensei direito. Foi irrefletido de minha parte. — Ela abanou a cabeça e pude ver que estava à beira das lágrimas. — Não vou... Não vou falar mais nisso. Isto é, até o momento adequado — acrescentei, pois queria deixar claro que não esqueceria o assunto. — Tenho sua permissão de voltar a isso? Em algum momento futuro?

— Vou viver com essa esperança — respondeu ela, voltando a sorrir.

A partir dali considerei que estávamos comprometidos, e meu coração se encheu de felicidade a essa ideia.

E assim chegamos às colinas de Montmartre, e batemos a várias portas procurando quartos para alugar. Não tínhamos bagagem, não tínhamos nenhuma outra roupa além dos trapos que vestíamos. Não tínhamos nenhum pertence, apenas um pouco de dinheiro. Havíamos chegado a um país estrangeiro para recomeçar a vida, e tudo o que adquiríssemos dali por diante estaria ligado a essa nova existência. Na verdade, não trouxéramos absolutamente nada de nossa antiga vida, e tínhamos apenas um ao outro.

Mas isso, a meu ver, certamente bastava.

Naquele inverno, comemoramos o Natal duas vezes.

Em meados de dezembro, nossos amigos Leo e Sophie nos convidaram para a refeição do dia 25, data tradicional da comemoração natalina cristã, no apartamento deles perto da place du Tertre. Eu me preocupava como Zoia iria lidar com aquela data festiva, e sugeri que ignorássemos totalmente o Natal e dedicássemos a tarde a passear ao longo do Sena, só nós dois, aproveitando a rara tranquilidade daquele dia.

— Mas eu quero ir, Geórgui — disse ela, surpreendendo-me com seu entusiasmo. — Pelo que eles dizem, é muito divertido! E podemos nos divertir um pouco na vida, não acha?

— Claro — respondi, contente com a reação dela, pois eu também queria ir. — Mas só se você realmente quiser. Pode ser um dia difícil, nosso primeiro Natal depois de sairmos da Rússia.

Ela hesitou um pouco, avaliou cuidadosamente a questão e respondeu devagar:

— Acho... acho que seria uma boa ideia passá-lo com amigos. Teremos menos tempo para pensar em coisas tristes.

Nos cinco meses que estávamos em Paris, a personalidade de Zoia começara a mudar. Na Rússia, ela era alegre e divertida, claro, mas em Paris começou a baixar ainda mais sua guarda e dava livre vazão a seus entusiasmos. Essa mudança lhe caía bem. Ela continuava intocada, mas tinha se aberto aos prazeres que o mundo oferecia, embora nossa condição financeira, mísera como era, não permitisse que aproveitássemos muito. Mas havia momentos, muitos momentos em que sua dor reaflorava à superfície, em que aquelas recordações terríveis tomavam de assalto as defesas de sua memória e a derrubavam. Nessas horas ela preferia ficar sozinha, e não sei como ela vencia aquelas sombras tenebrosas. Às vezes, quando nos encontrávamos para o café da manhã, ela estava pálida, com círculos negros cercando os olhos; eu perguntava de sua saúde e ela dava de ombros, dizendo que nem valia a pena comentar, apenas não conseguira dormir. Se eu insistia, ela abanava a cabeça, ficava irritada comigo e mudava de assunto. Aprendi a lhe dar espaço para enfrentar sozinha aqueles horrores. Ela sabia que eu estava ali a seu lado; ela sabia que eu ouviria sempre que quisesse falar.

Zoia conheceu Sophie no ateliê de costura onde ambas trabalhavam e logo ficaram amigas. Faziam vestidos simples para as mulheres de Paris, trabalhando num estabelecimento que tinha fornecido uniformes e roupas profissionais durante a guerra. Por meio de Sophie, conhecemos seu namorado pintor, Leo, e nós quatro costumávamos jantar juntos ou passear nas tardes de domingo, quando atravessávamos o Sena, cheios de espírito de aventura, e íamos vaguear pelo Jardim do Luxemburgo. Leo e Sophie me pareciam tremendamente cosmopolitas e eram quase ídolos para mim, pois tinham apenas uns dois anos a mais do que nós, mas viviam juntos em harmonia, sem qualquer constrangimento, mostrando sua paixão até em público com frequentes manifestações de afeto que me deixavam constrangido, mas, confesso, ao mesmo tempo me excitavam.

— Preparei um peru — anunciou Sophie no dia de Natal, colocando na mesa, diante de nós, uma ave de aparência estranha, com um dos lados que parecia ter ficado tempo demais no forno enquanto o resto estava curiosamente rosado, uma composição extraordinária que dava a todo o prato um ar nada apetitoso. Mas, estando na companhia em que estávamos e correndo o vinho como corria, não ligamos para tais sutilezas, comemos e bebemos a noite toda, desviando os olhos, Zoia e eu, sempre que nossos anfitriões trocavam longos beijos apaixonados.

Depois fomos para os dois sofás da sala, falando de arte e política. Zoia se encostou em mim e deixou que eu a abraçasse pelos ombros, puxando-a para mais perto de mim, o calor de seu corpo se somando ao meu, o perfume de seus cabelos, geralmente de lavanda, que ela acentuara antes com uma das fragrâncias de Sophie, absolutamente inebriante.

— E vocês dois — disse Leo, animando-se com seu tema favorito —, vocês dois vieram da Rússia. Deviam viver a vida toda imersos em política.

— Na verdade não — sacudi a cabeça. — Cresci numa aldeia muito pequena que não tinha tempo para essas coisas. Trabalhávamos, cuidávamos da lavoura, tentávamos sobreviver, e só. Não tínhamos tempo para debates. Seria luxo demais.

— Deviam arranjar tempo — insistiu ele. — Principalmente num país como o de vocês.

— Ora, Leo, deixe disso! — exclamou Sophie numa repreensão bem-humorada e servindo mais vinho.

Sempre que passávamos a noite juntos, a conversa acabava indo para a política. Leo era um artista — de talento, aliás —, mas, como a maioria dos artistas, achava que o mundo que recriava em suas telas era corrupto, precisando de homens íntegros, de homens como ele, para vir à frente e falar em nome do povo. Ele era jovem, claro, sua ingenuidade comprovava isso, mas pretendia se candidatar algum dia à Câmara dos Deputados. Era idealista e sonhador, mas também preguiçoso, e eu duvidava que algum dia ele reunisse a energia necessária para uma campanha.

— Mas é importante — insistiu. — Todos nós temos um país que dizemos ser nosso, não é verdade? E enquanto estivermos vivos é nossa responsabilidade tentar melhorar esse país para todos.

— Mas melhorar como? — perguntou Sophie. — Eu gosto da França como ela é, você não? Não consigo me imaginar morando em qualquer outro lugar. Não quero que ela mude.

— Melhorar, quero dizer, ser um país mais justo para todos — respondeu Leo. — Igualdade social. Liberdade econômica. Liberalização da política social.

— O que você quer dizer com isso? — indagou Zoia, sua voz cortando a atmosfera, pois ela não tinha o entusiasmo ébrio de Sophie nem possuía o bom-mocismo polemista de Leo. Havia mantido silêncio por algum tempo, os olhos fechados, sem dormir, mas aparentemente relaxada pelo calor do ambiente e do álcool. Nós três olhamos imediatamente para ela.

— Bem — respondeu Leo alçando os ombros —, é que para mim todo cidadão tem a responsabilidade de...

— Não — atalhou Zoia —, não isso. O que você falou antes. Sobre um país como o nosso.

Leo ponderou por um instante e por fim escorou-se no cotovelo enquanto se animava e respondia como se a coisa toda fosse absolutamente óbvia:

— Ah, aquilo. Olhe, Zoia, meu país, a França, passou séculos sob o peso opressor de uma aristocracia detestável, gerações de parasitas que sugavam o sangue de todo o povo simples e trabalhador, roubavam nosso dinheiro, tomavam nossa terra, mantinham-nos na fome e na miséria enquanto eles se entregavam a seus excessos e perversões. Por fim dissemos *Basta!*. Resistimos, com levantes e revoltas, pusemos aqueles aristocratazinhos pançudos na carroça dos condenados, levamos até a place de la Concorde e zás! — Ele cortou o ar com a mão na vertical, imitando o movimento da lâmina descendo. — Cortamos a cabeça deles! E tomamos o poder de volta. Mas, meus amigos, isso faz quase cento e cinquenta anos. Meu tataravô combateu com Robespierre, sabiam? Ele atacou a Bastilha com...

— Oh, Leo — exclamou Sophie exasperada —, você nem sabe. Você sempre diz isso, mas que prova tem?

— Minha prova é que ele contou seus gestos de heroísmo para o filho — respondeu ele em tom defensivo. — E essas histórias têm sido transmitidas de pai para filho desde aquela época.

— Bem — disse Zoia, e tive a impressão de uma frieza no tom de sua voz —, mas o que isso tem a ver com a Rússia? São duas coisas muito diferentes.

— Pffff, só me pergunto por que a Mãe Rússia demorou tanto para fazer a mesma coisa. Por quantos séculos os camponeses como vocês — os dois me desculpem, mas vamos chamar as coisas pelo nome certo — foram obrigados a levar uma vida miserável para que os palácios continuassem a existir, os bailes continuassem a se realizar? Para que as temporadas de gala se repetissem? — Leo abanou a cabeça como se a simples ideia de tais coisas fosse demais para ele. — Por que vocês demoraram tanto para derrubar os autocratas de lá? Para reivindicar o poder em sua própria terra? Para decapitá-los, por assim dizer? Não que vocês tenham usado a guilhotina, claro. Ao que sei, vocês os abateram a tiros.

— Sim, abatemos a tiros — respondeu Zoia.

Não lembro o quanto bebi naquela noite — muito, desconfio —, mas recuperei a sobriedade na hora e desejei que tivesse pressentido os rumos que tomaria a conversa. Se tivesse previsto, teria mudado de assunto mais rápido, mas agora era tarde demais, e Zoia tinha se endireitado no sofá, encarando-o enquanto o sangue lhe fugia do rosto.

— Rapaz idiota! O que sabe você sobre a Rússia, afinal de contas, além do que lê nos jornais? Você não pode comparar seu país ao nosso. São totalmente diferentes. Os pontos que você levanta são simplistas e ignorantes.

Leo ficou espantado com a hostilidade dela, mas não queria ceder em sua posição — eu gostava muito dele, mas era o tipo de sujeito que achava que estava sempre com a razão nesses assuntos, e via com surpresa e piedade quem não dividia as mesmas opiniões —, e replicou:

— Zoia, os fatos são indiscutíveis. Ora, basta ler qualquer material publicado para ver como...

— Então você se consideraria um bolchevique? — indagou Zoia. — Um revolucionário?

— Eu me alinharia com Lênin, sem dúvida. É um grande homem. Vir de onde veio e fazer tudo o que fez...

— Ele é um assassino — retrucou Zoia.

— E o czar não era?

— Leo — atalhei depressa, depondo o copo na mesa —, é descortesia falar assim. Entenda que nós fomos criados sob o governo do czar. Muitas pessoas o adoravam, muitas pessoas continuam a adorá-lo. Duas delas estão aqui nesta sala com vocês. Talvez saibamos mais sobre o czar e os bolcheviques, e mesmo sobre Lênin, do que você, pois vivemos aqueles tempos na carne, e não por simples leitura. Talvez tenhamos sofrido mais do que você possa entender.

— E talvez não devêssemos falar dessas coisas no Natal — disse Sophie enchendo mais uma vez os copos de todos nós. — Estamos aqui para nos divertir, certo?

Leo deu de ombros e se reclinou de novo no sofá, contente em abandonar o assunto, convicto em sua arrogância de que a razão estava com ele e nós éramos tolos demais para enxergar. Zoia quase não abriu mais a boca naquela noite, e a comemoração terminou num clima tenso, os apertos de mão na despedida um pouco mais forçados do que o normal, os beijos um pouco mais superficiais.

— É assim que as pessoas pensam? — perguntou Zoia quando voltávamos para nossos aposentos separados. — É assim que evocam o czar? Da mesma maneira como pensamos em Luís XVI?

— Não sei o que as pessoas pensam — respondi. — E não me importa. O que importa é o que nós pensamos. O que nós sabemos.

— Mas eles corrompem a história, não sabem nada de nossas lutas. Enxergam a Rússia em termos tão simplistas! Os privilegiados como monstros, os pobres como heróis, indistintamente. Falam de maneira tão idealista, esses revolucionários, mas têm umas teorias tão ingênuas... É muito engraçado.

— Leo não é propriamente um revolucionário — descartei com uma risada. — É um pintor, nada mais. Gosta de pensar que pode mudar o mundo, mas o que ele faz todos os dias, a não ser pintar retratos de turistas gordos e torrar o dinheiro bebendo em bares na calçada, cuspindo suas opiniões a torto e a direito? Nem precisa se preocupar com ele.

Era fácil ver que Zoia não se deixara convencer. Pouco falou no resto da caminhada e na despedida só me permitiu lhe dar um beijo casto na face, como um irmão. Enquanto eu a observava entrar, imaginei que ela teria uma noite difícil pela frente, com o espírito cheio de todas aquelas coisas que queria dizer, toda a raiva que queria expressar. Desejei que ela me convidasse para entrar, apenas para dividir seus problemas, nada mais. Ser companheiro de raiva. Pois eu também me sentia enraivecido.

Comemoramos nosso segundo Natal treze dias depois, no dia 7 de janeiro, e retribuímos convidando Leo e Sophie para irmos a um restaurante, onde ofereceríamos o jantar. Não tínhamos a menor possibilidade de preparar uma refeição em nossas casas — as senhorias jamais permitiriam — e, de qualquer forma, eu me sentia constrangido porque não morávаmos juntos e não gostaria de ser uma visita na casa dela, nem de convidá-la como visita para a minha. Eu me indagava se Leo e Sophie comentariam nossa forma de viver, e tinha certeza que sim. De fato, uma vez Leo se referiu a mim, num momento de exuberante embriaguez, como "jovem amigo inocente", e fiquei ofendido com a conotação de virgindade naquele tratamento, que não contribuía em nada para melhorar meu amor-próprio. Numa outra vez, Leo se ofereceu para me levar a uma casa que ele conhecia, para sanar meu problema, mas repeli a sugestão e fui para casa saciar meu desejo por conta própria, antes de cair na tentação de aceitar sua proposta.

— Mas não entendo. Um segundo Natal? — perguntou Sophie, tirando o chapéu e agitando sua longa cabeleira negra, enquanto tomávamos assento.

— É o Natal ortodoxo russo tradicional — expliquei. — Tem algo a ver com a diferença entre o calendário juliano e o gregoriano. É muito complicado. Os bolcheviques querem que o povo se adapte ao resto do mundo, e há aí uma certa ironia, mas nós, os tradicionalistas, pensamos de outra maneira. Por isso um Natal separado.

— Claro — disse Leo com um sorriso encantador. — Os céus proíbem que vocês concordem com os bolcheviques!

Zoia e Leo não se falavam desde o episódio anterior e a lembrança da discussão entre os dois pesou sobre a mesa como uma nuvem densa, mas o fato de termos estendido o convite a eles indicava que não queríamos perder nossos amigos, e assim Leo, diga-se em seu favor, foi o primeiro a pedir paz. Depois de duas taças de vinho e uma visível cotovelada de Sophie em suas costelas, para incentivá-lo à ação, Leo disse:

— Zoia, creio que eu lhe devo um pedido de desculpas. Talvez eu tenha sido um pouco grosseiro com você no dia de Natal. Isto é, *nosso* dia de Natal. Provavelmente estava um pouco bêbado. Disse coisas que jamais devia ter dito. Não tinha o direito de falar de sua terra natal do jeito que falei.

— De fato, não devia ter dito mesmo — respondeu ela, porém sem qualquer tom agressivo na voz. — Mas eu também não devia ter reagido como reagi em sua casa, não foi assim que fui criada, e creio que também lhe devo um pedido de desculpas.

Notei que nenhum dos dois estava admitindo qualquer erro de opinião, e na verdade nem estavam realmente se desculpando, mas apenas se detendo na aparência de que se deviam mútuas desculpas. No entanto, eu não queria reacender a discussão apontando essas coisas.

— Bem, você é uma hóspede em nosso país — disse ele abrindo um largo sorriso para Zoia — e assim foi errado de minha parte falar como falei. Você me permite? — Ele ergueu sua taça e nós o acompanhamos. — À Rússia!

— À Rússia! — repetimos, tilintando as taças e tomando um bom gole de vinho.

— *Vive la révolution!* — Leo acrescentou baixinho, mas acho que apenas eu ouvi o comentário e naturalmente deixei passar.

— Mesmo assim, eu me pergunto por que vocês nunca falam de lá. Isto é, se era um lugar tão maravilhoso. Ora, Sophie, não me olhe deste jeito, é uma pergunta plenamente razoável que estou fazendo.

— Zoia não gosta de falar sobre isso — respondeu Sophie, pois já havia tentado várias vezes arrancar confidências de sua nova amiga sobre o passado, mas por fim tinha desistido.

— Bem, e então você, Geórgui? Pode nos contar um pouco de sua vida antes de vir para Paris?

— Há tão pouco a dizer — respondi encolhendo os ombros. — Dezenove anos num sítio, e só. Não dá muito material para histórias.

— Certo, mas então onde vocês se conheceram? Zoia, você disse que era de São Petersburgo, não é?

— Num compartimento de trem — falei eu. — No dia em

que nós dois deixamos a Rússia. Estávamos sentados um diante do outro, não havia mais ninguém ali, e começamos a conversar. Desde então estamos juntos.

— Que romântico — disse Sophie. — Mas me digam uma coisa. Se vocês têm dois Natais, então devem ganhar dois presentes. Certo? E eu sei que você deu um perfume para ela no primeiro dia de Natal, Geórgui. E aí, Zoia? Ele te deu mais alguma coisa hoje?

Zoia me olhou e sorriu; eu assenti, feliz que ela contasse a eles. Então ela deu uma risada, olhou nossos amigos, com um enorme sorriso de lado a lado.

— Sim, claro que deu. Vocês não notaram?

E estendeu sua mão esquerda para mostrar o presente. Não me admirava que não tivessem percebido antes. Devia ser o mais minúsculo anel de noivado de toda a história. Mas era o que eu podia comprar. E o importante era que ela estava com ele.

Casamos no outono de 1919, decorridos quase quinze meses desde nossa fuga da Rússia, numa cerimônia tão modesta que pareceria quase deprimente se não compensássemos sua singeleza com a intensidade de nosso amor.

Criados na reverência a uma doutrina estrita e inflexível, queríamos apenas a bênção da Igreja para sacramentar nossa união. No entanto, não havia igrejas ortodoxas russas em Paris, e assim sugeri que casássemos numa igreja católica francesa, mas Zoia não quis nem ouvir e quase ficou indignada com minha sugestão. Pessoalmente, nunca fui muito religioso, embora não questionasse a fé em que fui criado, mas os sentimentos de Zoia eram outros e considerava a rejeição de nosso credo como o último passo desligando-nos de nossa terra natal, passo que não estava disposta a dar.

— Mas então onde? — perguntei. — Certamente você

não acha que devemos voltar à Rússia para a cerimônia. O perigo...

— Claro que não — respondeu, embora eu soubesse muito bem que uma parte dentro dela sonhava em voltar para o país onde nascemos. Ela sentia um vínculo com a terra e o povo do qual eu mesmo tinha me libertado rapidamente; fazia parte indelével de seu caráter.

— Mas, Geórgui, eu não me sentiria realmente casada sem as cerimônias adequadas. Pensei em meus pais, como eles se sentiriam se eu repudiasse nossas tradições.

Contra isso não havia argumento possível, e assim comecei a procurar um padre ortodoxo russo em Paris. A comunidade russa era pequena e dispersa, e nunca havíamos tentado nos integrar a ela. Na verdade, numa ocasião em que um jovem casal russo entrou na pequena livraria onde eu trabalhava, logo ouvi suas vozes — a musicalidade da língua, enquanto conversavam entre si em nosso idioma materno, trouxe imagens e lembranças que me deixaram atordoado de tanta saudade — e fui obrigado a me desculpar e me retirar para o beco atrás da loja, alegando um súbito mal-estar e deixando meu patrão, monsieur Ferré, irritado por ter de atender pessoalmente o casal. Eu sabia que a maioria de meus conterrâneos exilados morava e trabalhava no distrito de Neuilly, no 17ème, e evitávamos deliberadamente a região, por não querer participar de uma comunidade que poderia acarretar perigo para nós.

Todavia, empreguei bastante sutileza em meu trabalho de detetive, e finalmente fui apresentado a um senhor de idade chamado Rachletski, que morava numa pequena casa coletiva em Les Halles, o qual concordou em oficiar a cerimônia. Ele me disse que fora ordenado padre em Moscou nos anos 1870 e era fiel seguidor, mas tinha sido removido com sua diocese após a Revolução de 1905 e transferido para a França. Súdito leal do czar, tinha se oposto vigorosamente ao sacerdo-

te revolucionário, o padre Gapon, tentando dissuadi-lo de marchar sobre o Palácio de Inverno naquele ano.
— Gapon era beligerante — disse ele. — Um anarquista que posava de paladino dos trabalhadores. Transgrediu as convenções da Igreja, casando-se duas vezes, desafiando o czar, e ainda o transformaram num herói.
— Antes que se virassem contra ele e o enforcassem — repliquei, um rapazote ingênuo tratando um ancião com ar de superioridade.
— Sim, antes disso — admitiu ele. — Mas quantos inocentes morreram por causa dele no Domingo Sangrento? Mil? Dois mil? Quatro mil?
Ele sacudiu a cabeça, entre pesaroso e furioso, e retomou:
— Eu não poderia ficar depois daquilo. Ele mandaria me matar por minha desobediência. Sempre me espantou, Geórgui Danielovitch, que os mais contrários a governos autocráticos ou ditatoriais estivessem entre os primeiros a eliminar seus inimigos depois de chegar ao poder.
— O padre Gapon nunca chegou a poder nenhum — disse eu.
— Mas Lênin chegou — replicou sorrindo. — Simplesmente um outro czar, não concorda?
Não comentei suas opiniões políticas com Zoia, que concordaria com elas, mas não me parecia correto trazer tais lembranças para o dia de nosso casamento. Queria apenas apresentar o padre Rachletski como mais um exilado, expulso de seu país pelo avanço das forças alemãs. Tinha demorado muito até encontrá-lo, e não queria nenhum problema que pudesse adiar nosso casamento além do necessário.
A cerimônia foi oficiada no apartamento de Sophie e Leo, numa cálida noite de sábado em outubro. Nossos amigos tinham oferecido generosamente a casa deles para a celebração e foram nossos padrinhos. O padre Rachletski passou uma hora sozinho no pequeno apartamento, à tarde, consagrando

a sala de estar como local santo, procedimento que disse ser "altamente não ortodoxo, mas extremamente agradável", num floreio que me divertiu bastante.

Fiquei triste por não poder proporcionar um casamento mais refinado para minha noiva, mas era o que podíamos fazer sem transpor a linha para a mais franca miséria. Nossos empregos não pagavam muito, apenas o suficiente para cobrir o aluguel e a alimentação. Zoia fez questão de que nós dois economizássemos alguns francos por semana, para o caso de alguma emergência e se tivéssemos de fugir de Paris, mas afora isso não podíamos nos conceder outros luxos. Zoia e Sophie fizeram o vestido de casamento no ateliê de costura, em vários dias depois do expediente; Leo e eu vestimos nossas melhores calças e camisas. No dia da cerimônia, achei que conseguimos um belo resultado, apesar de nossos parcos recursos.

Padre Rachletski não tinha visto Zoia antes da cerimônia e, quando entramos na sala de braços dados, naquela noite, ela trazia um véu simples no rosto que lhe ocultava a beleza e o encanto. Ele nos sorriu radiante, como se fôssemos filhos ou sobrinhos prediletos, e era visível sua alegria em celebrar mais um casamento. Sophie e Leo ficaram a nosso lado, deliciados em participar dessa experiência incomum. Creio que consideraram tremendamente moderno e nada convencional casar daquela maneira num tal lugar. Romântico demais, talvez.

Trocamos alianças simples e então com a mão direita peguei a mão esquerda de Zoia, enquanto acendíamos velas com as mãos livres, mantendo-as bem erguidas enquanto o padre recitava as orações sobre nossas cabeças. Quando ele deu o sinal, Sophie e Leo foram até as duas mesas, uma de cada lado deles, pegaram as pequenas coroas que Zoia tinha feito com uma folha metálica e feltro, e colocaram simultaneamente em nossa fronte.

— Os servos de Deus Geórgui Danielovitch Jachmenev e Zoia Fiodorovna Danitchenco — entoou o padre, com as mãos pairando alguns centímetros acima de nossas cabeças — são coroados em nome do Pai, do Filho e do Espírito Santo.

Senti meu corpo inundado por uma enorme felicidade enquanto ele proferia essas palavras, e apertei a mão de Zoia; mal podia acreditar que finalmente nossas vidas se uniam.

Depois disso, o padre leu o Evangelho e tomamos o vinho da mesma taça, prometendo compartilhar tudo em nossas vidas a partir daquele momento, nossas alegrias e nossas tristezas, nossas vitórias e nossas derrotas. Quando concluímos os votos, o padre Rachletski nos conduziu ao redor da mesa onde estavam o Evangelho e o crucifixo, simbolizando a palavra de Deus e nossa salvação. Fizemos a volta em círculo pela primeira vez como um casal e então paramos diante do padre, enquanto ele recitava a bênção final, implorando que eu fosse engrandecido como Abraão, abençoado como Isaac, que multiplicasse como Jacó, seguisse em paz e obrasse na virtude, e então rogando que Zoia fosse engrandecida como Sara, feliz como Rebeca, que multiplicasse como Raquel, rejubilasse com o novo marido e cumprisse as condições da lei, para agradar aos olhos do Senhor.

E, com isso, a cerimônia terminou e nossa vida de casados começou.

Sophie e Leo prorromperam em aplausos espontâneos, e o padre Rachletski se demonstrou surpreso, mas não aborrecido, com aquela informalidade. Deu-nos congratulações, apertou sinceramente minha mão e se estendeu para dar um beijo na noiva, enquanto erguia o véu.

E naquele momento ele estacou, recuou um pouco e cambaleou, num movimento súbito e inesperado que me fez temer que havia sofrido algum tipo de ataque ou parada cardíaca. Murmurou baixinho alguma coisa — não ouvi o que era — e hesitou por tanto tempo que Sophie, Leo e eu ficamos a observá-lo como se tivesse perdido totalmente a razão. Fitava fixamente Zoia, e ela, sem demonstrar nenhum embaraço, sustentou o olhar dele, erguendo o queixo e oferecendo-lhe não a face, mas a mão. Logo depois ele se recobrou, tomou rapidamente a mão, depôs um beijo e se afastou de ré, sem dar as costas a nós em momento algum. Trazia estampado no rosto um ar atônito, totalmente incrédulo e estupefato.

Apesar de ter prometido que ficaria e jantaria conosco após a cerimônia, ele reuniu seus pertences às pressas e saiu, dizendo algumas palavras finais a Zoia a sós no corredor, do lado de fora do apartamento.

— Que homem estranho — disse Sophie uma hora depois, enquanto jantávamos com certo estilo, acompanhando a refeição com uma garrafa de vinho de excepcional qualidade, providenciada por nossos amigos.

— Imagino que devia fazer muito tempo que ele não via uma moça tão linda como sua noiva russa — disse Leo, com seu jeito extremamente encantador e lisonjeiro, o nó da gravata desfeito, pendendo frouxo em volta do colarinho desabotoado. — Ele olhava para você, Zoia, como se lamentasse não ser ele o marido.

— A mim pareceu que ele tinha visto um fantasma — acrescentou Sophie.

Virei para minha mulher, seu olhar cruzou o meu, ela meneou levemente a cabeça e retomamos a conversa. Eu mal conseguia esperar o momento em que ficaríamos a sós, mas não pela razão que vocês podem imaginar. Eu queria saber as palavras que o padre e Zoia tinham trocado no corredor, antes de ele ir embora.

O outro presente que Leo e Sophie deram a nós foi usar o apartamento deles como residência em nossa lua-de-mel, três noites juntos enquanto eles se transferiam para nossos cômodos durante nossa estadia. Foi muita consideração da parte deles, pois logo estaríamos mudando para nosso próprio apartamento, mas só ficaria pronto na metade daquela semana, e claro que não queríamos ficar separados logo após o casamento.

— Ele te reconheceu — falei a Zoia depois que Leo e Sophie nos deixaram à noite.

— Ele me reconheceu — assentiu ela.

— Ele vai comentar?

— Com ninguém. Tenho certeza. É um legalista, um verdadeiro crente.

— E você acreditou nele?

— Acreditei.

Anuí, não me restando alternativa senão confiar em seu discernimento. Foi um estranho momento de pânico, que não passara despercebido a nenhum de nós, mas terminou, estávamos casados. Tomei Zoia pela mão e a conduzi até o quarto.

Depois, envolvendo seu corpo com o meu enquanto tentávamos adormecer, desacostumados ao calor e à maciez de nossos corpos nus envoltos em lençóis ásperos, fechei os olhos e corri os dedos por suas pernas, suas costas perfeitas, por todo seu corpo, sem dizer nada, ignorando suas lágrimas em meus braços, tentando controlar seu tremor enquanto repassava o dia, o casamento, as lembranças dos ausentes que não estavam lá para celebrar conosco.

A Casa Ipatiev

De perto, a Casa Ipatiev não parecia especialmente intimidadora.

Eu a observava de meu esconderijo, tendo me embrenhado alguns passos na mata cerrada que cercava a construção, e tentava imaginar o que se passava entre suas paredes. Um conjunto de lariços oferecia um local conveniente para olhar a casa sem ser visto; a copa alta e a densa folhagem proporcionavam alguma proteção contra o frio, embora eu lamentasse não ter um casaco mais pesado ou as luvas grossas de lã que o conde Charnetski havia me dado nos primeiros dias em São Petersburgo. À minha frente havia uma pequena área relvada onde podia me estender e descansar quando minhas pernas cansavam demais e, mais adiante, uma densa sebe com alguns metros de extensão levava a uma estrada de cascalho que seguia paralela à fachada do edifício.

Em algum lugar lá dentro, dizia eu a meus botões, estava a família imperial, prisioneira do governo bolchevique; em algum lugar lá dentro estava Anastácia.

Uma dúzia de soldados se movia de cá para lá, durante a tarde inteira; os soldados se apoiavam nas paredes, fumando, rindo, conversando em pequenos grupos. A certa altura apareceu uma bola de futebol por meia hora, puseram-se em mangas de camisa e começaram a jogar, o portão fazendo as vezes de um dos gols, e a parede como o dos adversários. Quase todos eram rapazes de vinte e poucos anos, mas o soldado encarregado, que aparecia de vez em quando para estragar a brincadeira, estava na faixa dos cinquenta, baixo, musculoso, com olhos estreitos e porte agressivo. Eram bolcheviques, claro; seus uniformes atestavam o fato. Mas cumpriam suas obrigações com ar despreocupado, como se a alta condição de seus prisioneiros fosse um fato que encaravam com uma indiferença deliberada. Os tempos haviam mudado bastante desde a abdicação do czar. Durante os dezoito meses de minha odisseia, desde o vagão de trem em Pscov até a casa para fins especiais em Ecaterimburgo, vim a perceber que o povo não tratava mais a família imperial com o respeito e a deferência que sempre tivera de mostrar. Na melhor das hipóteses, o povo disputava para ver quem xingava com o insulto mais obsceno, condenando publicamente o homem que antes era considerado o ungido de Deus para ocupar o trono. Claro que nenhuma daquelas pessoas jamais vira o czar frente a frente; se tivessem visto, talvez seus sentimentos fossem outros.

O que mais me espantou, porém, foi a absoluta falta de segurança. Saí uma ou duas vezes de meu esconderijo, fui pela estrada, passei ao lado dos portões abertos, evitando qualquer contato visual, e recebi apenas um olhar de relance totalmente desinteressado dos soldados que estavam na estrada. Para eles, eu não passava de um menino, um mujique pobre, que não merecia qualquer atenção. Os portões ficaram abertos durante o dia inteiro; um carro entrou e saiu várias vezes. A porta da frente nunca estava fechada, e pelas amplas janelas de uma sala no térreo eu podia ver os guardas reunidos durante as refeições; em vista de tanta negligência, eu me indagava por que a família simplesmente não descia as escadas e fugia para a aldeia logo adiante. No final da tarde de meu primeiro dia de vigilância, meus olhos foram atraídos para uma das janelas do segundo andar, onde de súbito apareceu uma figura próxima das cortinas e vi imediatamente que era a silhueta da própria czarina, a imperatriz Alexandra Fiodorovna. E apesar de nossa relação muitas vezes tensa, meu coração deu um salto quando a vi, pois era prova, se prova fosse necessária, de que tive êxito em minha jornada, ao encontrar finalmente a família imperial.

Ao cair da noite, eu me preparava para voltar à aldeia e

encontrar um lugar mais aquecido para dormir, quando um cachorrinho saiu correndo pela porta da frente e ouvi duas pessoas discutindo em voz alta — uma moça e um homem —, nas sombras atrás dos batentes de carvalho da porta. Logo a seguir, a moça saiu para a estrada, olhando para a esquerda e a direita com uma expressão irritada, e de pronto reconheci Maria, a terceira das quatro filhas do czar. Ela chamava o terrier da czarina, que a essa altura já tinha saído do terreno, atravessando a estrada e vindo se aninhar em segurança entre meus braços.

Ela desceu depressa pela estrada, repetindo o nome do cãozinho, ao que ele latiu em resposta; então ela olhou para a mata, hesitando apenas um momento antes de atravessar a estrada e se encaminhar diretamente para mim.

— Eira, Eira! — chamava ela, aproximando-se cada vez mais, até ficar a poucos passos de mim na escuridão da floresta. Sua voz ficou mais nervosa ao perceber que não estava sozinha. E arriscou:

— Você está aí?

— Estou — disse eu, avançando, pegando-lhe o braço e puxando-a rapidamente para trás dos arbustos, onde ela caiu bem em cima de mim. Maria estava aturdida demais para gritar e, antes que recuperasse a voz, tapei-lhe a boca com a mão, segurando-a firme enquanto se debatia em meus braços. O cãozinho pulou para o chão e ficou latindo para nós dois, mas, quando me virei para ele, parou imediatamente e escarvou o solo, choramingando de medo. Maria girou um pouco a cabeça, e arregalou os olhos ao ver quem era seu captor, e senti que seu corpo se relaxou ao me reconhecer. Falei que parasse de se debater, que não gritasse e que, se prometesse ficar quieta, eu lhe destaparia a boca. Ela assentiu depressa e soltei-a.

— Peço-lhe perdão, Alteza — disse rapidamente, fazendo uma profunda vênia quando ela recuou, para mostrar que não pretendia lhe causar nenhum dano. — Espero que não a tenha ferido. Mas eu não podia correr o risco que Vossa Alteza gritasse e alertasse os guardas.

— Você não me feriu — respondeu virando-se para o cachorrinho e assobiando para que parasse de se lamuriar. — Você me surpreendeu, apenas isso. Mas não tenho certeza se posso acreditar em meus olhos. Geórgui Danielovitch, é realmente você?

— Sim, Alteza, sou eu — respondi sorrindo, encantado em estar novamente em sua companhia.

— Mas o que você está fazendo aqui? Há quanto tempo está escondido nessas árvores?

— Tomaria tempo demais para explicar — falei relanceando a vista até a casa, para conferir se ninguém estava a procurá-la. — É bom revê-la, Maria — acrescentei, em dúvida se não seria um comentário demasiado íntimo, mas vinha do fundo do coração. — Estive procurando sua família por... bem, por muito tempo.

— Bom ver você também, Geórgui — disse ela com um sorriso, e tive a impressão de que seus olhos se enchiam de lágrimas.

Tinha emagrecido desde a última vez em que a vi; usava um vestido barato, grande demais para ela, que ficava largo e frouxo no corpo. E mesmo nas sombras da mata era fácil perceber suas olheiras, indicando insônia. Ela continuava a falar:

— Você é como uma visão maravilhosa do passado, e às vezes eu sinto que aqueles dias foram apenas fruto da imaginação. Mas aqui está você. E nos encontrou.

A emoção de Maria era visível, e de repente ela atirou os braços por sobre meus ombros e me abraçou, apenas um gesto de amizade, mas que me agradou muito.

— Você está bem? — perguntei afastando-me e abrindo um sorriso tão largo quanto o dela, comovido com o calor do encontro. — Há alguém ferido? Como vai sua família?

— Você quer dizer, como vai minha irmã? — e sorriu. — Como vai Anastácia?

Enrubesci ligeiramente, surpreso que ela lesse meus pensamentos com tanta facilidade, e respondi:

— É. Então você sabe?

— Ah, claro, ela me contou faz muito tempo. Mas não se preocupe, não falei nada a ninguém. Depois do que aconteceu com Serguei Stassiovitch...

Maria olhou rapidamente em torno, na escuridão, e indagou com a voz cheia de esperança e vivacidade:

— Ele também está aqui? Por favor, diga que ele veio junto com você...

— Lamento — atalhei. — Não tenho visto Serguei. Desde o dia em que saiu de São Petersburgo.

— Em que foi expulso, você dizer.

— Isso, desde aquele dia. Ele não tem escrito?

— Se tem, não me entregaram as cartas — disse ela, sacudindo a cabeça. — Rezo todos os dias para que ele esteja bem e consiga me encontrar. Imagino que ele também esteja procurando. Nem acredito que você esteja aqui, meu velho e querido amigo. Mas... agora que está, o que você quer?

— Quero ver Anastácia. Quero fazer o que puder para ajudar sua família.

— Você não pode fazer nada. Ninguém pode fazer nada.

— Mas não entendo, Alteza. Você saiu de lá agora há pouco. Os soldados não vieram junto. Eles nem sequer se preocupam com sua ausência?

— Disse a eles que ia procurar o cãozinho de minha mãe.

— E nem se importaram? Simplesmente deixam sair?

— E por que não? — indagou ela. — Para onde eu iria? Para onde qualquer um de nós iria? Minha família inteira está lá dentro. Mamãe e papai estão no andar de cima. Eles sabem que vou voltar. Eles nos dão a liberdade que quisermos, exceto a liberdade de sair da Rússia, claro.

— E isso vai ser logo, tenho certeza.

— É, eu também acho. Papai diz que iremos para a Ingla-

terra. Ele escreve quase diariamente ao primo Georgie, contando nossa situação, mas até agora não teve nenhuma resposta. Não sabemos nem se estão enviando as cartas. Por acaso você sabe de alguma coisa a esse respeito?
Acenei em negativa:
— Não, nada. Apenas que os bolcheviques estão aguardando o momento certo para retirá-los do país. Não querem vocês por aqui, quanto a isso não há dúvida. Mas creio que pretendem esperar até a hora em que vocês possam partir em segurança.
— Tomara que seja logo. Não quero mais ser grã-duquesa, meu pai não quer ser czar. Nada disso nos interessa. São apenas palavras. Só queremos ir embora e recuperar a liberdade.
— Vai chegar o dia, Maria, tenho certeza. Mas me diga, por favor, quando posso ver Anastácia?
Ela olhou para a casa; um dos soldados tinha saído e olhava em torno, abrindo um enorme bocejo. Ficamos quietos enquanto ele acendia e fumava um cigarro, até que voltou para dentro.
— Vou contar a ela que você está aqui. Ainda dividimos o mesmo quarto. Vamos falar disso a noite toda, eu lhe garanto. Você não vai embora logo, vai?
— Não vou embora de jeito nenhum. Não sem sua família.
Ela agradeceu, sorriu e então olhou para Eira, que agora nos observava em silêncio. Então retomou, apontando além da casa para um caminho mergulhado na escuridão.
— Olhe, há um bosque de cedros lá do outro lado. Vá até lá e espere. Vou entrar e dizer a Anastácia onde você está. Talvez em poucos minutos vocês já se encontrem, ou pode levar horas até ela conseguir sair, mas espere, prometo que ela vai aparecer.
— Esperarei a noite toda, se precisar.
— Ótimo. Ela vai ficar tão feliz! E agora é melhor eu ir andando antes que venham me procurar. Espere entre os cedros, Geórgui. Ela não vai demorar muito.

Concordei. Ela apanhou o cachorrinho da czarina, atravessou correndo a estrada e olhou para trás apenas uma vez antes de entrar na casa. Esperei até ter certeza de que não havia ninguém a observar, então me pus de pé, espanei a poeira da roupa e avancei rapidamente até a direção que ela havia indicado, com o coração batendo mais depressa na esperança de rever Anastácia.

Quando acordei, já era dia. Abri os olhos e fitei as faixas azul-claras do céu que se mostravam entre as copas das árvores, e por um instante fiquei perdido, sem saber onde estava. Logo depois, os acontecimentos da noite anterior voltaram num tropel e me levantei, aturdido e imediatamente acometido por uma dor violenta na base da coluna, sem dúvida provocada pela posição incômoda em que tinha adormecido.

Eu havia esperado Anastácia durante horas e horas no bosque de cedros, mas finalmente me rendera ao sono. De início fiquei preocupado se não teríamos nos desencontrado, mas logo descartei a dúvida, pois, se ela tivesse conseguido sair da casa, certamente teria encontrado meu esconderijo e me acordaria. Durante alguns minutos andei de um lado para outro, tentando aliviar a dor esfregando a mão na base das costas; logo a fome começou a me roer o estômago, pois fazia mais de vinte e quatro horas que não comia nada.

Voltando pela estrada, hesitei diante dos muros da Casa Ipatiev e olhei para as janelas de cima, mas não ouvi nenhum som de vozes. Passando pelo portão da frente, porém, vi um soldado jovem trocando o pneu de um carro e me aproximei com cuidado.

— Camarada — cumprimentei com um aceno.

Ele me deu uma olhada, protegendo a vista do sol enquanto me observava de cima a baixo com um indisfarçado ar de desdém.

— Quem é você? O que você quer aqui, moleque?

— Alguns rublos, se você tiver. Faz dias que não como nada. Eu agradeceria muito qualquer coisa que você pudesse me dar.
— Vá esmolar em outro lugar — respondeu num gesto para eu me afastar. — O que você está pensando?
— Por favor, camarada. Vou morrer de fome.
— Olhe aqui — o soldado se levantou e passou a mão na testa, deixando uma longa listra suja de óleo. — Já lhe disse...
— Posso fazer isso, se quiser. Posso trocar o pneu.
Ele hesitou e olhou o chão enquanto avaliava a proposta. Desconfiei que estava tentando terminar o serviço fazia algum tempo, sem chegar a lugar nenhum. O macaco e a chave de roda estavam ao lado do carro, mas as porcas ainda nem tinham sido removidas.
— Você trocaria?
— Ao troco de um almoço.
— Faça o serviço direito e lhe pago um prato de *borscht*. Mas seja rápido. Vamos precisar do carro logo.
— Sim, senhor — respondi observando-o enquanto ele ia embora e me deixava sozinho na estrada.
Eu me agachei e inspecionei a confusão que ele tinha feito ali, peguei o macaco e pus sob a carroceria para erguer o veículo. Desacostumado com tal estímulo mental, logo me concentrei na tarefa. De fato, fiquei tão absorto que nem ouvi os passos se aproximando de mim. E então, ouvindo dizerem meu nome num sussurro temeroso, dei um salto de surpresa, a chave de roda escorregando dos dedos e me esfolando as juntas da mão esquerda. Soltei um palavrão e olhei para cima, e minha expressão enfurecida se dissipou no mesmo instante.
— Alexei!
— Geórgui — respondeu ele, agora olhando a casa às suas costas, para confirmar se ninguém o observava. — Você veio me ver.
— Sim, meu amigo — respondi, e desta vez fui eu que

fiquei com os olhos marejados. Não tinha percebido o quanto eu gostava daquele menino até a hora em que deixou de fazer parte de minha vida. — Você acredita que estou aqui?
— Está de barba.
— Não é uma grande barba, é? — perguntei esfregando impaciente aqueles chumaços no rosto. — Certamente não tão impressionante como a de seu pai.
— Você está diferente.
— Mais velho, decerto.
— Mais magro. E mais pálido. Não parece muito bem.
Ri e abanei a cabeça.
— Obrigado, Alexei. Sempre pude contar com você para me fazer sentir melhor.
Ele me encarou alguns instantes, como que tentando decifrar o que eu queria dizer, mas então abriu um largo sorriso ao entender que eu estava apenas arreliando e pediu desculpas.
— E você, como vai? — perguntei. — Está tudo bem? Sabe, ontem vi sua irmã.
— Qual delas?
— Maria.
— Pfff — soltou um som pouco agradável e sacudiu a cabeça. — Odeio minhas irmãs.
— Alexei, não diga isso, por favor.
— Mas é verdade. Nunca me deixam em paz.
— Mas elas te amam muito.
— Posso ajudar a trocar o pneu? — pediu ele, olhando o serviço pelo meio.
— Pode olhar. Por que você não senta ali?
— Não posso ajudar?
— Pode ficar como encarregado. Pode ser meu supervisor.
Ele concordou satisfeito e se assentou numa grande pedra logo atrás, da altura certa para ficar sentado ali conversando comigo enquanto eu trabalhava. Ocorreu-me que ele não demonstrara grande surpresa ao me ver ali, trabalhando da-

quela maneira. Nem sequer perguntou nada. Era apenas mais uma parte do dia.

— Você está sangrando, Geórgui — disse ele apontando minha mão.

Olhei e havia mesmo um fio de sangue brotando dos nós dos dedos, onde a chave de roda tinha batido.

— Culpa sua. Você me deu um susto — falei arreganhando um sorriso.

— E você disse uma palavra feia.

— Foi. Não vamos falar disso.

— Você disse...

— Alexei — interrompi carrancudo.

Peguei a chave e continuei a lidar no pneu, mantendo silêncio por alguns momentos, ansioso em conversar com ele, mas evitando atropelá-lo de perguntas, para que não saísse correndo para casa e fosse contar a novidade aos outros.

— E sua família? — falei por fim. — Estão todos em casa?

— No andar de cima. Papai está escrevendo cartas. Olga está lendo algum romance bobo. Mamãe está dando aula a minhas outras irmãs.

— E você? Por que não está na aula agora?

— Sou o czarévich — respondeu dando de ombros. — Preferi não assistir.

Dei-lhe um sorriso de concordância, sentindo uma súbita onda de pena pela posição em que ele estava. O garoto não tinha sequer percebido que não era mais um czarévich, era apenas Alexei Nicolaievitch Romanov, um menino tão pobre ou insignificante quanto eu.

— Fico contente por estarem todos bem. Sinto saudades daquela nossa época no Palácio de Inverno.

— Sinto saudades do *Standart* — disse ele, pois, entre todas as residências imperiais, o iate sempre foi sua favorita.

— E de meus brinquedos e de meus livros. Temos tão poucos aqui...

— Mas você está bem, desde que veio para Ecaterimburgo? Não andou se machucando?

— Não — respondeu estremecendo de leve à ideia. — Mamãe não me deixa sair muito. O dr. Fiodorov também está aqui, em caso de necessidade, mas tenho passado muito bem, obrigado.

— Fico contente em saber.

— E você, Geórgui Danielovitch, como tem passado? Sabe que agora tenho treze anos de idade?

— Sei, sim. Lembrei o dia de seu aniversário em agosto passado.

— E como?

— Acendi uma vela para você — respondi, recordando o dia em que andei quase oito horas até encontrar uma igreja onde pudesse relembrar o nascimento do czaréviche. — Acendi uma vela e rezei para que você estivesse bem, sem nenhum ferimento, e que Deus o protegesse de todos os males.

— Obrigado — respondeu num sorriso. — No mês que vem farei catorze anos. Você vai fazer a mesma coisa?

— Sim, claro. Todos os anos, no dia 12 de agosto, vou fazer isso. Enquanto eu viver.

Alexei assentiu e olhou em torno do pátio. Parecia absorto em seus pensamentos e fiquei em silêncio, para não o perturbar, continuando em minha tarefa.

— Você vai poder ficar aqui, Geórgui? — por fim indagou.

Fitei-o e acenei em negativa.

— Creio que não. Um dos soldados disse que me daria alguns rublos se eu trocasse este pneu.

— E o que você vai fazer com o dinheiro?

— Vou comer.

— E depois vai voltar? Sabe, não temos ninguém para nos proteger.

— Agora são os soldados que protegem vocês. É para isso que estão aqui, não é?

— É o que nos dizem — respondeu, franzindo um pouco as sobrancelhas enquanto ponderava. — Mas não acredito neles. Creio que não gostam de nós. Eu não gosto deles. Escuto eles dizerem coisas horríveis o tempo todo. Sobre mamãe. Sobre minhas irmãs. Não mostram nenhum respeito por nós. Esquecem o lugar deles.

— Mas você deve ouvi-los, Alexei — disse, preocupado com sua segurança. — Se você for bonzinho, eles o tratarão bem.

— Agora você me chama de Alexei?

— Peço desculpas, senhor — disse e curvei a cabeça. — Quis dizer, Vossa Alteza.

Ele encolheu os ombros como se no fundo não importasse, mas percebi que ele se sentia totalmente desnorteado sobre sua nova posição.

— Você também tem irmãs, não é, Geórgui?

— Tinha, sim. Três. Mas não sei o que aconteceu com elas. Faz muito tempo que não as vejo.

— Então, somando nós dois, temos sete irmãs e nenhum irmão.

— É verdade.

— Estranho, não acha?

— Um pouco.

— Eu sempre quis um irmão — falou ele em voz baixa, fitando o chão de cascalho. Catou alguns pedregulhos da estrada e ficou brincando de jogá-los de uma mão para outra.

— Você nunca me falou isso — comentei surpreso ao ouvir tal coisa.

— Bem, é verdade. Sempre achei que seria bom ter um irmão mais velho. Alguém para cuidar de mim.

— Então o czarévichi seria ele, e não você.

— É, eu sei. Seria maravilhoso.

Franzi o sobrolho, espantado ao ouvir aquilo.

— E você, Geórgui, nunca quis um irmão?

— Na verdade não. Nunca pensei a respeito. Tive um

amigo antigamente — Colec Boriavitch —, crescemos juntos. Era como um irmão para mim.
— E onde ele está agora? Na guerra?
— Não — abanei a cabeça. — Não, ele morreu.
— Lamento ouvir isso.
— Foi muito tempo atrás.
— Quanto tempo?
— Mais de três anos.
— Não é tanto tempo assim.
— Parece uma vida — disse eu. — Bom, de qualquer forma você não tem irmão, Colec Boriavitch morreu, mas você e eu estamos vivos. Quem sabe eu não posso ser uma espécie de irmão mais velho, Alexei. O que lhe parece?
Ele me encarou franzindo a testa e se levantou:
— Mas é impossível. Afinal você é apenas um mujique. Eu sou o filho de um czar.
— Certo — respondi sorrindo. Ele não queria me ofender, o pobre menino. Era apenas a maneira como fora criado. — Sim, é impossível.
— Mas podemos ser amigos — completou ele rapidamente, como se notasse que havia dito algo que não devia e se arrependesse. — Sempre seremos amigos, não é, Geórgui?
— Sim, claro! E quando você sair daqui, continuaremos grandes amigos para sempre. Prometo.
Ele sorriu mais uma vez, acenando em negativa e comentando em voz calma e comedida.
— Mas nunca sairemos daqui, Geórgui Danielovitch. Não sabia disso?
Vacilei, profundamente desconcertado pelo tom seguro de sua voz, e tentei pensar em alguma coisa para tranquilizá-lo, mas, ao abrir a boca para falar, vi de relance que Maria se encaminhava depressa em nossa direção.
— Alexei — disse ela, pegando-o pelo braço —, aí está você. Estava a procurá-lo.
— Maria, veja, é Geórgui Danielovitch.

— Estou vendo — respondeu, encarou-me diretamente nos olhos e se virou para o irmão. — Vá para dentro. Papai está chamando. E não conte a ele com quem você estava conversando, entendeu?

— Mas por que não? Ele vai querer saber.

— Podemos contar mais tarde, mas agora não. Vamos guardar como uma surpresa especial. Confie em mim, está bem?

— Certo — concordou dando de ombros. — Então até mais, Geórgui.

Ele me estendeu sua mão da maneira formal que eu já o vira empregar com príncipes e generais; estreitei-a e trocamos um firme aperto, enquanto eu lhe sorria.

— Até mais, Alexei. Vejo-o mais tarde, com certeza.

Ele assentiu e voltou correndo para casa.

A isso, Maria se voltou para mim.

— Desculpe, Geórgui. Eu contei a ela. E ela queria vir, claro. Mas os soldados ficaram jogando baralho a noite inteira. Ela não pôde descer.

— E onde ela está agora?

— Com mamãe. Está desesperada para vir vê-lo. Consegui dar uma escapada. Ia até os cedros procurá-lo. Ela me pediu que desse o recado que vai vir hoje à noite. Ela prometeu que, aconteça o que acontecer, vai vir hoje à noite.

Fiz um sinal de concordância. Esperar a metade de mais um dia parecia uma tortura, mas eu já tinha esperado tanto, mais de dezoito meses, que poderia muito bem esperar um pouco mais.

— Combinado. Lá — e apontei para o arvoredo onde havíamos conversado na noite anterior. — Vou estar lá a partir da meia-noite e...

— Não, mais tarde. Por volta das duas da madrugada. Todos estarão dormindo. Ela vai vir, prometo.

— Obrigado, Maria.

— Agora é melhor ir embora — insistiu ela, olhando nervosa em torno de si. — Se meus pais o veem... bom, quanto menos gente souber de sua presença aqui, melhor.

— Já estou indo — acatei, ignorando o detalhe de que não acabara de apertar as porcas da roda do pneu que tinha trocado. — E mais uma vez obrigado.

Ela se adiantou e me beijou as duas faces antes de voltar para casa. Fiquei a observá-la, sentindo uma enorme gratidão. Eu nunca tinha tido muito contato direto com ela enquanto trabalhava para sua família, mas Maria sempre foi gentil comigo e Serguei Stassiovitch a amava. Olhei ao redor, ponderei se esperaria o soldado voltar e me pagar o serviço, mas não vi nenhum sinal dele e de repente senti uma grande vontade de estar longe dali.

Dei meia-volta para ir embora, e estava saindo pelo portão quando ouvi o som de passos correndo rápido no cascalho atrás de mim. Virei e vi Alexei, que não deu mostras de diminuir a velocidade, de forma que então abri os braços e ele se atirou a mim num abraço apertado, cruzando as mãos em minha nuca enquanto eu o erguia do chão. Então, numa voz embargada como se contivesse as lágrimas, ele disse:

— Quero que você saiba... Quero que você saiba que, se quiser, pode ser meu irmão. Desde que você me deixe ser seu irmão.

Então se afastou e me olhou fundo nos olhos, sorri e assenti. Eu estava para dizer que sim, que teria orgulho em ser seu irmão, mas meu sinal de assentimento lhe bastou; num segundo, ele já tinha se virado e voltado para casa, para o regaço da família.

Os minutos se arrastavam.

Eu estava sem relógio, e entrei num pequeno bar da aldeia para perguntar as horas. Duas e dez. Quase doze horas de espera. Parecia impossível. Subi e desci as ruas, cada vez mais ansioso e nervoso a cada segundo. Vagueei a esmo pelo vilarejo durante o que pareciam ser horas e horas, até voltar ao bar para perguntar de novo.

— O que você acha que eu sou, um relógio? — bradou o homem atrás do balcão. — Vá amolar outro com suas perguntas.

— Por favor, o senhor não poderia só me...

— São quase três. Agora suma daqui e não volte mais.

Três horas! Não tinha se passado nem uma hora.

Mas, pelo jeito, Deus me sorriu logo depois. Na hora em que dobrei a esquina, vi de lampejo algo brilhando no chão de terra. Estreitei os olhos para enxergar melhor, mas, por mais que tentasse, não consegui encontrar e assim voltei em meus passos até ver de novo aquele reflexo. Sem perdê-lo de vista, abaixei e puxei da terra um prendedor com um punhado de notas — não muitas, mas mais do que eu via desde longa data. Algum aldeão azarado devia ter deixado cair, talvez alguns minutos antes, talvez semanas; não havia como saber. Observei em torno para conferir se alguém tinha me visto, mas ninguém estava me olhando, de forma que enfiei o dinheiro no bolso, entusiasmado com minha boa sorte. Poderia ter entregado a um soldado, claro; poderia ter ido até a junta local para que ele fosse devolvido ao legítimo dono, mas não fiz nenhuma das duas coisas. Fiz o que teria feito qualquer pessoa com fome e sem recursos: peguei para mim.

— São três e quinze — rugiu o dono do bar quando entrei de novo.

Desta vez, agitei uma cédula no ar para que ele visse que eu não estava ali só para amolar, ao que ele sorriu e disse:

— Ah, aí é diferente.

Sentei, pedi uma refeição e algo para beber, esforçando-me em não contar os minutos do relógio. Agora que meus dezoito meses de jornada tinham terminado, agora que Anastácia e eu finalmente nos reencontraríamos, só me vinha ao espírito uma pergunta: o que eu faria quando estivéssemos juntos?

Os bolcheviques não iriam simplesmente deixar que ela saísse da Casa Ipatiev e fôssemos embora. Mesmo que deixassem, para onde iríamos? Não... Poderíamos ficar juntos por alguns minutos, talvez por uma hora, se tivéssemos sorte, e depois ela teria de voltar para a família. E o que eu faria depois disso? Voltaria todas as noites para revê-la? Combinaríamos encontros clandestinos, um depois do outro? Não, devia haver uma solução mais sensata.

E se eu conseguisse salvá-los?, pensei. Talvez encontrasse uma forma de retirar toda a família, de cruzar secretamente a fronteira até a Finlândia, de onde poderiam fugir para a Inglaterra. Certamente encontrariam simpatizantes no caminho, que protegeriam os membros da família imperial, que mentiriam por eles, que dariam a vida por eles, se necessário fosse. E se eu conseguisse, certamente o czar não me negaria a mão de sua filha, apesar de nossa diferença de nível. Parecia uma ideia corajosa, mas sinceramente não consegui pensar numa maneira de colocá-la em prática. Todos os soldados portavam rifles, enquanto a única coisa que eu tinha era um pouco de dinheiro encontrado na rua. Os bolcheviques e o novo Governo do Povo dificilmente deixariam que suas presas mais valiosas simplesmente fugissem do país e criassem uma corte russa no exílio. Não, iriam retê-los aqui para sempre, iriam mantê-los reclusos e ocultá-los aos olhos do mundo. O czar e a czarina não teriam corte e passariam o resto da vida sob vigilância em Ecaterimburgo. O filho e as filhas envelheceriam aqui. Ficariam escondidos por toda a vida, sem poder casar ou ter filhos, e a dinastia Romanov se extinguiria naturalmente. Mais cinquenta ou sessenta anos, e desapareceriam.

Era inconcebível, mas parecia ser a hipótese mais provável. A simples ideia me deixou deprimido. As horas passavam, o sol se pôs, saí do bar e perambulei de novo pelas ruas, andando durante uma hora numa direção, o que me obrigava a gastar mais uma hora para voltar. Não me sentia cansado, pois estava totalmente alerta nessa noite. Deu nove horas, de-

pois dez, e depois onze. Aproximava-se a meia-noite. Não consegui esperar mais.
Voltei.

Se durante o dia a casa não parecia especialmente opressiva, de noite ela adquiriu uma outra característica, pois os reflexos pintalgados da lua nos muros e cercas em seu redor me inquietavam. Não havia nenhum sinal dos guardas que, antes, cumpriam seus turnos percorrendo a estrada de um lado a outro com ar despreocupado, aparentemente sem se importar se havia alguém a observá-los. O portão estava destrancado e havia um vagonete no meio da estrada, a carga — se é que havia — oculta sob um oleado. Parei hesitante do outro lado da estrada, olhando para os lados, nervoso, a imaginar o que estaria se passando lá dentro. Alguns minutos depois, receoso que os soldados voltassem e me encontrassem ali, fui até o bosque, no lugar onde combinei com Maria que iria esperar, e fiquei na expectativa de que Anastácia logo surgisse e viesse me encontrar.

Não demorou muito e as luzes na sala do pavimento térreo se acenderam, e o que parecia ser o contingente inteiro de soldados entrou no aposento. Não estavam com seus uniformes de bolcheviques, e usavam a roupa simples dos camponeses locais. Estavam com os rifles ao ombro, como sempre, mas, ao invés de se separarem como eu esperava — alguns para ir dormir, outros para trabalhar, outros para vigiar —, sentaram-se ao redor da mesa e voltaram as atenções para um homem de mais idade, que parecia ser o encarregado, o qual se manteve de pé enquanto falava e os demais, sentados, ouviam em silêncio.

A seguir, ouvi um súbito ruído no cascalho da estrada. Recuei e me agachei ainda mais na mata, e estiquei o pescoço para tentar ver quem tinha saído. Porém estava escuro e o vagonete me impedia a visão, de maneira que não consegui distinguir ninguém, exceto os guardas no salão. Sustive a respiração e, sim, lá se fez ouvir de novo — o som de passos cuidadosos triturando o cascalho.

Alguém saíra da casa.

Olhei de soslaio, tentando desesperadamente ver se era Anastácia, mas relutava em chamá-la, mesmo num sussurro, pois se eu estivesse enganado descobririam minha presença ali. A única coisa a fazer era esperar. Meu coração martelava dentro do peito e, apesar do frio noturno, minha testa se porejou de suor. Algo parecia estar errado. Ponderei se devia me arriscar e ir até a estrada, mas, antes de poder decidir, todos os guardas se levantaram ao mesmo tempo, estenderam o braço direito para o centro da sala, cada qual empilhando a mão em cima da mão do outro, a uma grande altura. Depois retiraram a mão e calmamente se puseram em fila. Dois deles, o que parecia o encarregado e mais um outro, saíram do aposento; pela porta da frente, semiaberta, vi subirem a escadaria no centro da casa.

Relanceando novamente a estrada, esperava identificar a pessoa que saíra, mas agora o silêncio era completo. Talvez tivesse sido apenas o terrier da czarina, raciocinei. Ou algum outro animal. Talvez fosse apenas minha imaginação. Tanto faz; se antes havia alguém ali, agora já tinha ido embora.

Acendeu-se uma luz numa janela do segundo andar, e me virei rápido para olhar naquela direção. Podia ouvir vozes lá de cima, um murmúrio baixo, e então, pela cortina pálida, desenhou-se a sombra de um grupo compacto de pessoas, comprimidas entre si, que então se separaram e se dirigiram, uma a uma, até a porta.

Fui rápido para a esquerda e por entre as árvores espreitei a escadaria. Logo a seguir, apareceu a grã-duquesa Olga, seguida por um pequeno grupo de pessoas que tive dificuldade em identificar no escuro, mas que julguei serem Maria, Tatiana, Anastácia e Alexei. Consegui vê-los apenas por um instante; então viraram num ângulo e desapareceram. Concluí que os cinco tinham sido apartados dos pais e seriam levados para algum outro lugar. Afinal, eram jovens. Não haviam cometido nenhum crime. Talvez tivessem recebido autorização para ir embora.

Mas não. O vestíbulo ficou vazio apenas por um átimo. O czar e a czarina surgiram e também começaram a descer a escada, ambos andando devagar e se apoiando um no outro, visivelmente sem forças, acompanhados por dois soldados que os conduziram na mesma direção tomada pelos filhos.

Seguiu-se um silêncio absoluto. Os demais soldados no salão se levantaram e saíram lentamente, o último se virando para apagar a luz, e então também viraram no ângulo da escada e sumiram de vista.

Naquele instante senti-me extremamente sozinho. O mundo parecia um lugar totalmente pacífico e silencioso, exceto pelo ligeiro farfalhar das frondes agitadas pela brisa do verão. Havia uma certa beleza no lugar e, ao fechar os olhos e me abandonar ao silêncio, fui inundado por uma expectativa civilizada de que tudo ia bem em nosso país, de que tudo continuaria sempre a ir bem. A Casa Ipatiev estava no escuro. A família havia desaparecido. Os soldados haviam desaparecido. O ser que estivera andando no cascalho sumira do alcance da vista e do ouvido. Eu estava inteiramente sozinho, amedrontado, inseguro, apaixonado. Fui tomado de chofre por um esgotamento que se abateu sobre mim com a força de um furacão; pensei que devia simplesmente me estender na grama, cerrar os olhos, adormecer, esperar a eternidade. Seria muito fácil deitar agora, entregar a alma nas mãos de Deus, deixar que a fome e a privação me arrebatassem e me conduzissem para um local de paz, onde me postaria diante de Colec Boriavitch e pediria desculpas.

Onde me ajoelharia perante minhas irmãs e pediria desculpas.

Onde esperaria meu amor vir até mim e pediria desculpas.

Anastácia.

Por mais um último momento, o mundo continuou em total silêncio.

E então soaram os tiros.

Primeiro um, de inopino. Dei um pulo. Abri os olhos. Fiquei parado, petrificado. Passados alguns instantes, outro, e fiquei sem fôlego. Então uma sucessão de tiros, como se todas as armas de todos os bolcheviques estivessem descarregando suas balas. Foi um estrépito tremendo. Não conseguia me mover. Clarões intensos se sucederam um milhar de vezes à esquerda da escadaria, acompanhando o som dos disparos. Meu cérebro fervilhava de possibilidades que se atropelavam. Foi algo tão inesperado que não pude fazer nada a não ser ficar onde estava, incapaz de um único movimento, perguntando-me se o mundo inteiro havia chegado ao fim.

Levou uns quinze ou vinte segundos até que recobrei a respiração, e com isso consegui encontrar um ponto de apoio para os pés e tentei me erguer. Tinha de ver, tinha de ir lá, tinha de ajudá-los. O que quer que estivesse acontecendo. Finalmente fiquei de pé, mas, antes de poder dar um passo, fez-se ouvir um grande barulho entre as árvores e um corpo se atirou sobre mim, frontalmente, derrubando-me, e ali fiquei de rojo, aturdido, pensando o que teria acontecido. Tinham me alvejado? Era aquela a hora de minha morte?

Mas aquela insensatez durou apenas um instante e me arrastei para trás, esforçando-me para enxergar na escuridão quem estava no chão a meu lado. Olhei e quase me engasguei.

— Geórgui — ela chamou.

1918

Foi um momento que jamais concebera em minha imaginação. Eu, Geórgui Danielovitch Jachmenev, o filho de um servo, um ser insignificante, uma nulidade, agachado numa moita na escuridão noturna de Ecaterimburgo, tendo em meus braços a mulher que eu amava, a grã-duquesa Anastácia Nicolaievna Romanova, a filha mais nova de sua majestade imperial, o imperador czar Nicolau II, e da czarina Alexandra Fiodorovna Romanova. Como chegara aqui? Que destino extraordinário me trouxera dos casebres de madeira de Cáchin aos braços de uma ungida de Deus? Engoli nervoso, meu estômago se contorcendo sozinho enquanto eu procurava entender o que havia acontecido.

Na distância, as luzes da Casa Ipatiev se acendiam e se apagavam, e eu ouvia os sons alternados de gritos furiosos e gargalhadas ensandecidas em seu interior. Forcei a vista e vi o líder bolchevique se aproximar de uma janela do segundo andar. Ele abriu os vidros, inclinou-se para fora e esticou o pescoço de maneira quase obscena para observar a paisagem da esquerda para a direita, e então estremeceu de frio, fechou-a outra vez e desapareceu do campo de visão.

— Anastácia — sussurrei, afastando-a energicamente alguns centímetros, para poder observá-la melhor.

Ela tinha passado os últimos minutos dolorosamente colada a meu peito, como se tentasse cavar um caminho até meu coração e ali encontrar um refúgio seguro.

— Anastácia, meu amor, o que aconteceu? Ouvi o tiroteio. Quem estava atirando? Os bolcheviques? O czar? Fale comigo! Há algum ferido?

Ela não disse uma palavra, e continuou a me fitar como

se eu não fosse um ser humano, mas uma figura de pesadelo que se dissolveria em mil fragmentos a qualquer instante. Era como se não me reconhecesse, ela que me falara de amor, prometera devoção por toda a vida. Alcancei suas mãos e, ao pegá-las entre as minhas, quase as soltei novamente de pavor. Não estariam mais geladas se ela fosse para o túmulo. Naquele mesmo instante, Anastácia se descontrolou, começou a se agitar violentamente, e do fundo da garganta saiu um som grave e gutural, ofegante e torturado, que prenunciava um terrível grito. Alarmado com sua estranha conduta, repeti:

— Anastácia. Sou eu. Seu Geórgui. Diga o que aconteceu. Quem estava atirando? Onde está seu pai? E sua família? O que aconteceu com eles?

Nenhuma resposta. *Anastácia!*

Comecei a ter a sensação de horror que se segue ao reconhecimento de um massacre. Quando menino, tinha presenciado o sofrimento e a morte de habitantes de Cáchin, devastados pela fome ou pela doença. Depois de ingressar na Leib Guard, tinha visto homens levados à morte, alguns imperturbáveis, outros aterrorizados, mas nunca vira um tamanho choque contido ali à minha frente, no corpo trêmulo de minha amada. Era evidente que ela tinha presenciado algo tão pavoroso que sua mente ainda não conseguira processar o fato, mas, em minha juventude e inexperiência, não sabia qual seria a melhor maneira de socorrê-la.

O volume das vozes proveniente da casa continuava a aumentar e abriguei a nós dois num recesso mais profundo da mata. Embora tivesse certeza de que não seríamos vistos ali, inquietou-me a possibilidade de que repentinamente Anastácia recuperasse os sentidos e nos pusesse em perigo; naquele momento desejei estar armado, para um caso de emergência.

Três bolcheviques saíram das três altas portas vermelhas na frente da casa, acenderam seus cigarros e começaram a conversar em voz baixa. Vi o clarão ao riscarem vários fósforos, e me indaguei se também estariam nervosos ou se era o

vento que apagava a chama antes de conseguirem acender. Eu estava longe demais para escutar o que diziam, mas alguns momentos depois um dos soldados, o mais alto deles, soltou uma exclamação angustiada e ouvi essas palavras romperem a serenidade da noite:
Mas se descobrirem que ela...
Nada mais. Cinco simples palavras sobre as quais refleti muitas e muitas vezes ao longo da vida.

Estreitei os olhos, esforçando-me em decifrar o semblante daqueles homens, se estavam alegres, animados, nervosos, compungidos, traumatizados, sanguinários, mas era demasiado difícil. Relanceei a vista para Anastácia, que me agarrava e apertava com força; ela olhou para cima no mesmo instante, viu meu olhar e seu rosto foi tomado por uma expressão de terror tão intenso que receei que o acontecido lá dentro daquela casa amaldiçoada, fosse o que fosse, havia lhe tirado a razão. Ela abriu a boca, sorvendo um longo hausto de ar e, temendo que ela começasse a gritar e traísse nossa presença, tapei-lhe a boca com a mão, como havia feito duas noites antes com sua irmã mais velha, todas as fibras de meu ser se rebelando contra tal ofensa, até que finalmente senti seu corpo desabar sobre mim e seu olhar se perdeu, como se o ânimo de lutar a abandonasse de vez.

— Perdoe-me, minha querida — sussurrei em seu ouvido. — Perdoe minha brutalidade. Mas, por favor, não tenha medo. Eles estão lá, mas vou proteger nós dois. Vou cuidar de você. Mas você precisa manter silêncio, meu amor. Se nos descobrirem, virão atrás de nós. Precisamos ficar aqui até os soldados voltarem para dentro.

A lua saiu de trás de uma nuvem e lançou um brilho pálido no rosto de Anastácia. Agora ela parecia quase serena, calma e tranquila, como eu sempre a imaginara em minhas fantasias, surgindo na quietude da noite. Quantas vezes não sonhei que me viraria na cama e ali encontraria minha amada, e me sentaria para contemplá-la adormecida, a única beleza que eu conhecera em meus dezenove anos de vida? Quantas vezes não acordei transpirando, envergonhado, enquanto sua imagem se dissolvia em meus sonhos? Mas essa serenidade estava em contraste tão agudo com nossa situação que chegava a me assustar. Era como se ela tivesse enlouquecido. Eu temia que, se fizesse a asneira de soltá-la, ela se poria a qualquer momento a gritar, a chorar, a rir ou correr pelas matas rasgando e arrancando a roupa.

Assim, mantive-a apertada junto a mim e, jovem como era, indiscreto como era, sensual como era, não pude deixar de sentir prazer à sensação de seu corpo tão próximo do meu. Pensei *Poderia possuí-la agora*, e me detestei por tal perversão. Enfrentávamos uma situação aterrorizante, em que a descoberta significaria extinção, e minhas emoções primárias eram baixas e animais. Tive nojo de mim mesmo. Ainda assim, não a soltei.

Espreitava por entre as árvores, esperando que os soldados se retirassem.

E ainda assim, não a soltei.

A única coisa que eu sabia com certeza era que precisávamos ir embora dali. O que fora programado como um encontro romântico entre dois jovens enamorados tinha sido substituído por algo inteiramente diferente e, se meu medo não se manifestava fisicamente com a mesma intensidade do dela, nem por isso era menos real. Minha expectativa era que Anastácia viesse a meus braços entre muitos risos, a mesma moça pela qual eu havia me apaixonado numa atmosfera de exaltação, seu resplendor apenas levemente afetado pelo tempo transcorrido em Ecaterimburgo. Ao invés disso, minha recompensa tinha sido uma muda traumatizada, e a música que soava em meus ouvidos era o som de disparos. Acontecera algo terrível dentro da Casa Ipatiev, isso era evidente, mas de alguma maneira Anastácia escapara. Se fôssemos descobertos, eu achava que não sobreviveríamos até a manhã seguinte.

Embora a noite estivesse fria e escura, meu instinto me dizia que devíamos tomar sem demora o rumo oeste e procurar abrigo dos elementos num celeiro ou num depósito de carvão, se conseguíssemos encontrar um lugar assim. Pus Anastácia de pé, a qual estava com o corpo amolecido, mas não soltava de mim, com a mão esquerda ergui seu rosto para que pudéssemos ter contato visual. Fitei-a, tentando atraí-la para meu olhar e ganhar sua confiança, e somente quando senti que ela estava alerta a me ouvir foi que voltei a falar.

— Anastácia — falei em tom calmo, a voz decidida —, não sei o que aconteceu hoje à noite e agora não é o momento de trocar confidências. O que aconteceu, seja lá o que for, não pode ser desfeito. Mas uma coisa você precisa me dizer. Só uma coisa, meu amor. Você pode fazer isso?

Ela continuou a olhar fixo e não deu sinal de ter entendido minhas palavras; confiando que pelo menos uma parte de seu cérebro ainda era capaz de perceber e reagir, prossegui:

— Você precisa me dizer o seguinte: quero levar você embora daqui, junto comigo, deixar já este lugar, não mandá-la de volta para sua família. Anastácia, isso está certo? Está certo eu levá-la embora daqui?

Havia uma tal imobilidade entre nós naquele momento que eu nem ousava respirar. Eu apertava seus antebraços com tanta força que, em qualquer outra ocasião, ela teria protestado de dor, mas agora não esboçou nenhuma reação. Observei sua fisionomia, buscando desesperado algum sinal de resposta, e então — que alívio! — um aceno quase imperceptível, um levíssimo movimento para o oeste, como que indicando que sim, que devíamos ir naquela direção. Isso me deu a esperança de que a verdadeira Anastácia estava ali presente, em algum lugar dentro daquele estranho semblante, embora o esforço de dar aquele minúsculo sinal tenha sido demasiado para ela e de novo seu corpo se afrouxou, quase desfalecendo em meu peito. Eu estava resolvido.

— Vamos já — falei a ela. — Antes que o sol se levante. Você tem de encontrar forças para andar comigo.

Pensei várias vezes nesse momento ao longo de minha vida: pinto a mim mesmo abaixando-me para erguê-la do solo e carregá-la não para a segurança, mas rumo à segurança. Esse teria sido, talvez, o gesto heroico, o detalhe que comporia um retrato adequado ou seria o clímax dramático. Mas a vida não é poesia. Anastácia não pesava muito, mas como posso exprimir a crueldade da atmosfera, a *froideur* impertinente do ar, que mordia todas as partes expostas de nosso corpo de uma maneira que fazia lembrar o odioso cãozinho da imperatriz. Era como se o sangue tivesse parado de circular sob nossa pele, transformando-se em gelo. Tínhamos de andar, tínhamos de manter o corpo em movimento, no mínimo para garantir a circulação sanguínea.

Tirei o sobretudo e o coloquei nos ombros de Anastácia, abotoando-o na frente enquanto começávamos a caminhar. Fiquei inteiramente concentrado em manter o ritmo enquanto conduzia a nós dois. Mantivemos silêncio e fiquei hipnotizado pelo ruído de minhas passadas, conservando o tempo todo o mesmo passo para não perder o impulso.

Enquanto isso, eu continuava de ouvidos alertas ao som dos bolcheviques em nosso encalço. Algo tinha acontecido dentro daquela casa naquela noite, algo terrível. Não sabia o que era, mas as hipóteses rodopiavam em meu cérebro. A pior delas era inconcebível, um crime contra o próprio Deus. Mas, se realmente acontecera aquilo que eu não ousava pôr em palavras, então certamente nós dois não seríamos os únicos a sair de Ecaterimburgo; os soldados iriam nos seguir — seguir *a ela* —, desesperados para apanhá-la e levá-la de volta. E se nos encontrassem... eu não me atrevia a pensar e acelerei nosso ritmo.

Para minha surpresa, Anastácia não aparentava qualquer

dificuldade em manter a marcha. Na verdade, não só acompanhava meu passo constante, como às vezes até me ultrapassava, como se, apesar de seu silêncio, estivesse ainda mais ansiosa do que eu em aumentar o máximo possível a distância entre ela e sua ex-prisão. Naquela noite, ela estava com um vigor sobre-humano; creio que, se eu tivesse sugerido ir a pé até São Petersburgo, ela teria concordado e não daria uma única pausa para descansar.

Mas, por fim, depois de duas, talvez três horas, eu sabia que teríamos de parar. Meu corpo protestava a cada passo. Tínhamos uma longa viagem pela frente e precisávamos reunir nossas energias. O sol logo nasceria e eu não pretendia ficar num local onde pudéssemos ser vistos, ainda que, para meu espanto, parecesse não haver sinal algum de perseguição. Divisei um pequeno abrigo para animais cerca de oitocentos metros adiante, e decidi que interromperíamos a marcha e dormiríamos ali.

Lá dentro o cheiro era terrível, mas o local estava vazio, as paredes eram sólidas e havia palha suficiente no chão para descansarmos em conforto razoável.

— Vamos dormir aqui, meu amor.

Anastácia assentiu e deitou sem protestar, fitando o forro com o mesmo olhar parado e vazio.

— Você não precisa dizer nada — acrescentei, ignorando o fato de que ela tinha dito uma única palavra, meu nome, desde que nos encontramos naquela noite e não dava mostra alguma de querer contar o que havia acontecido. — Ainda não. Apenas durma. Você precisa dormir.

Mais uma vez um minúsculo sinal de assentimento, mas agora senti seus dedos apertarem levemente os meus, como que para dar a reconhecer que entendia o que eu estava dizendo. Deitei a seu lado, envolvendo-a com meu corpo para aquecê-la, e percebi que eu cairia no sono em poucos segundos. Tentei ficar acordado para velar por ela, mas seu olhar vazio fixo no forro da cabana hipnotizou meu espírito e logo fui vencido pelo cansaço.

Passaram-se três dias antes que Anastácia recobrasse o uso da fala.

Quando acordamos na manhã seguinte, tivemos a sorte de conseguir transporte numa carroça que ia para Izhevsc; a viagem levou um dia inteiro, mas o camponês que nos deu carona pediu apenas alguns copeques pela gentileza e nos ofereceu pão e água durante o percurso, que aceitamos de bom grado, pois nós dois não comíamos nada desde a tarde anterior. Dormimos bem acomodados na parte traseira, estendidos nas tábuas de madeira, mas a cada solavanco da estrada acordávamos num salto assustado e eu rogava que aquela tortura acabasse logo. A cada vez que Anastácia despertava, eu percebia que levava alguns instantes até ela se dar conta de onde estava e da razão que a trouxera até ali. Por um brevíssimo instante seu rosto aparentava calma e tranquilidade, e logo se toldava num súbito eclipse e os olhos se apertavam com força, como se quisesse ser tomada pelo sono — ou por algo pior. O carroceiro não entabulou nenhuma conversa e não reconheceu a princesa da linhagem imperial, sentada quieta na parte de trás, de costas para ele. Senti-me agradecido pelo silêncio dele, pois não me julgava capaz de simular amizade ou cordialidade nas circunstâncias em que estávamos.

Em Izhevsc, descemos, fomos comer numa pequena taverna e seguimos para a estação de trem, que estava muito mais movimentada do que eu previa, fato que me agradou, pois significava que teríamos facilidade em nos misturar à multidão. Eu estava com medo que houvesse soldados nas portas de entrada, procurando por nós, procurando por *ela*, mas aparentemente tudo seguia seu curso normal. Anastácia manteve a cabeça baixa durante todo o tempo, e cobriu seus cabelos louro-acobreados com um capuz, de forma que parecia uma filha de camponês como qualquer outra que passava por nós. Eu ainda estava com grande parte dos rublos que encontrara na tarde anterior, e num impulso decidi gastar quase o dobro do que seria necessário, para termos um compartimento privado no trem. Comprei duas passagens para Minsk, num percurso de mais de mil e seiscentos quilômetros. De Minsk, não sabia para onde iríamos.

A vida traz momentos curiosos de alegria e prazeres inesperados, e foi o que aconteceu quando saímos da estação. O guarda soprou seu apito penetrante, seguiu-se uma série de gritos para apressar o embarque dos últimos passageiros e então o vapor começou a subir enquanto as rodas se punham em movimento. Logo depois o trem acelerou até atingir uma velocidade razoável, rumando para o oeste, e fitei Anastácia, cujo rosto agora era a própria imagem do alívio. Inclinei-me e peguei sua mão. Ela demonstrou surpresa pelo inesperado gesto de intimidade, como se tivesse esquecido até mesmo que eu estava a bordo com ela, mas então me olhou e sorriu. Fazia dezoito meses que eu não via aquele sorriso e retribuí agradecido. Seu sorriso me encheu de esperanças de que logo ela voltaria a ser o que era.

— Está com frio, minha querida? — perguntei, estendendo o braço e pegando uma manta fina de uma prateleira no compartimento. — Não quer colocar nas pernas? Vai aquecê-las.

Ela aceitou a manta, agradeceu e se virou para olhar a paisagem pela janela, enquanto os campos desolados passavam por nós. A terra. As colheitas. Os mujiques. Os revolucionários. Após um instante, ela se virou para mim e contive a respiração na expectativa. Entreabriu os lábios. Engoliu delicadamente a saliva. Abriu a boca para falar. Vi sua garganta se mover delicadamente no pescoço pálido, conforme o sinal enviado pelo cérebro se transmitia à língua, mas no exato momento em que ela estava prestes a juntar algumas palavras pela primeira vez depois de tantos dias, a porta do compartimento se abriu num repelão e virei a cabeça assustado, mas aliviado ao ver o cobrador ali parado.

— Suas passagens, senhor? — pediu ele.

Antes de pegá-las, olhei de relance para Anastácia, que tinha dado as costas para nós dois. Estava de novo olhando pela janela, apertando a lapela de meu sobretudo em torno do queixo e tremendo. Estendi o braço, sem saber onde tocá-la.

— *Dusha* — murmurei, e logo fui interrompido.

— Suas passagens, senhor — repetiu o cobrador, agora em tom mais firme.

Virei e o encarei, com uma tal expressão de fúria repentina que ele recuou meio passo e me olhou nervoso. O funcionário do trem ia dizer mais alguma coisa, mas pensou melhor e ficou em silêncio enquanto eu tirava lentamente as passagens do bolso e estendia a ele.

— Vocês estão indo para Minsc? — perguntou depois de examinar meticulosamente os bilhetes.

— Isso mesmo.

— Vão ter de fazer baldeação em Moscou. Será um outro trem para o trecho final da viagem.

— Estou ciente disso — respondi querendo que nos deixasse em paz.

Mas provavelmente não o intimidei tanto quanto pensava, pois, em vez de me devolver as passagens e nos deixar em paz, continuou a segurá-las como reféns de sua curiosidade, e volveu os olhos para Anastácia.

— Ela está bem? — perguntou a seguir.

— Está, sim.

— Parece perturbada.

— Ela está bem — respondi categórico. — As passagens estão em ordem?

— Madame? — chamou ele, desconsiderando minha pergunta. — Madame, a senhora está viajando com este cavalheiro?

Anastácia não respondeu nada e continuou a contemplar

a paisagem, recusando-se até a reconhecer a presença do cobrador.

— Madame — retomou ele em tom mais ríspido. — Madame, eu lhe fiz uma pergunta.

Seguiu-se uma pausa que pareceu longuíssima e então, como se jamais tivesse recebido maior insulto, Anastácia se virou e lhe lançou um olhar gélido.

— Madame, pode confirmar se está viajando com este cavalheiro?

— Mas claro que está viajando comigo, seu tolo — atalhei brusco. — Por qual outra razão estaríamos no mesmo compartimento? Por qual outra razão eu estaria com nossos bilhetes no bolso?

— Senhor, a jovem parece perturbada — replicou ele. — Quero me certificar de que não foi trazida sob coerção.

— Sob coerção? — repeti numa risada. — Ora, você deve estar louco! Ela está apenas cansada, e só. Estamos viajando faz...

Antes que eu terminasse a frase, Anastácia se inclinou até mim e pôs sua mão em meu braço. Olhei surpreso, ela retirou a mão e, já sem nenhum tremor no corpo, fitou o cobrador com altivez. Virei-me para ele e vi a perplexidade estampada em seu rosto, por duas coisas: a súbita compostura e a nobre beleza de Anastácia.

— Não fui raptada, se é isso que você está sugerindo — disse ela, a voz levemente rouca devido aos dias em que mantivera silêncio.

— Peço perdão, madame — respondeu ele, um pouco embaraçado. — Não pretendia sugerir tal coisa. A senhora parecia desconfortável, apenas isso.

— É um trem desconfortável. Eu me pergunto por que seu Governo do Povo não investe um pouco de seu dinheiro em melhorias. Afinal ele tem bastante, não?

Prendi a respiração, inseguro quanto à prudência de tal comentário. Não fazíamos ideia de quem era o cobrador, a quem ele respondia, de que lado ele estava. Anastácia, acostumada a não responder a nenhum homem, exceto o pai, tinha visivelmente reencontrado sua força interior diante da insolência do funcionário. Fez-se silêncio no compartimento por alguns instantes — eu não sabia se o condutor iria nos questionar ainda mais e fiquei preocupado, pois aí nossa situação iria piorar —, mas finalmente ele me devolveu os bilhetes e desviou o olhar.

— Há um vagão-restaurante no final do trem, se estiverem com fome — avisou bruscamente. — A próxima parada é Nizhni Novgorod. Tenham uma boa viagem.

Assenti, ele nos deu uma última olhada — Anastácia ainda o fitava, desafiando-o a enfrentá-la novamente —, por fim deu meia-volta, fechou a porta e ficamos só nos dois. Deixei escapar um enorme suspiro, sentindo o peito afundar de tensão e então olhei Anastácia, que me sorria debilmente.

— Você recuperou a voz!

Ela anuiu e sussurrou meu nome, num tom dolorido. Peguei sua mão.

— Você precisa me contar — insisti, sem nenhum tom de pressão, apenas de gentileza e solidariedade. — Você precisa me contar o que aconteceu.

— Sim, vou contar, sim. Só a você. Mas antes você precisa me dizer uma coisa.

— Qualquer coisa.

— Você me ama?

— Mas claro!

— Nunca vai me deixar?

— Só a morte poderia me afastar de você, minha querida.

Seu rosto se sombreou a essas palavras, e percebi que tinha escolhido mal os termos. Apertei suas mãos com força entre as minhas, e pedi mais uma vez que me contasse, me contasse tudo. Que me contasse tudo o que havia acontecido na Casa Ipatiev.

Os guardas não nos tratavam como prisioneiros. Na verdade, deixavam que andássemos à vontade pelo terreno e até déssemos longos passeios pelo campo em redor, sob a condição de que voltássemos à casa. Naturalmente nós obedecíamos. Afinal, não tínhamos para onde ir. Não conseguiríamos nos esconder em nenhuma vila ou aldeia na Rússia. Eles diziam que estávamos em segurança em Ecaterimburgo, que estavam nos protegendo, ocultando nosso paradeiro a um país repleto de gente que nos odiava. Diziam que havia pessoas que nos queriam mortos.

Também eram amigáveis, o que sempre me espantou. Falavam conosco como se não controlassem nossas vidas. Agiam como se fôssemos livres para ficar ou partir, e nunca questionavam nenhum de nós quando saíamos, mas as armas ao ombro diziam outra coisa. Eu me indagava se chegaria o dia em que eu fosse até a porta e eles ergueriam a mão para me deter.

Maria me avisou que você tinha vindo me ver. No começo não acreditei. Era um milagre. Ela jurou que era verdade, que o tinha visto e falado com você, e fiquei louca de alegria, mas mamãe não me deixou sair, insistindo que eu ficasse e continuasse a aula. Claro, não podia contar a ela por que queria sair. Se contasse, ela nunca mais me deixaria sair. E a ideia de que você estava tão perto me deixou ainda mais feliz quando Maria disse que você voltaria naquela noite. Mal consegui esperar, Geórgui.

Quando anoiteceu, desci a escada às escondidas. Ouvi os guardas conversando num dos salões do térreo. Achei curioso que estivessem reunidos daquela forma, pois quase sempre um deles ficava à porta. O terreno estava deserto, mas andei devagar. Tinha medo de que o barulho dos sapatos no cascalho alertasse alguém sobre minha saída. É estranho pensar nisso, Geórgui, mas minha preocupação não era que os guardas descobrissem aonde eu ia, e sim que papai ou mamãe soubessem quem eu ia encontrar.

Agachei-me ao passar pela janela do salão e alguma coisa me fez hesitar um momento. Parecia que estavam discutindo. Tentei ouvir: uma voz se ergueu sobre as demais e todos pararam para ouvir o que *tinha a dizer. Não pensei mais naquilo e fui depressa até o portão, pensando apenas em você. Ansiava por estar em seus braços. Cheguei a imaginar, a sonhar que você me levaria embora de Ecaterimburgo, que você revelaria nosso amor a papai, ele nos abraçaria e o chamaria de filho, e voltaríamos a ser tudo o que éramos. Talvez Maria tivesse razão. Ela dizia que eu era tola em pensar que ficaríamos juntos algum dia.*

Na hora em que alcancei o portão, senti o frio que fazia. Meu coração me dizia para correr a seu encontro, que seus braços logo me aqueceriam, mas minha cabeça dizia para voltar e pegar um casaco. Havia um pendurado no corredor, junto à porta — de Tatiana, acho, e ela não daria pela falta. Voltei e percebi que agora o salão onde os guardas estavam conversando antes estava vazio. Achei estranho e hesitei, pensando se minha vontade de pegar o casaco resultaria em me descobrirem. Imaginei que alguns soldados apareceriam na porta a qualquer momento e ficariam ali fora fumando. Mas não apareceu ninguém. Eu não queria que aparecessem, Geórgui, mas mesmo assim perturbou-me o fato de não aparecerem.

Logo a seguir, ouvi o golpear pesado de botas nas escadas, muitas botas, e passei correndo pela porta da frente e dei a volta até a lateral da casa, agachando-me sob uma janela. Acendeu-se uma luz logo acima e um magote de gente entrou na sala. Ouvi meu pai perguntando o que se passava e um deles respondeu que Ecaterimburgo não era mais um local seguro, e que para proteger nossa família era imperioso que fôssemos imediatamente transferidos para outro lugar.

— Mas para onde? — perguntou minha mãe. — Isso não pode esperar até amanhã de manhã?

— Aguardem aqui, por favor — respondeu o homem, e todas aquelas botas pesadas saíram do aposento, e só minha família ficou ali dentro.

Naquela altura eu estava dividida entre o dever e o amor. Se fossem transferidos para outra cidade, certamente teria de ir com eles. Mas você, Geórgui, você estava me esperando. E estava tão per-

to. *Talvez eu conseguisse revê-lo e dizer para onde íamos, você nos seguiria e encontraria uma maneira de me salvar. Estava tentando decidir o que fazer quando ouvi um soldado entrar novamente na sala e fazer uma pergunta que não escutei. Meu pai respondeu: "Não sei. Não a vi esta tarde". Imaginei que falavam de mim, que os soldados estavam à minha procura, mas permaneci ali mesmo e logo a sala ficou silenciosa outra vez.*

Por fim levantei. A janela era alta, de forma que, do lado de dentro, só poderiam me ver da boca para cima. Olhei a sala que eu tinha visto tantas vezes antes. Ela sempre foi vazia, mas agora havia duas cadeiras paralelas à parede. Papai estava sentado numa delas, com Alexei nos joelhos. Meu irmão estava sonolento e cochilava no colo de papai. Mamãe estava sentada ao lado deles, com ar ansioso, os dedos retorcendo o longo colar de pérolas que trazia ao peito. Olga, Tatiana e Maria estavam postadas atrás deles, e me senti culpada por não estar ali também. Pouco depois, talvez sentindo meu olhar intenso, Maria relanceou a janela, me viu e disse meu nome.

"Anastácia."

Papai e mamãe se viraram em minha direção e nossos olhos se encontraram por um breve instante. Mamãe parecia chocada, como se não acreditasse que eu estava ali fora, mas papai... ele me dardejou uma mirada ferozmente intensa, com olhos firmes e decididos. Ele ergueu a mão, Geórgui. Com a palma aberta, ele fez um gesto para que eu ficasse exatamente onde estava. Parecia uma ordem, o comando de um czar. Eu ia dizer alguma coisa, mas, antes que me viesse qualquer palavra, a porta da sala se escancarou e minha família se virou rapidamente para fitar os captores.

Os soldados estavam em linha e ninguém falou nada. Então o líder tirou um papel do bolso. Disse que lamentava, mas nossa família não poderia se salvar e, antes que eu sequer percebesse o significado daquelas palavras, ele puxou uma arma do bolso e disparou na cabeça de papai. Ele atirou no czar, Geórgui. Minha mãe se persignou, minhas irmãs gritaram e viraram para se abraçar entre si, mas nem tiveram tempo de falar ou de entrar em pânico, pois todos os soldados puxaram suas armas naquele instante e massacraram todos. Atiraram neles como animais. Chacinaram. E eu assisti. Assisti enquanto caíam. Assisti enquanto sangravam e morriam.

E então me virei.

E corri.

Não me lembro de mais nada, a não ser que queria alcançar a mata, abandonar a casa, e me concentrei no lugar combinado, onde eu sabia que você estaria me esperando. E enquanto corria, tropecei em alguma coisa e caí. Caí e aterrissei em seus braços.

Encontrei você, à minha espera.

E o resto... o resto, Geórgui, você conhece.

Levamos quase dois dias para chegar, exaustos, a Minsk. Ficamos na estação, consultando os horários e destinos dos trens, detestando a ideia de passar mais tempo num vagão, mas sabendo que era a única alternativa. Não podíamos permanecer na Rússia. Jamais seria seguro.

— Para onde iremos? — perguntou Anastácia enquanto líamos a lista de cidades com conexões. Roma, Madri, Viena, Genebra. Copenhague, talvez, cujo rei era o avô dela.

— Para onde você quiser, Anastácia. Onde você se sentir a salvo.

Ela apontou uma cidade e eu assenti, gostando do romantismo da escolha.

— Então Paris — anunciei.

— Geórgui — disse ela pegando meu braço de repente. — Só uma coisa.

— Diga.

— Meu nome. Não me chame mais assim. Não podemos correr o risco. Eles não estarão atrás de você, ninguém sabia de nossa relação, exceto Maria, e ela... — hesitou, se recompôs e retomou. — A partir de agora você não pode me chamar de Anastácia.

— Claro — concordei. — E como vou chamá-la, então? Não consigo imaginar um nome melhor do que o seu.

Ela baixou a cabeça por um instante e refletiu. Ao reerguê-la, era como se tivesse se transformado em outra pessoa, totalmente diferente, uma jovem embarcando numa nova vida sem nenhuma expectativa.

— Me chame de Zoia — disse calmamente. — Significa *vida*.

1981

São quase onze horas da noite quando toca o telefone. Estou sentado numa poltrona diante de nosso pequeno aquecedor a gás, um romance fechado nas mãos, os olhos cerrados, mas sem dormir. O telefone está perto, mas não atendo de imediato, permitindo-me um último momento de otimismo antes de atender e enfrentar a notícia. Ele toca seis, sete, oito vezes. Por fim estendo a mão e levanto o fone.

— Alô.
— Sr. Jachmenev?
— Eu mesmo.
— Boa noite, sr. Jachmenev — diz a voz feminina do outro lado do aparelho. — Desculpe-me por ligar tão tarde.
— Não se preocupe, dra. Crawford — respondo, pois reconheço imediatamente a voz; quem mais poderia ser, afinal, a esta hora da noite?
— Receio que não seja uma boa notícia, sr. Jachmenev. Não resta muito tempo a Zoia.
— A senhora disse que ainda teria algumas semanas — respondo, pois é o que ela me disse hoje no final da tarde, logo antes de sair do hospital e vir para casa. — A senhora disse que não havia motivo para preocupação imediata.

Não estou zangado com a dra. Crawford, apenas confuso. Um médico lhe diz alguma coisa, você ouve e acredita. E vai para casa.

— Eu sei — diz um pouco contrita. — Era o que eu pensava naquele momento. Infelizmente, à noite sua esposa piorou. Sr. Jachmenev, a decisão é toda sua, claro, mas creio que o senhor deveria vir logo.

— Já estarei aí — e desligo.

Felizmente ainda não me troquei para dormir. Levo apenas um minuto para pegar a carteira, as chaves e o casaco e vou até a porta. Ocorre-me um pensamento e hesito, perguntando se pode esperar, decidindo que não pode; volto para a sala e o telefone, ligo para meu genro Ralph e aviso.

— Michael está lá em cima — diz ele, e fico contente em saber, pois não tenho como falar com meu neto. — Logo nos veremos.

Na rua, leva alguns minutos para conseguir um táxi, mas finalmente aparece um, ergo a mão e ele encosta no meio-fio. Abro a porta de trás, dou o nome do hospital antes mesmo de fechá-la e ele arranca. Sinto um vento rápido no rosto e puxo bem a porta.

As ruas a esta hora da noite não estão tão calmas quanto eu imaginava. Rapazes saem dos bares aos grupos, abraçados, um apontando o dedo para o outro, decididos a se fazer ouvir. Adiante, um casal briga e uma moça tenta apartar colocando-se entre os dois; vejo-os apenas de passagem, mas têm uma expressão de ódio que incomoda ver.

O táxi faz uma curva fechada à esquerda, depois à direita, e antes que eu me dê conta passamos pelo Museu Britânico. Olho os dois leões ao lado das portas e revejo minha hesitação ali, antes de entrar e conhecer o sr. Trevors na manhã em que me entrevistou, a mesma manhã em que Zoia começou a trabalhar como costureira na Newsom. Faz tanto tempo, eu era tão jovem, a vida tão difícil, mas eu daria tudo para voltar àquele momento e entender a sorte que tive. Ter minha juventude e minha esposa, nosso amor e nossa vida diante de nós.

Fecho os olhos, sinto um nó na garganta. Não vou chorar. Hoje à noite haverá tempo para lágrimas. Mas ainda não.

— Aqui está bom para o senhor? — pergunta o taxista, freando perto da entrada dos visitantes, e digo que sim, está ótimo, e lhe dou a primeira nota que sai; é demais, sei disso, mas não me importo. Saio para a noite fria, hesito um pouco na frente do hospital, avanço apenas quando ouço o táxi partir.

Zoia não está mais na enfermaria de oncologia, diz-me uma jovem pálida e cansada na recepção. Foi transferida para um quarto particular no terceiro piso.

— Seu sotaque — digo. — Você é estrangeira, não é?

— Sou — responde ela, olhando-me rapidamente e voltando à sua papelada. Ela não quis me dizer de onde é, mas aposto que é de algum lugar da Europa Oriental. Não da Rússia, isso eu sei. Iugoslávia, talvez. Romênia. Um daqueles países.

Entro no elevador e aperto o botão "3"; mesmo que o telefonema não tenha sido muito explícito, sei o que significa ser transferido para um quarto particular nesse estágio da doença. Fico aliviado que o elevador esteja vazio. Posso pensar, me compor. Mas não por muito tempo, pois logo saio para um longo corredor branco, com uma sala de enfermeiros no final. Ao me dirigir devagar até lá, ouço duas vozes conversando, um homem jovem e uma mulher mais velha. Ele fala sobre uma entrevista que vai fazer, provavelmente uma promoção no hospital. Interrompe-se ao me ver de pé ali em frente, e estampa um ar de irritação no rosto, embora eu ainda não tenha dito nada. Fico pensando se ele me toma por um dos pacientes de idade das numerosas enfermarias que se espalham pelo corredor como os tentáculos de um polvo. Talvez ele ache que me perdi, ou que não consigo dormir, ou que sujei a cama. É ridículo, claro. Estou inteiramente vestido. Só sou velho.

— Sr. Jachmenev — diz alguém atrás de mim, a dra. Crawford, pegando uma prancheta cheia de documentos. — O senhor chegou rápido.

— Sim. Onde está Zoia? Onde está minha mulher?

— Logo aqui — responde ela brandamente, pegando-me pelo braço.

Solto-me, talvez com brusquidão maior do que seria necessário. Não sou inválido e não deixarei que me tratem como se fosse. Ela se desculpa e me conduz ao longo de várias portas fechadas, atrás das quais estão... quem? Os mortos, os moribundos, os enlutados, três situações que logo conhecerei pessoalmente.

— O que aconteceu? Hoje à noite, quero dizer. Depois que eu saí. Como ela piorou?

— Foi inesperado — responde a médica. — Mas, para ser franca, não é incomum. As fases finais da doença podem ser imprevisíveis. Um paciente pode ficar estável durante semanas, e até meses a fio, e de repente sua condição se agrava muito. Transferimos sua esposa da enfermaria para este quarto, para que possam ter um pouco de privacidade.

— Mas ela... — hesito; não quero me iludir nem ser iludido. Mas preciso saber. — Ela ainda pode se recuperar? Assim como piorou, pode melhorar?

A dra. Crawford para diante de uma porta fechada, esboça um sorriso e toca meu braço.

— Receio que não, sr. Jachmenev. Creio que o senhor deve se concentrar apenas em passar juntos o tempo que lhes resta. O senhor verá que Zoia ainda está com uma sonda e um monitor cardíaco, mas só, nenhum outro aparelho. Consideramos que assim é mais tranquilo. Dá mais dignidade ao paciente.

Agora dou um sorriso, quase uma risada. Como se ela ou outro alguém soubesse quanta dignidade possui Zoia. "Minha esposa foi criada com dignidade. É filha do último czar da Rússia, martirizado, bisneta de Alexandre II, o czar libertador que redimiu os servos. Mãe de Arina Georguievna Jachmenev. Nada é capaz de diminuí-la." É o que quero dizer, mas, claro, não digo.

— Estarei na sala dos enfermeiros, se o senhor precisar de mim — diz a dra. Crawford, entreabrindo a porta. — Pode me chamar à hora que quiser.

— Obrigado.

Ela se afasta e me deixa sozinho no corredor, diante da porta. Acabo de abri-la.

Olho o quarto.
Entro.

— É seguro? — perguntei-lhe quando estávamos sentados ao ar livre, no café em Hamina, no sudoeste da costa finlandesa, olhando ao longe para as ilhas de Viborgski Zaliv, para São Petersburgo.

Era evidente que Zoia já tinha tudo planejado. Seria nossa última viagem juntos. Foi ela que escolheu a Finlândia, foi ela que sugeriu avançarmos a leste, mais além do que havíamos programado originalmente, foi ela que insistiu em fazermos esta última viagem juntos.

— É seguro, Geórgui — respondeu, e eu disse que, se era isso o que ela queria, então era isso que faríamos. Iríamos para casa. Não por muito tempo. No máximo uns dois dias. Só para ver. Só para estar lá uma última vez.

Chegamos no final da tarde e nos hospedamos num hotel perto da catedral de Santo Isaac. Sentamos à janela contemplando a praça, com duas canecas grandes de café à nossa frente, com dificuldade de trocarmos qualquer palavra, de tão emocionados que estávamos por estar ali de volta.

— Difícil de acreditar, não é? — comentou ela, abanando a cabeça enquanto observava as pessoas caminhando ligeiras na rua, com o maior cuidado para não ser atropeladas pelos carros que vinham rapidamente de todas as direções. — Você algum dia pensou que estaria aqui outra vez?

— Não. Não, nunca imaginei. E você?

— Ah, sim — respondeu depressa. — Eu sempre soube que voltaríamos. Sabia que só seria agora, agora no final da vida...

— Zoia...

— Oh, Geórgui, desculpe — disse sorrindo com ternura e pondo sua mão sobre a minha. — Não quero ser mórbida. O que eu quis dizer foi que sabia que iria voltar na velhice. Não se preocupe, ainda tenho uns bons anos pela frente.

Assenti. Ainda não tinha me acostumado completamente com a doença de Zoia, com a ideia de perdê-la. A verdade era que ela estava com um ar tão bem-disposto que mal dava para crer que havia algo de errado em sua saúde. Estava tão bela quanto naquela primeira noite em que a vi, com as irmãs e Ana Virubova na banca de castanhas, à margem do Neva.

— Gostaria que Arina estivesse aqui conosco — falou Zoia, o que me surpreendeu um pouco, pois raramente mencionava nossa filha. — Acho que seria maravilhoso mostrar-lhe de onde ela veio.

— Ou Michael.

Ela estreitou os olhos, parecendo em dúvida.

— Talvez. Mas mesmo agora seria arriscado para ele.

Concordei e segui a direção de seu olhar pela janela. Era tarde, mas ainda não havia escurecido. Tínhamos esquecido, mas lembramos ao mesmo tempo.

— As Noites Brancas! — dissemos em uníssono e desatamos a rir.

— Não acredito! — exclamei. — Como pudemos esquecer esta época do ano? Eu ia começar a me perguntar por que não escurecia.

— Geórgui, vamos sair — disse ela, tomada de súbito entusiasmo. — Vamos sair hoje à noite, o que você acha?

— Mas é tarde. Pode estar claro, mas você precisa descansar. Podemos sair de manhã.

— Não, hoje à noite — pediu ela. — Não vamos demorar muito. Oh, por favor, Geórgui! Andar pelas margens do rio numa noite dessas... não podemos vir até aqui e não fazer isso.

Cedi, claro. Não havia nada que ela me pedisse e eu não fizesse.

— Certo. Mas temos de nos agasalhar bem. E não podemos demorar muito.

* * *

Saímos do hotel logo depois e nos dirigimos para as margens do rio. Havia centenas de pessoas passeando de braços dados, aproveitando a claridade tardia, e era agradável estar ali junto com elas. Paramos e contemplamos a estátua do Cavaleiro de Bronze no Jardim de Alexandre, observando os turistas que queriam ser fotografados diante dela. Falamos pouco enquanto andávamos, sabendo aonde nos levavam nossos passos, mas não queríamos estragar o momento comentando antes de chegarmos ao local.

Depois de passar pelo Almirantado, viramos à direita e logo estávamos na frente dos edifícios do Estado-Maior, que rodeavam a praça do Palácio. Diante de nós erguia-se a Coluna de Alexandre e defronte estava o Palácio de Inverno, brilhante e grandioso como em minhas recordações.

— Lembro a noite em que cheguei aqui — falei em voz baixa. — Parece que foi ontem que passei pela coluna. Os soldados me largaram ao lado do palácio, e o conde Charnetski me olhou como se eu fosse algo no calcanhar de sua bota.

— Ele era um chato — disse Zoia sorrindo.

— Era, sim. E então me levaram para dentro, e lá conheci seu pai.

Abanei a cabeça e suspirei fundo para não me sentir esmagado pelas lembranças.

— Faz mais de sessenta anos. Nem dá para acreditar.

— Venha — disse ela, puxando-me na direção do palácio, e segui com cautela.

Zoia tinha se calado, certamente com o espírito repleto de uma quantidade muito maior de lembranças do que eu; afinal de contas, ela tinha crescido aqui. Passara a infância e convivera com as irmãs entre aquelas paredes.

— O palácio vai estar fechado a esta hora da noite. Amanhã, talvez, se você quiser entrar...

— Não — cortou depressa. — Não quero, não. É apenas isso. Olhe ali, Geórgui, você se lembra?

Estávamos na pequena área retangular entre os portões e as portas da frente, cercados pelas doze colunatas por onde o soldado a cavalo passara a galope, assustando Zoia, e ela caíra em meus braços. O lugar onde tínhamos trocado nosso primeiro beijo.

— Nunca havíamos nem nos falado — comentei, rindo à lembrança.

Zoia se inclinou e me abraçou outra vez, no mesmo lugar daquele primeiro abraço, tantos anos antes. Desta vez, ao nos separarmos, mal conseguimos falar. Eu me sentia sufocar de emoção e me perguntava se teria sido uma boa ideia, se devíamos mesmo ter ido ali. Volvi os olhos para a praça, atrás de nós, e tirei o lenço do bolso, enxugando os cantos dos olhos, resolvido a não perder o controle das emoções.

Virei-me para Zoia, mas não estava mais a meu lado. Ansioso, olhei ao redor e logo a localizei. Ela tinha se esgueirado para o jardim que ficava entre as colunatas e a porta do palácio, e se sentara junto à fonte. Contemplei-a, lembrando os tempos de outrora, quando a vi ali de perfil, e nisso ela se virou para mim e sorriu.

Parecia uma mocinha.

Voltamos devagar para o hotel, andando ao longo do Neva.

— A ponte do Palácio — disse Zoia, apontando a grande estrutura que ligava a cidade, desde o Ermitage até a Ilha Vassilievski. — Terminaram.

Ri alto.

— Até que enfim. Todos aqueles anos com a estrutura inacabada. Primeiro, não podiam terminar porque o barulho acordaria vocês de noite, e depois...

— A guerra — completou Zoia.

— É, a guerra.

Paramos e ficamos a contemplar a ponte, e sentimos uma onda de orgulho. Era uma boa coisa. Finalmente estava pronta. Agora havia ligação com os que moravam na ilha. Não estavam mais sozinhos.

— Com licença — disse uma voz à direita. Viramos e vimos um senhor de idade, com um sobretudo grosso e cachecol. — Teria um fósforo, por gentileza?

— Desculpe, mas não fumo — respondi dando uma olhada no cigarro apagado que ele estendia em minha direção.

— Aqui — disse Zoia, abrindo a bolsa e tirando uma caixinha; ela também não fumava, e fiquei espantado que ela andasse com fósforos, mas fazia tempo que o conteúdo da bolsa de minha esposa era um mistério para mim.

O homem pegou a caixa e agradeceu. Olhei à sua esquerda e notei sua companheira — sua esposa, supus — com os olhos fitos em Zoia. As duas tinham mais ou menos a mesma idade, mas, tal como minha mulher, a idade não diminuíra sua beleza. Na verdade, seus traços elegantes eram prejudicados apenas por uma cicatriz que lhe descia na face esquerda até um ponto logo abaixo da maçã do rosto. O homem, que era bem-apessoado, com cabelos brancos fartos, acendeu o cigarro, sorriu e agradeceu.

— Aproveitem a noite — disse ele.

Assenti e agradeci:

— Obrigado. Vocês também.

Ele se virou para pegar a mão da esposa e ela estava fitando Zoia com um ar de tranquilidade no rosto. Por alguns instantes, nós quatro guardamos silêncio. Então, finalmente, a mulher curvou a cabeça.

— Posso ter sua bênção? — pediu.

— Minha bênção? — perguntou Zoia, as palavras se enroscando na garganta.

— Por favor, Alteza.

— Você a tem — disse. — E por menos que valha, espero que lhe traga paz.

Está claro, é de manhã, abro a porta e a sala de estar parece fria e inóspita. Detenho-me, olho a mesa, o fogão, as poltronas, o dormitório, este lugarzinho onde fizemos nossa vida conjunta, e hesito. Não sei se conseguirei prosseguir.
— Você não precisa voltar aqui — diz Michael, também hesitando no corredor atrás de mim. — Talvez seja melhor vir conosco hoje, não acha?
— Vou, sim — concordo e dou um passo para entrar na sala. — Mais tarde. Hoje à noite, talvez. Agora não, se você não se incomodar. Acho que prefiro ficar aqui. Afinal é minha casa. Se não entrar agora, não entro mais.
Ele concorda, fecha a porta e nós dois vamos até o centro da sala, tiramos os casacos e colocamos numa das cadeiras.
— Chá? — pergunta ele, já enchendo a chaleira.
Dou um sorriso, aceito. Ele é tão inglês.
Michael se apoia contra a pia enquanto espera a chaleira ferver, e eu me sento na poltrona, sorrindo-lhe. Ele está com uma camiseta com alguma frase cômica estampada na frente. Gosto disso — nem lhe passou pela cabeça usar uma roupa mais sóbria.
— Aliás, obrigado — digo eu.
— Pelo quê?
— Por ter ido ao hospital ontem à noite. Você e seu pai. Não sei se conseguiria atravessar a noite sem vocês.
Ele ergue os ombros, e me indago se ele vai começar a chorar de novo; durante a noite, ele rompeu em lágrimas três ou quatro vezes. Uma vez quando lhe contei que sua avó tinha morrido. Outra vez quando entrou para vê-la. E outra vez quando o abracei.
— Claro que eu estaria lá — responde com a voz nervosa e emocionada. — Onde mais estaria?

— Obrigado de toda forma. Você é um bom garoto.

Ele assente, enxuga os olhos, coloca os saquinhos de chá em duas xícaras e derrama a água fervendo, espremendo os saquinhos nas laterais com uma colherinha, em vez de preparar um bule. Se sua avó estivesse aqui, ficaria fula da vida.

— Você não precisa pensar nisso agora — ele diz sentando à minha frente e apoiando as xícaras. — Mas sabe que pode ir para nossa casa, não é? Quer dizer, morar conosco. Papai concordaria.

— Eu sei — respondo num sorriso. — E agradeço aos dois. Mas creio que não. Ainda estou bem de saúde, não acha? Dou conta. Mas você vem me visitar, não é? — pergunto nervoso, sem saber por que estou perguntando, pois já sei a resposta.

— Claro que sim — diz com os olhos espantados. — Meu Deus, todos os dias, se der.

— Michael, se você vier todos os dias, nem abro a porta. Uma vez por semana está bom. Você tem sua própria vida.

— Duas vezes por semana, então.

— Ótimo — digo, sem querer combinar nada muito fixo.

— E você sabe que minha peça vai estrear logo, não é? Daqui a duas semanas. Você vai à estreia, não vai?

— Vou tentar — respondo, sem muita certeza de que consiga ir sem Zoia a meu lado. Sem Anastácia. Posso ver o ar de decepção em seu rosto, sorrio e digo para tranquilizá-lo. — Vou me empenhar ao máximo, Michael. Prometo.

— Obrigado.

Ficamos ali sentados, conversando mais um pouco, e então lhe digo que agora é melhor que vá embora, que deve estar cansado, pois ficou acordado a noite inteira.

— Vou se você tem certeza — diz ele, levantando e se espreguiçando, com um sonoro bocejo. — Isto é, posso dormir aqui, se preferir.

— Não, não. É hora de ir para casa. Nós dois precisamos

dormir. E creio que eu gostaria de ficar um pouco sozinho, se não se importar.

— Certo — diz Michael vestindo o casaco. — Ligo hoje à noite para ver como você está. Há... — ele hesita, mas decide dizer logo. — Sabe, há algumas coisas a fazer.

— Sei — respondo acompanhando-o até a porta. — Mas podemos falar sobre isso mais tarde. Até de noite.

— Até, Pópi — ele se despede com um beijo e um abraço, e então se afasta para que eu não veja a expressão de dor em seu rosto.

Fico observando enquanto ele sobe os degraus aos saltos até a rua, aquelas pernas longas e musculosas que podem levá-lo para onde ele quiser. Ser jovem de novo. Observo e me pergunto como ele sempre consegue sair bem na hora em que um ônibus aponta na rua, como se não quisesse desperdiçar um único momento da vida esperando numa esquina. Ele pula na traseira e ergue a mão para mim, o czar não coroado de todas as Rússias acenando para o avô na traseira de um ônibus londrino, enquanto o motorista acelera e o cobrador se aproxima para cobrar a passagem.

É o que me basta para dar risada. Fecho a porta e sento de novo, avaliando a cena e, de fato, ela me parece tão engraçada que rio até chorar.

E, quando surgem as lágrimas, eu penso *aah*...

Então é isso que significa estar sozinho.

1ª EDIÇÃO [2010] 6 reimpressões

ESTA OBRA FOI COMPOSTA EM PALATINO PELO ESTÚDIO O.L.M.
E IMPRESSA EM OFSETE PELA GEOGRÁFICA SOBRE PAPEL PÓLEN NATURAL
DA SUZANO S.A. PARA A EDITORA SCHWARCZ EM DEZEMBRO DE 2022

A marca FSC® é a garantia de que a madeira utilizada na fabricação do papel deste livro provém de florestas que foram gerenciadas de maneira ambientalmente correta, socialmente justa e economicamente viável, além de outras fontes de origem controlada.